Martina
raconte
Navratilova

Martina Navratilova

avec George Vecsey

Martina raconte

Navratilova

CARRERE

Éditions 13
9 Bis rue de Montenotte
75017 PARIS
Tél. : (1) 46.22.44.54

Traduit de « Martina »

© 1985, Martina Enterprises, Inc
Edition originale américaine 1985 par :
Alfred A. Knopf, New York

© Copyright Editions CARRERE-Michel LAFON,
9 bis, rue de Montenotte 75017 Paris - Avril 1986
Tous droits réservés, y compris l'U.R.S.S.

I.S.B.N. 2-86804-287-2

A ma mère, mon père, ma sœur et ma grand-mère,
qui ont souffert plus qu'ils ne me l'ont jamais laissé
voir,
et que j'aime plus qu'ils ne le sauront jamais...

REMERCIEMENTS

Je tiens à remercier ici Peter Johnson et la Société Internationale Management Group; toutes les sociétés Yonex, Puma, Porsche, Computerland et Vuarnet, mes indéfectibles « supporters » des bons et des mauvais jours. George Vecsey, homme et écrivain merveilleux, devenu pour moi, au fil de notre collaboration, un véritable ami. Merci aussi à tous mes amis, anciens et plus récents, ceux du tennis et les autres, que je n'ai pas besoin de nommer pour qu'ils se reconnaissent. Et pour rien au monde, je n'oublierais mes amours de chiens : K.D., Tets, Ruby, Yoni et Puma, qui ne me demandent jamais si j'ai gagné ou perdu avant de m'embrasser.

Martina Navratilova

Nombreux sont ceux qui m'ont aidé à la réalisation de ce livre. A tous, je dis combien je leur en suis reconnaissant, et je remercie dans le désordre :

La famille Navratil, Mirek, Jana et Jana, pour leur accueil chaleureux et les merveilleux repas qu'ils m'ont fait partager, chez eux, à Revnice. Zdenek Navratil, pour m'avoir servi de guide à Karlstein et pour la traduction anglaise du « Brave soldat Svejk » qu'il m'a offerte et pour m'avoir recommandé de lire Skvoretcky.

Aja Zanova et George et Jamila Parma, qui m'ont si bien parlé de leur amitié pour Martina. Sandra Haynie, qui a trouvé le temps de me recevoir malgré ses multiples occupations. Le

Dr Renée Richards et Melissa Hope Vinson pour leur compagnie stimulante à tant de championnats.

Lee Jackson, Peggy Gossett, Marcia Robbins et Chris Evert Lloyd, qui m'ont aidé à mieux connaître la carrière de Martina dans le « circuit » et Mary Carillo, pour son excellent travail « Tennis my way ». Mike Estep et Barbara Hunter, inséparables joueurs de double en toutes occasions. Judy Nelson, pour ses conseils qui m'ont aidé à écrire ce livre.

Le Dr Gary Wadler et Nancy Wadler, auteurs de « How to cope », tous deux experts, lui en médecine, elle en littérature. Nancy Liebermann, gosse du « Queens » comme moi, pour sa patiente amitié. Renée Lieberman, pour sa sollicitude. Pam Derderian, pour nos longues conversations au bord de la piscine et au tennis.

La musique de Smetana et de Dvorak et les livres de Skvoretcky, Kundera et Hasek, qui m'ont pénétré d'une atmosphère tchécoslovaque. Jan Kodes, pour tous les souvenirs de Sparta qu'il m'a confiés. George et Stella Repper qui m'ont aidé à me sentir un peu tchèque. Jan Krejci, qui est devenu mon ami, dès que je suis monté dans le taxi qu'il conduit avec tant de brio.

Mes amis journalistes comme Neil Amdur, Jane Leavy, Susan Adams, Frank Deford, Ira Berkow, Peter Bodo, Jane Gross, Steve Jacobson et Roy Johnson, dont tous les articles et tout ce qu'ils ont pu me dire d'elle prouve qu'ils comprennent et connaissent bien Martina. Walter Schwartz, pour la compétence avec laquelle il gère mes intérêts. Ed et Karen Mase, mes proches à Big D., qui m'ont de grand cœur offert leur hospitalité et prêté leur voiture. Tina Oliver Christian, qui m'a toujours fidèlement transmis les messages téléphoniques.

Peter Johnson, Bev Norwood et Laura Nixon de la Société Internationale Management Group, à Cleveland et à New York, qui sont à l'origine du projet de cet ouvrage et m'ont apporté leur aide pour le mener à bien.

Vicky Wilson, notre « éditeur » chez Knopf qui a tellement voulu publier le livre ainsi que Cindy Miller et Kathy Hourigan qui ont apporté leur aide personnelle aussi bien que professionnelle.

Ma famille, qui m'a entouré de solidité et d'équilibre, et particulièrement mon père, George Stephen Vecsey, 1909-1984, qui aurait aimé ce livre.

George Vecsey

PROLOGUE

J'avais douze ans.

Mon père m'avait emmenée acheter des chaussures. On me prit pour un garçon.

Oh! j'avais l'habitude.

« Eh petit! », m'avait un jour hélée une vieille dame, « oui, toi petit scout, tu pourrais m'aider à traverser la rue? » Ça donne une idée de la silhouette que j'avais. Et j'ai été la dernière de la classe à avoir ses règles!

Mais ce jour-là, je me suis vue pour la première fois de la tête aux pieds dans une glace. Et j'ai éclaté en sanglots.

Gros mollets! Grandes oreilles! Grands pieds!

Je pleurai: « toute ma vie, j'aurai l'air d'un garçon! »

Mon père dut bien vite me faire sortir de la boutique.

« Ne t'inquiète pas, tu vas changer. Seulement, il y a des plantes qui fleurissent plus tôt que d'autres. Je peux te promettre qu'en grandissant, tu deviendras très jolie! »

Il était plus convaincant sur le court: « Attaque!

9

Monte au filet! Comme un garçon! Place ta balle! Prend des risques! Aie de l'imagination! Un jour, tu gagneras Wimbledon!»

Ça, oui, je le croyais vraiment!

1

LES POMMIERS

Quand mes parents se sont séparés, j'avais trois ans. Nous avons quitté le chalet des monts des Géants. Ma mère m'a emmenée dans la maison de sa famille. Elle y avait passé une enfance choyée par sa nounou. Nous avons dû nous contenter d'une seule pièce.

Ma famille maternelle avait possédé, autour de cette maison, une propriété de près de quinze hectares : un verger superbe descendait au flanc de la colline jusqu'aux riches terres agricoles des rives de la Berounka. En 1948, quand les communistes ont pris le pouvoir, tout a été confisqué. Il n'est resté que la maison de ciment – encore fallait-il désormais la partager avec d'autres occupants – et le court de tennis de terre battue. De la fenêtre de notre chambre, on avait vue sur le court. Laissé à l'abandon, il a fini par nous servir, à nous les enfants, de terrain de football.

On voyait aussi, de l'autre côté de la rue, un groupe de pommiers qui avaient fait partie du verger. Je n'ai encore jamais raconté à personne qu'il m'est arrivé de traverser furtivement pour aller en cachette cueillir des pommes. J'en mangeais tout mon saoul, et j'en offrais à mes camarades. Après tout, c'était mon héritage. Je ne faisais que récupérer un peu de ce que tous les Tchèques et les Slovaques avaient perdu en 1948. Et ma famille avait perdu plus encore que la plupart.

Quand j'étais petite, je voyais souvent ma mère regarder tristement dans le vide. Je devinais qu'elle se revoyait enfant, dans son domaine, avant la guerre. Pas plus que ma grand-mère, ma mère n'avait oublié; elles vivaient toutes deux dans cet état de tristesse, de dépossession, d'absence de soi, qu'on appelle « litost » en tchèque.

Plus je grandissais, plus j'étais sûre que ma vie n'était pas ce qu'elle aurait dû être. Pourquoi avait-on pris à ma famille ce qui lui appartenait? Pourquoi avait-on volé nos pommiers? C'était injuste. C'était arbitraire. Qu'est-ce que je faisais dans tout ça? C'est ailleurs que j'aurais voulu être.

Mon second père – je n'ai jamais pensé au second mari de ma mère comme à un beau-père – me répétait que mon heure viendrait. Mais je ne le croyais pas : tout était raté d'avance pour moi, même le tennis, au début.

A dix ans, j'étais déjà passionnée de tennis. J'y jouais tous les jours. J'étais très différente des petites filles de mon âge. Je jouais au football et au hockey sur glace, avec des garçons. Pourquoi pas? Ils n'étaient pas plus forts que moi, après tout.

Je suis partie vivre en Amérique à seize ans. C'est là que, pour la première fois, je me suis sentie chez moi. Je n'ai rien d'une mystique, je serais plutôt pragmatique. Pourtant je suis profondément convaincue que j'étais née pour être Américaine. Malgré l'amour que je porte à ma patrie, ma vie ne m'a paru enfin normale que le jour où j'ai débarqué de l'avion en Floride pour mon premier tournoi américain, en 1973. J'ai enfin vu l'Amérique sans le filtre de la propagande communiste. Et c'était tout ce que j'attendais depuis toujours.

Je ne parle pas du coup de foudre que j'ai eu pour les

fast-food du Nouveau-Monde, qui m'a valu de prendre dix kilos en un mois. On disait qu'on m'avait envoyée à Miami pour tester autant de big-mac que je le pourrais! Autant dire que Christophe Colomb était parti en Amérique pour y trouver Ray Charles. Non, ce n'était pas pour Ronald MacDonald que j'étais venue!

Ce pays était fait pour moi. Il allait me donner des amis, l'espace, la liberté, les courts, les bonnes chaussures de tennis, tous les appareils de musculation, tout ce qu'il me fallait pour devenir une championne, la meilleure joueuse de l'histoire du tennis féminin. Et c'est ce que je suis devenue.

Je me vante? Si vous voulez. Mais c'est très américain d'exprimer franchement ce qu'on pense. Dans cet immense pays, j'ai le droit d'être effrontée comme New York, hédoniste comme Los Angeles, voluptueuse comme San Francisco, débrouillarde comme Boston, correcte comme Philadelphie, musclée comme Chicago, chaleureuse comme Palm Springs, sympathique comme Dallas, ma ville d'adoption, paisible comme le canal qui se prélasse près de mon ancienne maison à Virginia Beach.

On me voit tantôt comme une lutteuse acharnée, tantôt comme quelqu'un qui se démonte facilement, parce qu'il m'est arrivé de perdre quelques grands matches. Pour les uns je suis très fairplay, pour d'autres trop « rouspéteuse ». Il y a des gens qui pensent que je suis dure et insensible, et d'autres (ceux-là me connaissent) qui vous diront que j'ai la larme à l'œil devant les attendrissantes petites bêtes des spots publicitaires de la télévision. C'est la vérité : je suis une sensible.

Je parle américain avec un léger accent. Je viens d'au-delà du rideau de fer. Il y a des Américains férocement anticommunistes qui me renverraient volontiers dans ce système qu'ils ne supportent pas. Je suis venue vivre dans le pays que j'aime. On me traite parfois d'infidèle. Parce que j'ai aimé des femmes aussi bien que des hommes, certains de mes « amis » ont même été jusqu'à écrire que j'étais une « traîtresse bisexuelle ».

Vous voulez connaître un autre de mes secrets? Je suis ambidextre, aussi. Et je n'aime pas les étiquettes. Appelez-moi Martine, c'est tout.

Ce qui est merveilleux, c'est qu'aux États-Unis je peux être tout cela à la fois, bref, être moi-même. Les États-Unis sont un pays libre, et la brochure que j'ai étudiée pour mon examen de naturalisation ne mentait pas. Quand j'y suis arrivée, j'ai eu l'impression de revenir chez moi, dans un monde que l'on m'avait pris. Enfin je retrouvais la tradition familiale de liberté.

Une fois installée aux États-Unis, j'ai pu aider mes parents à acheter une nouvelle maison à Revnice. Ils ont maintenant plus de quarante pommiers, et ils font en automne des quantités de cidre. Je n'ai jamais pu le goûter, leur cidre, puisque je n'ai jamais été autorisée à retourner en Tchécoslovaquie. Mais je sais, au moins, que ma famille a de nouveau des pommiers.

2
MON VRAI PÈRE

Le tennis était une tradition dans ma famille. Ma grand-mère maternelle, Agnès Semanska, a battu la mère de Vera Sukova au tournoi international de Tchécoslovaquie. Nous étions heureux que ma grand-mère ait eu au moins cette petite gloire, elle qui, à plus de quarante ans, fut obligée d'aller travailler en usine, sous peine de n'avoir droit à aucune retraite, et qui y est restée jusqu'à soixante-dix ans.

Le frère de ma mère, Josef, jouait aussi et s'entraînait régulièrement. Mais il lui manquait cette intelligence qui fait les grands joueurs, comme Chris Evert, John Mac Enroe, Jimmy Connors. Et Bjorn Borg! Il a eu, lui, une vie très protégée, mais il est d'une intelligence au-dessus de la moyenne. Il aurait poursuivi ses études s'il n'avait pas fait du tennis. Et je l'aurais fait, moi aussi.

Ma mère, Jana, a cette intelligence. Et elle est grande, solide, athlétique. Il suffit de la voir en tenue de tennis ou en maillot de bain pour savoir de qui je tiens mes qualités sportives. Mais elle n'est jamais devenue une joueuse du niveau de ma grand-mère. Elle a été dégoûtée du tennis par son père et l'acharnement qu'il mettait à la forcer à jouer. Il voulait à tout prix en faire

15

une championne, il n'a fait que lui enlever toute chance de le devenir. C'était vraiment un tortionnaire : il allait jusqu'à lui lancer de l'eau froide en pleine figure pour la réveiller, la priver de boire si elle avait mal joué, parfois même lui cogner la tête contre le mur – et je suis sûre que c'est la cause des migraines dont elle souffre maintenant. Il pouvait être si cruel qu'elle finit par abandonner. Elle ne jouerait plus !

C'était un hargneux petit bonhomme, mon grand-père, tel que je me le rappelle. Il paraît qu'il s'est adouci en vieillissant. C'était après mon départ. J'ai du mal à le croire. Par contre, je me souviens fort bien m'être presque battue avec lui à coups de poings. J'avais à peu près dix ans.

En fait – mais je ne l'ai su que beaucoup plus tard – ma grand-mère et lui étaient divorcés depuis des années. Ils ont tout de même continué à habiter ensemble, peut-être parce qu'il était devenu si difficile de se loger en Tchécoslovaquie. J'ai appris aussi qu'il avait été orphelin très jeune, et élevé par un oncle qui l'avait passablement brutalisé. On sait bien que les adultes qui maltraitent les enfants ont souvent été des enfants mal-aimés.

Quoi qu'il en soit, mon grand-père a fait beaucoup de mal à sa fille. Bien qu'elle soit heureuse depuis qu'elle a rencontré mon second père, elle reste extrêmement nerveuse. Elle est bouleversée de me voir jouer. L'odieux caractère de mon grand-père s'est certainement ajouté à la perte de leur domaine familial pour donner à ma mère et à ma grand-mère cette mélancolie qui ne les quittait jamais.

Ma mère, abandonnant les courts, a choisi le ski. Il lui offrait la liberté : le vieil homme ne pouvait pas la suivre sur les pentes et lui donner des claques si elle faisait des fautes de carre !

La Tchécoslovaquie a plusieurs chaînes de montagnes couvertes de neige la moitié de l'année. Il est facile de skier près de chez soi. Ce n'est pas un loisir coûteux comme aux États-Unis. Ma mère, jeune fille, faisait du ski dans les monts des Géants, près de la frontière nord, et elle était monitrice dans un chalet quand elle a rencontré mon père, son premier mari, Miroslav Subert (on prononce Shubert). Il était gérant de restaurant à Prague. Après leur mariage, ils allèrent s'installer près du village de Spindleruv Mlyn, dans un chalet de ski nommé Martinovka, ce qui signifie à peu près « la demeure de Martin ». Pendant deux ans et demi, ils ont vécu à 1 200 mètres d'altitude sans remonte-pentes ni moyens de transport. Ils devaient monter à pied jusqu'à l'autre chalet où mon père était chef de l'équipe de secours.

A la fin de l'été 1956, ma mère est retournée à Prague où je suis née le 18 octobre. C'était pendant l'automne où les chars russes sont entrés en Hongrie, et douze ans avant qu'ils n'envahissent mon pays, événement qui a marqué ma vie (y laissant à jamais de profondes cicatrices) et celle de tous les autres Tchèques et Slovaques.

Ils m'appelèrent Martina, ce qui était le féminin du nom du chalet où j'avais été conçue. Bien que j'aie un cousin qui s'appelle Martin, ce n'était pas un prénom courant en Tchécoslovaquie et Martina semblait étrange; il est beaucoup plus répandu aujourd'hui.

En tchèque, les filles ajoutent au nom de famille de leur père la terminaison « ova ». Plus tard, elles ajoutent cette terminaison au nom de leur mari. Pendant mes dix premières années, j'ai donc été Martina Subertova.

Cinq semaines après ma naissance, ma mère retourna à Martinovska avec moi. La saison de ski était proche et elle devait donner des leçons. Deux ans après, c'est à moi qu'elle en donnait. Peut-on réellement se souvenir de ce qui s'est passé lorsque l'on avait deux ans ? J'ai pourtant l'impression de me voir encore descendre une pente à toute vitesse. Ce devait être ma première tentative. Je me souviens de la neige dure tassée sous mes pieds, du soleil dans mes yeux, de mon plaisir à glisser.

17

J'ai vu tellement souvent les photos que j'ai peut-être fini par croire, à tort, qu'il s'agissait d'un souvenir. J'étais une enfant heureuse. Tout juste sortie de mes langes, je descendais comme un éclair les pentes abruptes du mont des Géants. Elles n'étaient probablement pas si abruptes que cela, d'ailleurs. Après tout, je n'avais que deux ans.

Je savais à peine skier que mes parents se séparèrent. Comme je l'ai déjà dit, ma mère m'emmena chez elle, à Revnice, tout près de Prague. Comme je suis née à Prague et que je parle souvent du train que je prenais pour aller à mes leçons de tennis, on pourrait croire que j'ai grandi en ville, mais en fait j'ai vécu à la campagne. Après notre départ des monts des Géants j'ai passé des années à ramasser des champignons et cueillir des myrtilles dans les Brby surplombant mon village de Revnice.

Le tchèque n'est pas la langue la plus facile à apprendre. Mais il faut en avoir une toute petite notion pour me connaître. Le R de Revnice est surmonté d'un petit accent circonflexe renversé qui change le son en ZH. Je ne suis donc pas de Prague, je suis de Zhev-NEE-tzeh.

Mon père habitait Prague à cette époque. Il venait me voir tous les deux mois. Il n'était pas particulièrement doué pour la garde d'enfants.

Je ne me souviens pas très bien de lui, mais il paraît que je lui dois mon exubérance : mes crises de larmes après un échec, comme mes joies délirantes quand je gagnais, au début de ma carrière. C'est peut-être vrai. Je ne sais plus comment il était. Après mon départ de Tchécoslovaquie, j'ai écrit une fois à la sœur de ma mère pour lui demander quelques détails sur mon vrai père, mais elle en savait fort peu.

Je me rappelle pourtant un séjour d'une semaine avec lui dans un chalet de ski. Je devais avoir quatre ou cinq ans. Il m'emmena en me portant dans un poncho enroulé autour de nous deux. Le soir, nous nous

18

asseyions près du feu et il me racontait les histoires du géant Krakanosh qui vivait ici. Lorsque j'étais enfant, tous les petits Tchécoslovaques connaissaient Krakanosh qui mesurait environ six mètres, portait un chapeau vert et avait une grande barbe. On le voyait même dans des dessins animés à la télévision. Mon père me disait qu'il m'enlèverait si je n'étais pas sage et je le croyais. Il n'était pas difficile de croire de telles histoires dans ces montagnes où chaque sensation est amplifiée : la lumière est vive, la nuit d'un noir profond : on croit que des géants peuvent, à tout instant, apparaître.

Je me souviens aussi que, dans ce chalet, il y avait dix colleys. C'est peut-être l'origine de mon amour pour les animaux. J'ai maintenant trois chiens que j'emmène partout avec moi.

Cette semaine avec mon père fut le plus long séjour que je passai avec lui. Après le remariage de ma mère, il venait deux fois par an, m'emmenait au zoo de Prague, au cirque, ou au cinéma. Je crois me souvenir qu'il n'était pas en très bonne santé, mais on me l'a peut-être dit, ensuite, pour cacher sa mystérieuse disparition. Quand j'avais huit ans, en effet, il a cessé de venir. Je n'ai pas tellement pensé à lui car j'avais à la maison un nouveau père qui me sortait, m'apprenait à jouer au tennis et m'apportait tout son amour, tout en m'enseignant la discipline, comme doit le faire un bon père.

Plus tard, le mystère s'est éclairci, par hasard. En Tchécoslovaquie, il est de coutume d'envoyer un avis mortuaire, appelé « parté », bordé de noir. J'avais dix ou onze ans quand nous avons reçu au courrier un « parté » annonçant le décès de mon grand-père Subert. Comme je ne le connaissais pas très bien, j'ai posé à ma mère quelques questions sur lui et, du coup, également sur mon père.

– Il est mort il y a quelques années, me dit-elle, sans précaution. Il a eu une opération à l'estomac et il en est mort.

Je ne me souviens pas avoir pleuré en apprenant cette nouvelle qui expliquait qu'il ne doit plus me voir. Je n'ai même pas trouvé surprenant que ma mère ne m'ait rien dit.

La véritable histoire, je ne l'ai sue qu'à vingt-trois ans. Mes parents passaient quelques mois aux États-Unis. Une querelle éclata un jour à propos de Rita Mae Brown. Elle vivait avec moi et mes parents prenaient mal la chose. Du coup, ils m'ont prédit que je finirais mal. Nous étions dans la maison que je venais d'acheter à Charlottesville, en Virginie. C'était une discussion comme il y en a dans toutes les familles :

« Tu es une malade », me dit mon père.

« Tu es tellement émotive, que tu finiras exactement comme ton père », ajouta ma mère.

« C'est-à-dire ? » demandai-je.

Ils se regardèrent un moment, puis les mots se bousculèrent : mon père était un instable. Il faisait confiance aux autres, devenait en cinq minutes leur meilleur ami, se dévouait pour eux, puis, à la moindre anicroche, il les quittait et était au désespoir. Il avait, comme moi, des hauts et des bas excessifs. Et il avait fini par se suicider.

C'était la première fois que j'en entendais parler. Pour moi, mon vrai père avait toujours été un personnage flou, un homme qui disparaissait dans les brumes comme les êtres légendaires, au beau milieu d'une dispute, j'apprenais qu'il s'était remarié, avait divorcé de nouveau, et s'était suicidé dans un hôpital, quand la femme qu'il aimait lui avait annoncé qu'elle le quittait. Et mes parents me prédisaient qu'il marriverait la même chose !

« Ça ne fait pas partie de mes plans », leur rétorquai-je.

J'ai peut-être hérité un peu de la vulnérabilité de mon vrai père. Je fais facilement confiance aux autres. Cela m'a déjà joué des tours, et je m'efforce de m'endurcir, sans devenir cynique pour autant. J'ai gardé la plupart de mes amis.

En tout cas, je n'ai aucune intention de jamais me suicider, même si je traverse des moments difficiles. Moi, je veux mourir très vieille. Et d'ici là, j'aurai repris mes études, gagné un tas de championnats, j'aurai peut-être eu un enfant, et réussi plusieurs carrières.

Comme me l'avait dit mon second père, je suis une plante qui fleurit tard.

3

MES PARENTS

Peu après notre installation dans la maison familiale de Revnice, ma mère s'inscrivit au club de tennis municipal situé sur la colline. Les courts étaient en terre battue rouge, comme la plupart des courts en Europe, et les citadins consacraient leur temps libre au jeu européen, lent, agréable, presque cérémonial : flop, flop, flop.

Au printemps, après la fonte des neiges sur la montagne, tout le monde participait à l'entretien des courts. Pour les nouveaux membres c'était aussi un moyen de payer leurs cotisations de débutants car très peu avaient de l'argent en trop. L'argent est toujours rare dans une économie où il faut travailler deux heures pour pouvoir s'offrir un paquet de cigarettes américaines, et trois pour acheter un poulet.

J'étais un vrai rat de courts, suivant ma mère partout, courant après les balles, en fait un véritable fléau. Un jour de printemps, je devais avoir trois ans et demi, je traînais derrière des hommes qui apportaient de la nouvelle terre sur les courts. L'un d'eux, très dur au travail, plaisantait avec moi. A peine eut-il déversé la terre et commencé à pousser sa brouette vide que je me laissai tomber dedans et lui dis : « Promène-moi. » J'étais effrontée.

Apparemment il ne m'a pas prêté beaucoup d'attention. Il venait de l'une des villes des alentours et avait la réputation d'être un célibataire aimant beaucoup la vie en société. Il avait le même prénom que mon vrai père, Miroslav, et il était surnommé Mirek. Son nom de famille était Navratil, un nom assez répandu en Tchécoslovaquie.

La première fois que je le revis sur les courts, il m'avait apporté un morceau de Kofila, une espèce de chocolat, spécialité tchèque introuvable aux États-Unis. Je me suis mise à attendre mon Kofila tous les weekends. Une fois il l'a oublié. J'en ai été bouleversée, mais il l'était encore plus que moi.

L'idée de présenter Mirek Navratil à ma mère ne m'avait jamais traversé l'esprit. Or un jour, en courant sur les courts je les vis discuter sur un banc. Ils s'étaient trouvés sans la moindre aide de ma part. Il a été ravi d'apprendre qu'elle était ma mère.

Il commença bientôt à lui faire des visites. Il était très adroit et se rendait utile dans la maison. Une fois une vitre de l'une des fenêtres situées de part et d'autre de la porte d'entrée s'était cassée; ma mère n'ayant pas assez d'argent pour en acheter une nouvelle avait fixé un sac à pommes de terre autour du trou. Mirek vint un samedi remplacer la vitre. D'autres fois il apportait de la nourriture et il finit au bout de quelque temps par régler une partie des frais de la maison.

Mirek Navratil apporta la joie dans la vie de ma mère. Comme par enchantement, sa profonde tristesse disparut. Cependant, elle était encore mariée avec mon vrai père. En fait, Mirek Navratil et lui se connaissaient. Dès que Mirek fit la cour à ma mère, la situation devint embarrassante. Finalement, ma mère divorça.

Elle épousa Mirek le 1er juillet 1961 à la mairie de Marienbad, ville d'eau proche de la frontière allemande.

23

J'en étais heureuse pour eux deux et pour moi, aussi, parce qu'il était déjà mon ami. Au retour de leur lune de miel, il vint habiter avec nous et je l'appelai Mirek, comme je l'avais toujours fait. Mais, très vite, je l'appelai Tato ou Tatinku, deux façons de dire papa. Ma mère, je l'ai toujours appelée « Mami ».

L'un des avantages que m'apporta ce mariage, c'est qu'au lieu d'avoir deux familles, une paternelle et une maternelle, j'en eus trois. Zdenek, le frère aîné de mon nouveau père, avocat et professeur à Prague, s'amuse toujours à rappeler que la première fois que je suis allée dans la famille Navratil, je n'ai pas cessé de chanter la même chanson. Je trouvais la vie formidable! Et j'avais même un nouveau cousin, Martin, de quelques années mon aîné.

Après le mariage, nous avons vécu tous les trois dans la chambre du premier étage de la maison de ma grand-mère. Après la naissance de ma sœur Jana, le 20 juin 1963, nous avons continué à vivre à quatre dans cette unique pièce pendant un ou deux ans. Je revois encore la pièce, orientée au sud-est, et inondée de soleil dès le matin.

Ma mère devait sans cesse se lever la nuit parce que Jana pleurait. Puis, peu à peu, le bébé se métamorphosa en une petite sœur babillarde, éveillée, dégourdie. Grâce à notre différence d'âge, nous nous sommes bien entendues toutes les deux : il n'y avait pas l'ombre d'une jalousie planant sur notre affection, et j'étais aux petits soins pour elle.

Puis, les gens du rez-de-chaussée sont partis. Mes grands-parents se sont installés à leur place. Mes parents ont pu avoir leur chambre. Je partageais la chambre de Jana. Nous avions même un piano. Et mon père avait fabriqué des meubles de cuisine en formica vert. Ma mère avait maintenant une cuisine pour elle seule, et j'y passais le plus clair de mon temps à la maison.

Je crois que mon père était heureux d'avoir une fille

douée d'autant d'énergie que lui. J'étais sa fille à part entière.

A la belle saison, il m'emmenait dans les montagnes qui surplombaient la ville, et là où nous faisions, l'hiver, du ski de fond, nous cueillions des baies sauvages.

Il avait une moto. Quand la neige était assez épaisse, je chaussais mes skis et il me tirait derrière sa moto dans les rues de la ville.

Nous allions aussi skier dans les monts des Géants et chaque année, juste avant Noël, nous allions couper un sapin pour la maison. Jana disait que nous n'avions pas le droit d'en acheter un. C'était notre père qui devait le couper.

Mon père était très actif. Une année, il avait été opéré du pied et ne pouvait pas travailler. Il a quand même réussi à s'occuper du court de tennis en terre battue rouge qui était, comme je l'ai dit, le dernier vestige de la propriété de ma mère. Il le remit en parfait état et nous avons tous pu jouer au tennis. Je revois encore Jana, qui devait avoir trois ans, tomber du haut de la chaise d'arbitre, faire une culbute et se retrouver sur le dos. Elle s'en est sortie avec un léger traumatisme.

Lorsque nous allions cueillir des champignons, nous en gardions pour les faire sécher. Ils étaient accrochés dans le grenier. Quel parfum! J'aimais m'arrêter à la porte et humer leur arôme. Mais j'étais pétrifiée de peur quand il fallait que j'entre dans le grenier. Il n'y avait qu'une très petite lucarne, et j'étais sûre qu'il y avait des monstres dans tous ces recoins sombres. Je n'avais peur de rien en pleine lumière, même pas de la Sorcière de Midi, qui venait punir les enfants qui n'avaient pas été sages. Mais aller chercher quelque chose au grenier me faisait une peur affreuse. Dès la porte passée, je voyais les monstres qui allaient se jeter sur moi.

Mes parents ont toujours conservé la même joie de vivre, le même plaisir de cuisiner, jardiner, prendre soin d'eux, même lorsque l'économie de notre pays s'est complètement effondrée grâce à « l'assistance » de nos amis de Moscou.

Mon père était économe dans une usine. Ma mère travaillait aussi. Ils n'ont jamais voulu adhérer au parti communiste, ce qui était pourtant le seul vrai moyen d'avoir la vie plus facile. Il nous manquait souvent quelque chose, même avec leurs deux salaires. Nous n'avons jamais eu de voiture. Nous n'avions même pas l'eau courante chaude, et il fallait en faire chauffer sur les braises pour prendre un bain.

Et pourtant nous vivions mieux que beaucoup d'autres. Nous avions notre maison, mon père avait un bon emploi, il ne faisait pas de travail de force, nous prenions des vacances tous les ans pour aller faire du ski.

Ma mère avait recommencé à travailler dès notre retour de Martinovka, mais elle n'a jamais cessé de s'occuper parfaitement de moi et plus tard de Jana. Quand je repense à cette époque, je la revois très douce, très généreuse, très maternelle. Si je décide d'avoir un enfant dans quelques années – ce que je crois – je l'élèverai exactement comme elle m'a élevée.

Elle me chantait des chansons en me faisant faire des tours de trottinette à trois ou quatre ans. Et je la revois encore dans la cuisine où les Tchécoslovaques, comme toutes les femmes du monde, je pense, passent beaucoup de temps. Lorsque le soleil se couchait, c'était l'heure d'aller dîner dans la chaleur de la cuisine; nous étions tous affairés, entassés, heureux, autour du poêle brûlant.

Ces scènes me reviennent en mémoire lors des visites que me fait ma mère aux États-Unis : dans ma cuisine, elle s'affaire, prépare un repas de sportive pour moi, un autre pour elle et Jana et pour tous ceux qui peuvent arriver.

– Veux-tu de la soupe? me demande-t-elle.

Mes parents ne se disputaient jamais, sauf peut-être

pour des problèmes pécuniaires. Mon père était payé tous les mois et donnait de l'argent à ma mère. Comme elle était souvent à court, elle lui en redemandait. Et toujours, il lui donnait la somme demandée. Je ne sais pas comment il faisait!

Une fois, elle avait perdu son portefeuille contenant trois cents couronnes, une somme à cette époque! Peut-être quarante ou cinquante dollars au cours officiel. Elle était tellement bouleversée que mon père alla lui acheter un cadeau.

Quoique tendre, prévenant et généreux, c'est lui qui faisait régner l'ordre à la maison. Si je faisais une bêtise, il me réprimandait : « Tu ne dois pas recommencer. » Une fois, pour me punir, il m'avait interdit de prendre ma bicyclette. Alors, j'ai lancé le ballon de football contre le garage et j'ai cassé un carreau, sans le faire exprès.

J'en tremblais, mais je suis allée le lui dire. « Eh bien, m'a-t-il répondu, puisque tu as avoué la fenêtre, tu peux aller prendre ta bicyclette. »

Quand je le méritais, il me punissait réellement. Ma mère approuvait tout ce qu'il disait. Pourtant, s'il était absent, il arrivait qu'elle m'octroie des libertés : « Bon, mais ne le dis pas à ton père. » Si elle était seule à la maison, je savais que je pouvais rentrer tard. Elle me dirait seulement : « Tu es supposée être à la maison... » En revanche, quand mon père était présent, je devais être parfaitement ponctuelle.

Dans ma classe, j'entendais des histoires affreuses d'enfants battus par leur père. C'était loin d'être mon cas. Si j'avais vraiment été épouvantable, il prenait une règle en bois, m'installait sur ses genoux et me frappait sur les fesses; il fallait vraiment que je l'aie mérité!

Un jour, alors que j'aurais dû rentrer à 5 heures de l'école maternelle, j'avais décidé d'aller chez une petite amie dont la mère allait d'ailleurs devenir plus tard mon professeur de russe à l'école. Le téléphone n'existait pas partout comme maintenant en Tchécoslovaquie ou aux

États-Unis, et je suis restée jusqu'à 6 ou 7 heures. A la tombée de la nuit, mes parents étaient terriblement inquiets. Ils n'ont absolument pas pensé à aller me chercher chez cette amie car c'était au moins à deux kilomètres de l'autre côté de la ville. A mon retour, ce soir-là, mon père m'a administré une belle fessée!

Une autre fois, j'ai traité une femme de vache. Je ne sais pas ce qui m'était passé par la tête. En tchèque, c'est une insulte bien pire qu'en français. Je devais être folle. Ce soir-là aussi, j'ai eu droit à une bonne fessée. Il arrivait aussi que ma mère essaye de me fesser. Mais elle se faisait mal aux mains. J'avais la peau dure.

Elle était ravie d'avoir un mari qui voulait être un vrai père. Et il était en effet merveilleux, en famille. Il aurait tout fait pour ma sœur et moi. Il ne m'a jamais considérée comme une étrangère; jamais il ne m'a donné l'impression qu'il s'accommodait de moi parce que j'étais l'enfant de sa femme. Nous étions au contraire très proches l'un de l'autre. Et puis, après tout, je l'avais connu avant elle!

Mes parents formaient un couple harmonieux. Ils aimaient le sport et étaient à peu près du même niveau intellectuel. Ils appréciaient tous deux la musique classique. Ma mère, cependant, lisait beaucoup plus que son mari.

Je l'ai vue souvent plongée dans des romans en anglais – elle aimait beaucoup Agatha Christie – pour se familiariser avec la langue. Et c'était bien avant qu'il ne soit question de mon départ vers l'Ouest. Elle aimait aussi les livres d'histoire. Elle était fière d'être Tchécoslovaque, mais elle aurait voulu mieux connaître le monde. C'est d'elle que je tiens mon don pour les langues, comme mes dons sportifs.

Pendant un certain temps, elle a travaillé à Mokropsy, la troisième ville avant Prague sur la ligne de chemin de fer. Le matin, elle préparait le petit déjeuner et me réveillait juste avant de partir, puis je réveillais Jana et l'emmenais à l'école maternelle avant d'aller à mon école. L'après-midi ma mère rentrait par le train à 15 h 30. Je devais avoir près de douze ans quand elle commença à travailler à Revnice, ce qui fut beaucoup mieux pour tout le monde : elle n'avait plus à partir aussi tôt. Je ris quand, aux États-Unis, je lis des articles s'apitoyant sur les enfants qui ont chacun leur clé, pendue autour du cou, pour rentrer à la maison. En Tchécoslovaquie où tout le monde travaille, tous les enfants sont livrés à eux-mêmes, et ils arrivent à survivre !

Le seul ennui que me causait l'absence de mes parents et de ma grand-mère pendant leur travail, c'est que je me retrouvais seule avec mon grand-père. Il ne se consolait pas d'avoir perdu son domaine de quinze hectares. Il lui vint un jour la phobie des portes ouvertes. Il fallait tout fermer : barrière, porte de derrière, porte de chaque pièce. Il nous donnait des clés grosses comme des clés d'église. Il fermait sa propre porte, et tenait à ce que nous en fassions autant pour les nôtres. Il n'y avait personne alentour.

Nous n'habitions pas un rez-de-chaussée à Manhattan où des bandes de voyous nous dévalisent en trente secondes. Nous étions dans un village de Tchécoslovaquie ! Il n'était plus possible d'aller dans le jardin sans nos énormes clés : à peine étions-nous sorties qu'il fermait la porte de la maison derrière nous. Puis, il a commencé à traiter Jana de « sale gosse gâtée ». Plusieurs fois, j'en suis presque venue aux mains avec lui, mais il a reculé. Il était vraiment petit et il savait que je lui aurais donné des coups.

Il y eut des périodes où nous ne lui parlions pas pendant des mois. Ma grand-mère souffrait de ces disputes. Elle était divorcée, mais elle habitait encore avec lui. Moi, je supportais très mal l'agressivité de mon grand-père. Dans mon idée, tous les grands-pères étaient de gentils vieux messieurs. Mes autres grands-pères l'étaient, mais lui, c'était la méchanceté faite homme. Il me faisait penser à Old Scrooge. Eh oui! Nous connaissions Dickens!

Il lui arrivait d'être gentil, par exemple il commençait à m'apprendre à jouer aux échecs, mais ça ne durait jamais. Avec le recul, je pense qu'il était peut-être schizoïde, qu'il avait une double personnalité. Il paraît qu'il s'est calmé pendant ses dernières années. Il est mort il y a quatre ans, en gentil vieux monsieur, finalement.

Le fait d'avoir mon nouveau père me donnait la force de résister à mon grand-père. J'avais compris pourquoi ma mère avait perdu son enthousiasme pour le tennis quand elle était enfant. Comment jouer avec un semblable entraîneur? Pendant le circuit, je vois certaines joueuses accompagnées de pères qui sont de vraies brutes. Comment s'étonner qu'elles aient des problèmes, après ça!

Ma mère, finalement, menait bien sa vie sportive. Elle faisait de la gymnastique, jouait au volley-ball et au tennis avec des amies, ou dans des clubs. Elle a toujours été athlète à fond, mère à fond, travailleuse à fond. Et ça lui réussissait. C'est elle qui m'a appris très tôt la leçon : les sports sont bons pour les jeunes femmes. C'est excellent de combattre, de courir, de transpirer, de se salir, de se sentir fatiguée, en bonne santé, délassée. Nous ignorions ce qu'étaient des garçons manqués, il n'existe pas de mots pour les désigner en tchèque. Les femmes faisaient du sport, elles avaient une famille, travaillaient. C'était simple. Je prenais ma mère comme modèle.

Je crois que je lui ressemble beaucoup et que c'est d'elle que je tiens, surtout : elle aime réfléchir, elle est intelligente, elle a toujours un livre à lire en tchèque, en anglais ou dans une autre langue, elle essaie d'être dans toute la mesure du possible au courant des nouvelles du monde, elle a de vastes connaissances. J'essaie d'en faire autant, même dans le cocon du circuit de tennis où filtrent très peu d'informations.

Quand j'étais enfant, elle n'aimait pas m'annoncer

les mauvaises nouvelles; elle temporisait car elle déteste être confrontée à des problèmes, surtout s'ils sont d'ordre émotif. Je suis comme elle. C'est terrible. J'essaie à tout prix d'éviter les conflits, et souvent, hélas, je laisse les choses aller et empirer.

L'une des raisons pour lesquelles ma carrière a commencé à se dégrader à la fin des années soixante-dix, est que je laissais les autres prendre des décisions pour moi et que j'étais incapable de dire non. Je voulais plaire à tout le monde, et j'ai fini par me faire battre à plate couture par Chris Evert sur le court central. Nancy Lieberman, dont j'avais fait la connaissance, me dit un jour : « Tina, fonce! » Depuis, j'arrive un peu mieux à faire face aux émotions.

Ma mère était également très pudique. Elle eut beaucoup de mal à m'expliquer « les choses de la vie ». A quatorze ans, lorsque j'ai dû passer un examen médical pour pouvoir jouer contre les seniors, j'ignorais ce qu'était un gynécologue. Dans son cabinet, il a bien fallu que je l'apprenne toute seule. Ça n'a pas été très drôle!

Je n'étais pas encore réglée, contrairement aux autres filles de ma classe. Non seulement l'examen gynécologique m'avait donné un choc, mais quelques jours plus tard, j'ai eu mes premières règles. J'étais convaincue que c'était le médecin qui les avait provoquées. On voit à quel point j'étais ignorante. Je savais à peine comment on fait les enfants. Quand j'avais posé la question à ma mère, elle m'avait renvoyée à mon père. Il se tracassait, il en voulait à ma mère de ne pas m'avoir prévenue. Il a toujours été très libre pour parler des questions sexuelles, et finalement c'est lui qui m'a tout expliqué. Elle, ça la mettait mal à l'aise, elle était « coincée », dans ce domaine.

Il a même fallu que j'atteigne vingt-trois ans – j'habitais déjà Dallas – pour découvrir que j'avais un demi-frère. J'étais allée trouver un médium. Il me dit :

« Vous avez une sœur, vous étiez proche de votre grand-mère », et il ajouta : « Et vous avez aussi un frère, n'est-ce pas ? »

Je répondis : « Non », mais il insista et je lui dis : « Ma mère a eu une fausse-couche, c'est peut-être cela. »

Il a tellement insisté qu'il m'a fait perdre toute confiance en lui. Or, en 1979, ma famille vint me voir. « Maman » dis-je, « tu ne croiras jamais ce que m'a dit un médium. Il paraît que j'ai un frère ».

L'air plutôt embarrassé : « Tu veux dire que tu ne sais pas ? » dit-elle.

« Quoi ? »

« Que ton père a eu un fils avant notre mariage. »

Alors elle me raconta que mon premier père n'avait jamais épousé la mère de son enfant. Il m'était donc impossible de savoir si mon frère portait le nom de son père ou de sa mère. Tout ce que je sais c'est qu'il doit avoir quelques années de plus que moi. Peut-être l'ai-je déjà rencontré sans savoir que c'était lui.

Il aurait pu être l'un de ces jeunes gens au visage pâle, en uniforme militaire, qui s'entassent dans les tramways de Prague, ou l'un de ces étudiants qui sortent en grouillant de l'Université Charles, ou encore un jeune agriculteur regardant, ébahi, passer le train dans lequel je me trouve. Je pense beaucoup à lui. Il est pourtant probable que je ne le verrai jamais. Aucun homme n'a encore essayé de se faire passer pour mon frère. Si cela arrivait maintenant, il devrait me fournir beaucoup de preuves car je suis devenue très méfiante.

C'est étrange de ressentir l'absence d'un être que l'on n'a jamais connu. En revanche Jana est arrivée alors que j'avais presque sept ans. J'étais ravie d'avoir à m'occuper d'une petite sœur. Sur presque toutes les photos on me voit tenant Jana dans les bras et faisant des singeries devant l'appareil, souriant jusqu'aux oreilles. Selon ses récits, je la sortais beaucoup, mais à condition qu'elle ait d'abord fait ma part de vaisselle. Est-ce vrai que j'employais de tels moyens? J'ai du mal à le croire.

Je lui ai donné mon vieux tricycle dès qu'elle fut assez grande pour s'en servir et, moi sur ma bicyclette, nous faisions des tours sur la route qui passait devant la maison. Il m'arrivait aussi de la monter sur mon vélo et de l'emmener en ville. Il paraît que je « roulais très vite », ce qui est sûrement vrai.

Mon père aimait à plaisanter avec nous, à nous attribuer toutes sortes de noms. Quand Jana fut un peu plus grande, il la surnomma « la bonne à rien » parce qu'elle avait peur de skier ou de rouler vite à bicyclette.

C'est un surnom qui paraît dur en anglais, mais en tchèque il y ajoutait, pour l'adoucir, des diminutifs à la mode russe. Ça donnait « posera, poseravich, poseravichenka », et c'était très affectueux.

Je l'appelais Janka ou Jani; pour elle j'étais Martinka et pour ma mère Marti ou Martino. Mon père, lui, m'appelait Pluto, comme le personnage de Walt Disney. Puis ce surnom s'est transformé en « Prut », ce qui signifie « bâton », parce que j'étais très maigre. Mes parents s'expliquaient ma maigreur par le fait que j'étais sans cesse à la poursuite d'une balle. Mon père m'appelait aussi « Petite coquine », pour des raisons évidentes.

Je ne me contentais pas de mes expéditions de l'autre côté de la route pour les pommes. Avec Jana, nous nous glissions dans les jardins des voisins pour goûter leurs noisettes et leurs cerises. Une fois, je devais avoir douze ans et Jana cinq ans, une femme nous a attrapées dans son verger et nous a obligées à lui rendre les noisettes que nous avions cueillies.

La Saint-Nicolas, le 6 décembre, est un grand jour de fête en Tchécoslovaquie. Ce jour-là un ange, le Diable et saint Nicolas passent tous les trois ensemble dans les maisons pour voir si les enfants ont été sages pendant l'année.

« J'ai appris que tu n'as pas été sage cette année », dit le démon d'une voix rude.

« Si, elle a été très sage cette année », réplique l'ange.

Et saint Nicolas attend, en se demandant s'il laissera les cadeaux.

En général, c'était toujours l'ange qui gagnait. Saint Nicolas laissait alors des paniers d'oranges, de raisin, de bananes, dont nous faisions un véritable festin.

Jana avalait goulûment ses fruits, elle les dévorait, tandis que j'aimais les savourer, par petites bouchées, de sorte qu'il m'en restait toujours quand elle avait fini. Alors elle me lançait des regards implorants, comme un chien (et qui peut résister au regard quémandeur d'un chien?) pour que je lui en donne un morceau, ce que je faisais toujours, ou presque, car je me rappelle avoir une fois avalé à toute vitesse une banane pour ne pas lui en offrir.

L'été, toute la famille allait se baigner dans la Berounka, la petite rivière qui coulait près de la maison. Les jours de vent, nous allions parfois dans les champs pour lancer un cerf-volant en papier que mon père avait confectionné. Le vent arrivait à nous arracher la ficelle des mains et adieu le cerf-volant! Alors mon père se remettait au travail et nous en fabriquait un autre.

J'étais follement heureuse d'avoir un père aussi merveilleux, mais je me désolais parce que ceux qui me connaissaient sous le nom de Martina Subertova pensaient que son nom était Subert. A dix ans j'ai adopté le nom de Navratilova.

Mon nouveau nom se prononçait avec un accent sur deux A – Nav-RAH-tee-low-VAH. De la façon dont il est prononcé à l'Ouest, il est impossible à reconnaître. Dès le début on l'a prononcé NAV-ra-ti-LOW-vah, comme si j'étais une comtesse italienne. C'est trop tard pour le rectifier. Je préfère cependant cette prononciation italienne à celle de Wimbledon qui a écorché complètement mon nom. On appelait toutes les autres Miss Untel ou Mme Untel, moi j'étais « Umm... Martina ». Tout au moins tant que je n'eus pas gagné plusieurs fois.

Je suis fière que le nom de Mirek Navratil soit gravé sur les trophées de Wimbledon et des autres tournois que j'ai gagnés, car je suis fière de mon père. Je lui dois tellement! C'est son énergie, son enthousiasme qui m'ont porté chance au tennis.

4

L'ENFANT
A DEUX MAINS

Dès que le printemps revenait, mes parents passaient tous les beaux jours au petit club de tennis de Revnice. Ils jouaient beaucoup de doubles, calmes, amicaux, ou bien ils bavardaient sur les bancs, ou au club-house.

J'avais hérité d'une des vieilles raquettes en bois de ma grand-mère, au manche légèrement recourbé, sans bande adhésive pour la prise. Le bois n'était pas très lisse. Elle avait les dimensions réglementaires. J'étais donc obligée de la prendre à deux mains pour lancer une balle contre le mur. Martina Subertova, à quatre ans et demi, était une championne du revers à deux mains!

Pendant que mes parents jouaient des matches, je faisais du mur pendant des heures. Ils essayaient de m'arracher de là et de me faire autre chose, mais dès qu'ils avaient le dos tourné, je courais recommencer. J'ai fini par avoir pour ce mur un amour qui penchait fort vers la haine : il était impossible à battre. Il me renvoyait ma balle plus durement que je ne l'avais frappée.

Je me rappelle la première fois que j'ai joué sur un vrai court. Je m'entraînais contre le mur, près du dernier court lorsque mon père vint me chercher pour m'appren-

36

dre à donner un coup droit. Il était au filet et moi entre la ligne de service et la ligne de fond.

Du moment où je mis le pied sur cette terre battue qui craquait sous mes pas, où je sentis les grains sous mes chaussures, où je connus la joie de lancer une balle au-dessus du filet, je sus que j'étais à ma place. Je devais avoir six ans, mais je m'en souviens comme si c'était hier. J'aurais pu continuer toute la journée. J'avais toute l'énergie, toute la patience du monde.

J'étais minuscule, sans une once de graisse. Des muscles sur des os. A l'école, j'étais un peu complexée par ma petite taille, mais sur le court, ça n'avait plus d'importance : ça ne m'empêchait pas de lancer la balle et de la rattraper. Mes réflexes étaient plus rapides que ceux des autres enfants. Je me demandais pourquoi ils ne pouvaient pas rattraper les balles. Je me disais : « Si au moins ils essayaient... » Mais ils essayaient peut-être. C'était un don que j'avais.

Dès la fonte des neiges au printemps, je commençais à jouer. Je ne cessais qu'en automne, le plus tard possible. Un soir, j'ai oublié ma raquette sur le court; il a neigé pendant la nuit et nous ne l'avons retrouvée qu'au printemps! Elle doit encore traîner dans un coin du garage.

J'étais la sportive de la classe. Quand la maîtresse voulait envoyer quelqu'un faire une course rapidement, elle s'adressait à moi. J'étais fanatique de la course. Je courais autour du jardin en imaginant que c'était une piste. En été, tous les enfants de Revnice jouaient dans une cour d'école toute recouverte d'herbe et nous orga-nisions des courses sur cette piste. Seul un garçon était aussi rapide que moi – il a fini par jouer dans une excellente équipe de football – mais les filles étaient loin de nous égaler.

En sixième ou septième classe, les autres filles commencèrent à prendre des formes, tandis que j'ai attendu d'avoir quatorze ans pour porter un soutien-gorge. Dieu sait qu'il n'était guère inutile! Mon développement tardif, qui m'ennuyait un peu, était une bénédiction pour jouer au football, au hockey sur glace et pour skier.

Dès que j'eus commencé à aller à l'école, le tennis devint mon sport favori. De la première à la cinquième classe, j'allais à une école située sur la place du village, pas très loin de notre maison en descendant, mais de la sixième à la neuvième, je fréquentais une école plus importante, située sur la colline, de l'autre côté de la rue qui longeait les courts de tennis.

Des fenêtres de la classe, je les voyais et rêvais d'y être. A peine le cours de cuisine finie, je fonçais! Mes camarades me voyaient faire. « Pourquoi joues-tu tout le temps au tennis? » me demandaient-ils. Je me disais : « Un jour, ils verront. »

Je me voyais déjà professionnelle. Cela datait de la soirée où mon père m'avait emmenée au Sparta à Prague, un stade ou dix mille spectateurs peuvent assister à un jeu de hockey ou à un match de tennis. Ce jour-là, la grande attraction était un Australien gaucher aux cheveux roux, Rod Laver, « la Fusée ». Quelle puissance, quelle agilité, quel drive. En le voyant foncer comme un éclair, je me disais « voilà, je veux être comme lui ». Les femmes ne jouaient pas et ne jouent pas encore ainsi.

S'il y a jamais eu un joueur que j'aie voulu imiter, c'est Rod Laver. Mais le drôle de l'histoire, c'est que, des années plus tard, alors que je jouais pour les Boston Lobsters dans le World Team Tennis, Emmo (Roy Emerson, notre entraîneur) allait boire des bières avec Laver chaque fois que nous jouions contre son équipe. J'ai dû sortir une demi-douzaine de fois avec eux tous. Nous passions ensemble d'excellents moments, entre copains. Eh bien! je n'ai jamais osé dire à Laver qu'il était ma plus grande idole sportive!

Après avoir vu jouer Laver, j'avais compris ce qu'était le tennis au niveau international. J'ai commencé à rêver que je gagnais sur le court central à Wimbledon ou que je remportais la coupe de la Fédération pour la Tchécoslovaquie. Il s'agissait des deux plus grandes victoires. Wimbledon était la Mecque de tout fanatique du tennis en Europe. Tous les autres tournois n'étaient que des préliminaires. Que l'Angleterre soit à l'Ouest ne m'arrêtait pas. S'il y a une compétition que les officiels tchécoslovaques respectent, c'est Wimbledon. C'était donc un rêve réalisable.

Mon père, convaincu que je pouvais devenir une grande joueuse, favorisait mes ambitions, les soutenait. Il me renvoyait la balle pendant des heures en m'assurant que je pouvais devenir une championne. Il le disait à ma mère, qui hochait la tête sans vraiment y croire. « Oui, bien sûr. » Elle m'encourageait toujours à faire de mon mieux, mais son père l'avait tellement bousculée que la compétition lui inspirait des sentiments mitigés.

Nous jouions ensemble, mais elle n'était pas pédagogue comme mon père. Pendant qu'il m'entraînait, elle s'asseyait sur le côté du court en fumant une cigarette et si je manquais un coup, elle intervenait : « Comment as-tu pu le rater ? » Je rétorquais : « Tu sais jouer, tu l'as déjà raté aussi. » Mon père alors, m'expliquait : « Voilà ce que tu n'as pas fait correctement. »

C'était un entraîneur plutôt sévère, mais en rien comparable à des pères que je vois maintenant sur les circuits – des Américains, mais aussi des Européens – qui ne vivent qu'à travers la carrière de leur fille. Les aimeraient-ils encore si elles jouaient moins bien ? On peut se le demander.

Il y a des joueuses, maintenant, dont toute la vie est consacrée au tennis. Elles sont gauches, secrètes. Elles quittent l'école vers quinze ans pour se retrouver enfermées dans le monde clos du sport. Elles ne font rien d'autre que du tennis. C'est pourquoi j'ai une telle admiration pour Tracy Austin, Andrea Jeager et Pam Shriver. Elles ont terminé leurs études secondaires pendant le circuit. Dieu sait pourtant qu'elles auraient pu les laisser tomber!

J'ai abandonné mes études à la sortie du lycée et ne les ai jamais reprises. Mais jusqu'à dix-huit ans, je n'ai jamais manqué un cours. Mes leçons de tennis étaient sur le même plan que celles d'allemand ou de piano. Le lundi et le jeudi après-midi, j'allais au gymnase municipal. Mais je suivais les cours de ces jours-là comme les autres. Personne n'aurait fait une exception en ma faveur à l'école. J'ai donc absorbé une forte dose de langues, de science, de grammaire. J'aurais voulu tout apprendre. Je savais que je ne pourrais pas jouer éternellement au tennis. Que m'arriverait-il si je me cassais une jambe?

L'une de mes amies est allée une fois visiter une école de tennis où les enfants sont pensionnaires. « Nous avons réussi à y faire entrer notre fille, elle sera Numéro Un au tennis », disaient les parents. Comme si rien d'autre ne comptait. Si leur rejeton n'arrivait pas à la meilleure place, ils le ressentaient comme un échec. Des vingtaines de parents avaient la même ambition. Mon amie avait été scandalisée de voir ces parents décider ainsi de l'avenir de leurs filles.

Et pour les hommes, une fois lancés dans les tournois, la vie est pire encore que pour les femmes. Nous avons tout de même une certaine vie sociale en dehors des courts, moins maintenant qu'il y a quelques années, mais nous arrivons tout de même encore à parler d'autre chose que de tennis ensemble, à jouer aux cartes, par exemple, ou à aller déjeuner ou dîner avec des amis de temps en temps. Mais les hommes ressemblent à des petits garçons qui auraient oublié de grandir, incapables de sortir de leur coquille, comme si leurs petites balles couvertes de duvet leur cachaient la vie. Il est vrai qu'ils gagnent très vite tellement d'argent grâce à elles.

Mon père était passionné et exigeant, mais seulement comme l'aurait été un professeur : dans ce qu'il me disait pendant les leçons. A mes débuts, nous étions loin d'imaginer qu'on pouvait gagner tant d'argent avec le tennis. Si mon père me poussait toujours à faire mieux, c'est parce qu'il savait que je m'amusais. « Imagine que tu es à Wimbledon », me disait-il. C'était la plus belle victoire possible. Être sur le court central. Tenir son trophée. Mon père me mettait ces rêves en tête. Je ne demandais d'ailleurs qu'à l'écouter. Et je rêvais, je rêvais... Je m'imaginais à la télévision. On y voyait déjà Billy Jean King, Margaret Court et Nancy Richey. Je ne me rendais pas bien compte de leur niveau, et je pensais que j'aurais pu me joindre à elles.

Je jouais depuis plusieurs années déjà lorsque mon vrai père m'a vue sur le court. Mon second père lui a affirmé que je deviendrais une grande championne. Je ne crois pas qu'il l'ait cru. Quel âge pouvais-je avoir ? Huit ans ? Mirek, lui, était sûr qu'il ne se trompait pas.

Il en était tellement certain qu'il se lança, quand j'eus neuf ans, dans une entreprise pour le moins audacieuse. Il m'emmena à Prague pour essayer de me faire inscrire au cours du meilleur entraîneur de la ville.

L'un des premiers joueurs tchécoslovaques était George Parma. Il avait appartenu à l'équipe tchèque de Coupe Davis et avait disputé nombre de championnats européens. Il avait dû abandonner les tournois parce qu'il souffrait du dos (c'était du moins la version officielle ; elle était probablement incomplète, il y avait sûrement des raisons politiques). A vingt-neuf ans, il donnait des leçons dans le parc Klamovka, à l'ouest de Prague. Il y avait là les trois seuls courts couverts de Tchécoslovaquie. Étant donné notre climat, la seule façon d'aller loin en tennis était de jouer à Klamovka. Et une seule personne décidait qui pouvait ou non jouer en salle : George Parma.

Donc à l'automne 1965, mon père m'emmena à Prague. Nous avons pris le train, puis un tramway rouge qui nous a laissés au pied de la colline, tout près de Klamovka. Ce n'était pas un complexe sportif grandiose.

Le hangar métallique préfabriqué qui abritait les courts ressemblait plutôt à une station-service des années trente. Seul le meilleur des trois courts était chauffé; il faisait tellement froid sur le troisième que même avec un bonnet et des gants, on y était transi.

Il y avait un petit vestiaire et des douches, tenus par Mme Kozelska, qui habitait un minuscule appartement au-dessus du bureau. Elle avait une maison à Revnice, et nous avait déjà aidés à obtenir, quelques rares fois, le droit de jouer sur les courts de Klamovka. Elle avait dû parler de moi à George Parma mais, ce jour-là, il est plutôt resté dans le vague au début.

Il a commencé par demander : « Quel âge a-t-il? »

Devant mes cheveux courts et ma carrure, il m'avait prise pour un garçon. J'avais l'habitude, mais ça ne me plaisait pas pour autant.

Il a dit à mon père qu'il était très pris, qu'il ne disposait que de quelques heures pour les débutants, et qu'il ne pouvait rien promettre. Il voulait bien me consacrer quelques minutes. Si je n'étais pas assez bonne, il nous le dirait tout de suite.

« Ne vous en faites pas, elle est assez bonne! » dit mon père.

Je suis sûr que mon père se demandait si cet entraîneur était capable de découvrir un talent en quelques minutes. Ce n'est pourtant si étonnant que ça en a l'air. Aujourd'hui, à mon tour, je peux juger une jeune joueuse presqu'au premier coup d'œil : même si elle ne réussit pas de très bons coups, je vois si c'est une bonne athlète, si son jeu de jambes est correct, si elle sait se placer.

George Palma a dû penser qu'il allait jouer quelques balles, puis nous conseiller de reprendre le tramway et de rentrer à Revnice.

Je portais, je m'en souviens, un survêtement bordeaux, et j'avais la raquette d'occasion que mon père m'avait achetée.

Cet homme grand, beau, imposant, m'emmène sur le court et commence à m'envoyer la balle. Je pratiquais le revers à deux mains, et il envoyait ses balles le plus possible sur le côté, jusqu'à la ligne, pour voir jusqu'où j'étais capable de courir. Je les ai rattrapées et retournées plusieurs fois. Je me rendais compte qu'il ne me faisait pas de cadeaux. Avec le recul, je comprends qu'il m'a fait passer le test le plus important de ma vie. Mais sur le moment, je pensais seulement à l'épater et à taper sur la balle. J'étais décontractée, confiante et je m'amusais.

L'essai a duré une demi-heure, plus longtemps que prévu. Puis George Parma s'est dirigé vers mon père. Je me suis précipitée pour connaître son verdict. Et j'ai entendu : « Je crois que nous pourrons en faire quelque chose ! »

5

LE TRAIN
DE BANLIEUE

J'étais très imbue de moi-même, depuis que George Parma m'avait acceptée à son cours. Une fois par semaine, je me précipitais à la gare dès la sortie de l'école, je courais jusqu'au quai du train de Prague, ma raquette sur une épaule, sortant de mon sac de gymnastique, et sur l'autre mon cartable qui tombait presque sur mes chevilles. Je le dis souvent : c'est en courant pour prendre le train, à dix ans, que j'ai acquis endurance et vitesse.

Je me sentais très fière de moi : c'était un vrai spectacle, ce petit bout de fille de rien du tout dans le train de Prague avec son attirail. On ne voyait pas d'enfants à cette époque avec leur équipement de tennis comme il y en a tant maintenant aux États-Unis. J'étais sûre que les gens se demandaient : « Qui est-ce ? » et je me disais : « un jour, ils sauront qui je suis ».

Je me souviens de ces lents voyages dans le train le long de la vallée de la Berounka, à travers de petits villages endormis : Dobrichovice, Vsenory, Mokropsy, où la grand-mère de ma mère eut une ferme; Radotin, où le frère de ma mère, Josef, habitait près de la gare; je pouvais l'apercevoir du train travailler dans son jardin; Chuchle, où vivait mon grand-père.

Au bout de trente minutes environ, après avoir traversé le vieux Prague et la Vlatava, nous arrivions à la gare de Smichov, une morne gare de banlieue. De Smichov je prenais le tramway rouge jusqu'à Klamovka, je montais jusqu'aux courts et allais chercher George Parma. Au bout de quelques leçons j'aurais traversé des flammes pour ce bel homme, grand, aux cheveux blonds ondulés. Il était comme un dieu – calme, intelligent, cultivé. Il avait souvent voyagé à l'étranger, parlait cinq langues, était toujours impeccable, comme s'il était prêt à rejouer la Coupe Davis.

C'était l'entraîneur le plus patient qu'un enfant puisse avoir. Il ne m'a jamais rabaissée. Il n'avait qu'à me dire : « Vas-y, Martina », et je fonçais vers les balles. Je buvais chacune de ses paroles et dès que je pensais qu'il avait quelque chose à me dire, je me précipitais au filet et plongeais mon regard dans ses yeux bleu clair.

Si une fille était amoureuse de son professeur, c'était bien moi! J'imaginais que j'aurais pu me marier avec lui si j'avais été moins jeune. Qu'il fût déjà mariée, que sa femme, Jarmila, fût belle et aimable, n'avait aucune importance. George était pour moi le mari idéal. Ainsi rêvent les petites filles.

Il lui arrivait de venir à Revnice pour travailler en plein air avec moi. Sa visite était un tel événement que je mettais une jupe de tennis blanche pour lui faire honneur. Lui, ancien joueur de l'équipe de Coupe Davis de Tchécoslovaquie, vêtu à la Fred Perry, superbe, me donnait royalement des leçons sur le court municipal... quelle joie! J'étais tellement excitée de jouer avec lui que je courais après les balles jusqu'à ce que je sois à bout de souffle.

La première chose que fit George fut de changer mon revers. Mon père m'avait laissé jouer à deux mains : je n'avais pas assez de force quand j'avais commencé le tennis pour faire autrement. Mais très vite, George se rendit compte que je voulais monter au filet et réussir les volées. Il me fallait donc une très bonne allonge. Jouer d'une seule main augmenterait de quelques centimètres la portée de ma raquette. George m'apprit à avoir une bonne prise de la main gauche. Sans lui, aurais-je pu battre Chris Evert et son revers à deux mains ?

Si je devais maintenant entraîner des enfants, j'essayerais de leur apprendre la plus grande variété de coups possible : drive de revers à deux mains, coup droit coupé à une main, balles d'approche et volées à une main... Pour moi, il pourrait être intéressant de taper certains coups des deux mains. Mais je ne suis pas près de retravailler mon jeu à ce point, d'autant que j'ai la chance d'avoir déjà une puissance exceptionnelle.

George Parma savait ce qu'il faisait. Il avait pour fonction de former de bons joueurs. Les femmes tchécoslovaques sont plutôt robustes. Les travaux pénibles en atelier ou en usine ne leur font pas peur. Et le tennis n'était pas un jeu ou une distraction. Il me faisait travailler, et il n'y allait pas de main morte.

Il voulait affiner mon jeu, bien sûr, et élargir mon registre. Il me poussait à jouer davantage du fond du court, tout en restant capable d'attaquer au filet. J'étais comme un chat, comme un tigre, me disait-il. Mais même un tigre doit savoir être patient et guetter sa proie.

Je n'aimais pas, et je n'aime toujours pas, les longs échanges en fond de court. C'est d'ailleurs en jouant ce jeu « classique », en attendant la faute de mon adversaire, que j'ai joué mon plus mauvais tennis. A Roland Garros en 1983, par exemple, on m'avait persuadée de jouer le même jeu que Kathy Horvath. J'ai été éliminée en deux temps trois mouvements.

Il est vrai qu'à mes débuts, je voulais trop bien faire, et gagner brillamment chaque point dès le premier échange. George savait froncer les sourcils quand je voulais aller trop vite au filet. Il me renvoyait travailler mes coups droits au fond du court. Puis, dès que je voyais une ouverture, je me ruais de nouveau au filet. Mais

George ne me laissais jamais oublier que j'étais à l'entraînement, que je n'étais pas en train de jouer le championnat de Tchécoslovaquie.

« Les coups ordinaires sont la base d'un bon jeu », me disait-il.

En même temps, il me donna très vite des tuyaux sur la façon de me comporter pendant les matches, à m'expliquer comment réagir si on essayait de me posséder, comment varier mes coups. Il trouvait que je faisais des progrès.

Il me parlait du circuit international tel qu'il l'avait connu, me racontait les difficultés qu'il avait eues pour s'entraîner dans son enfance, pendant et après la guerre. Il aurait pu être un meilleur joueur s'il avait eu un meilleur entraînement; l'époque serait plus favorable pour moi. De fait, Tchécoslovaquie cherchait désormais davantage à avoir de bons joueurs de tennis, capables de participer aux compétitions internationales.

Au milieu des années soixante, les communistes ont vu dans le sport le moyen de donner aux gens des satisfactions qui leur feraient oublier les côtés peu agréables de leur vie. Ils ont donc traité le sport comme ils géraient l'économie : avec un plan.

Les plans économiques de communistes nous faisaient bien rire, et nous en faisions des gorges chaudes. Par exemple, le plan russe exigeait que la Tchécoslovaquie produise un certain *tonnage* de vis par an. Comment faire? Eh bien, entendait-on, fabriquons d'énormes vis très lourdes. Et tant pis si on ne peut rien en faire. Ou bien, pour les ascenseurs : allons-y, atteignons le quota. Les ascenseurs seront inutilisables? Quelle importance? Personne ne s'en apercevra!

C'était plus facile de planifier les sports : les communistes ont plus ou moins imposé un sport différent dans chaque pays : l'athlétisme en Allemagne de l'Est, la gymnastique en Roumanie, le tennis en Tchécoslovaquie, l'haltérophilie en Union soviétique.

47

Les sports nous permettaient d'exprimer notre fierté nationale sans risques excessifs. On peut applaudir une équipe tchécoslovaque de hockey ou de football même contre une équipe soviétique. Nous savions cela depuis le XIXᵉ siècle ; les clubs sportifs, comme le Sokol, qui faisaient florès à cette époque, étaient déjà la seule façon de pouvoir dire aux Habsbourg : « Vous voyez, nous sommes Tchèques, même si nous faisons partie de l'empire austro-hongrois. »

Juste après la Deuxième Guerre mondiale, l'équipe de football soviétique était venue jouer en Tchécoslovaquie. Elle a perdu trois matches d'affilée et ne s'est même pas présentée au quatrième. Les Russes en avaient été tellement vexés que quand ils prirent le pouvoir en 1948, ils stoppèrent notre programme de développement des sports, pour réfréner le nationalisme tchèque. Mais, à mon époque, le sport était de nouveau à l'honneur, et le gouvernement y consacrait beaucoup d'argent.

George était fonctionnaire et devait donc suivre un programme imposé. Il consacrait certaines après-midi aux leçons et d'autres à la formation d'une équipe de juniors pour le gouvernement : il arrivait à se faire des à-côtés en donnant des leçons particulières (lesquelles étaient parfaitement licites).

Jusqu'en 1948 la Tchécoslovaquie a été un pays capitaliste de l'Europe Centrale ; les gens avaient l'habitude de travailler dur pour gagner plus d'argent ; ils pouvaient donc parfois s'offrir des leçons ou payer des heures supplémentaires sur les courts à leurs enfants. Or George Parma n'a jamais demandé un sou pour mes leçons et mon père ne lui en a jamais versé un seul. George avait découvert un talent et cela lui suffisait.

J'avais aussi Mme Kozelska de mon côté. Cette charmante vieille dame était partout au club, nettoyant les vestiaires, balayant les courts, surveillant tout le monde de son minuscule appartement. Elle n'avait pas les yeux dans sa poche, connaissait tous les enfants et savait parfaitement qui était doué et qui ne l'était pas. Elle m'avait prise en affection, et n'arrêtait pas de demander à George de me consacrer plus de temps. Au bout de quelques mois, George m'annonça que j'aurais droit à une heure de plus, prise sur le programme junior, puisque sur le programme de mon groupe d'âge, j'avais déjà le maximum possible. J'allais donc désormais venir deux fois par semaine à Klamovka.

« Travaille dur, Martina », me disait-il. « Joue partout où tu peux. Fonce, et tu découvriras le monde. Le sport peut te permettre de voyager. »

George ne se plaignait jamais du régime. Pourtant, comme ma mère et tous les gens de leur génération, il gardait au fond de lui une certaine tristesse. Les Tchèques avaient eu tant d'espoir en l'avenir de leur pays après la Première Guerre mondiale... Les Allemands, puis plus tard les Russes, avaient piétiné ces espérances.

George voyait dans le tennis la possibilité de franchir les frontières, de nouer des relations avec ce monde libre qu'il considérait comme le sien, par tradition comme par tempérament. Il me poussait donc, de toutes ses forces, à devenir une bonne joueuse européenne; et même, pourquoi pas, une des meilleures du monde. Pendant ce temps, mon père claironnait que je serais un jour championne de Wimbledon. Ce n'était pas moi qui aurais dit le contraire.

Quand, petite fille maigre, je prenais le train avec ma raquette, je rêvais qu'un jour j'arriverais à Klamovka en tramway et que tout le monde me reconnaîtrait, moi, la championne de Wimbledon. Mais je n'ai jamais pu le faire, et le gouvernement tchécoslovaque ne laisse pas mes compatriotes savoir grand'chose de mes victoires. Il n'y a pas de reportages sur mes tournois dans les journaux, et mes matches ne sont pas retransmis à la télévision. On ne peut les voir que dans la région de Pilsen, où il est possible (mais c'est interdit) de capter les émissions d'Allemagne de l'Ouest. Il paraît que le « Rude

Pravo », le journal du parti en Tchécoslovaquie, lâche maintenant un peu de lest et publie mes résultats quand je gagne Wimbledon ou l'U.S. Open, mais pendant longtemps après mon départ, je suis restée bannie de ses pages sportives.

Même dans les boutiques de souvenirs, on peut trouver un poster des derniers champions juniors, jamais d'Ivan Lendl ni d'Hana Mandlikova qui sont toujours citoyens tchécoslovaques, mais vivent le plus souvent en Occident. Même si des posters de Martina devaient rapporter de l'argent, on n'est pas près d'en voir.

Au club de tennis de Revnice, où j'ai passé des centaines d'heures à apprendre à jouer avec mes parents, il n'y a que quatre posters au mur : Jimmy Connors, Adriano Panatta, Björn Borg et l'idole de la Tchécoslovaquie, Christine Marie Evert.

De la gamine chargée de raquettes trop grandes, qui s'écroulait essoufflée dans un train de banlieue... nulle trace.

6

MA GRAND-MÈRE

Tandis que le petit tramway rouge se faufilait dans le quartier de Klamovka à Prague, j'observais par la fenêtre toutes les vieilles dames vêtues de robes noires ou grises; je guettais ma grand-mère paternelle, Andela Subertova. Quelquefois, elle m'attendait à l'arrêt du tramway, une boîte de carottes râpées à la main.

« Mange, c'est bon pour tes yeux », me disait-elle, comme les grand-mères américaines qui vous harcèlent avec leur potage au poulet ou leurs pâtes.

Tandis que mes parents et mon entraîneur m'encourageaient à devenir la meilleure joueuse, ma grand-mère (la mère de mon vrai père) avait su toucher un autre côté de ma nature, comme jamais personne d'autre ne l'a fait.

Je l'aimais tellement qu'elle a failli ne pas figurer dans mon livre. Dès que je commence à parler d'elle, je fonds en larmes, je me sens soudain démunie et accablée.

Il m'arrive encore de rêver d'elle. Je la vois entrer dans le métro, je l'appelle, mais je ne peux pas courir assez vite pour la rattraper, et elle ne revient pas en arrière. Dans d'autres rêves, elle est de l'autre côté de la rue; là encore je l'appelle mais je ne parviens jamais à comprendre sa réponse. Elle hante mes rêves plus que quiconque, et c'est essentiellement pour cette raison que je crois en l'au-delà. Disons plutôt que mon amour pour elle me fait souhaiter, de tout mon cœur, une autre vie après la mort.

Ma grand-mère était la personne la plus généreuse que j'aie jamais connue. Si quelqu'un lui avait jeté des pierres, elle aurait pu lui offrir une tranche de pain en retour. Jeune, je voulais lui ressembler.

Comme je l'ai dit un jour à la journaliste Stéphanie Salter qui m'interviewait : « – Quand j'allais à l'école, si j'avais une orange pour mon déjeuner – et les oranges étaient rares en Tchécoslovaquie – j'en donnais toujours la plus grosse moitié à une amie. » C'est de ma grand-mère que je tiens cette générosité.

Je ne lui ressemble pas toujours : il m'arrive de me mettre en colère et d'envoyer des volées dans les tribunes. Et je ne crache pas sur l'argent que je gagne au tennis. Pourtant ma gentillesse naturelle m'a souvent précipitée dans des pièges que je ne soupçonnais pas. J'avais tendance à faire spontanément confiance et je m'en suis souvent mordu les doigts, surtout avec les journalistes. Je suis devenue plus méfiante... Mais j'aime toujours faire des cadeaux, je n'ai jamais sans raison refusé un prêt à personne, ni repoussé quelqu'un qui avait besoin de mon aide, que ce quelqu'un ait deux jambes ou quatre pattes !

Tout le monde devrait avoir la chance que j'ai eue. Grand-mère me comprenait toujours, me comprenait au-delà des mots, et même des regards. Que j'aie ou non bien joué, que j'aie fini ou délaissé mes devoirs, que j'aie rangé ma chambre ou l'aie négligée, elle m'aimait. Rien ne pouvait porter atteinte à cet amour.

Ce qui est extraordinaire avec des grands-parents, c'est qu'ils peuvent nous aimer tendrement, sans qu'interviennent les problèmes de discipline qui sont souvent source de conflits avec les parents. Les grands-parents deviendraient, paraît-il, démodés aux États-Unis, maintenant que toutes les personnes âgées veulent rester jeunes, vivre dans des villages aménagés pour elles, fréquenter les discothèques, jouer au tennis et pratiquer mille autres sports.

Moi, j'ai eu une vraie grand-mère : une petite dame tchécoslovaque, âgée, dévouée, tendre. Son souvenir me donne du courage aujourd'hui. Je suis sûre qu'elle continue de veiller sur moi.

Grand-mère était presque toujours habillée de noir ou de gris. Elle avait été très mince dans sa jeunesse, mais commençait à prendre un peu d'embonpoint quand je l'ai vraiment connue. En riant, elle me disait qu'elle finirait par entrer dans le sol, à force de rapetisser et de s'élargir. Elle avait un grand nez, comme moi, et des cheveux qui avaient été foncés et n'en finissaient pas de blanchir.

Je ne crois pas qu'elle ait jamais travaillé en usine; mais jeune, elle avait été employée dans une ferme. Après la mort de mon grand-père Subert, elle s'était installée dans un petit appartement à Klamovka, pas très loin des courts de tennis. J'avais alors neuf ou dix ans.

Parfois elle m'accompagnait et me regardait m'entraîner. Sans souffler mot. Ce n'était pas une de ces « mémères » que l'on voit dans les clubs de tennis chics aux États-Unis, où les parents, grands-parents, tantes et oncles poussent en chœur des cris d'encouragement aux enfants.

Le tennis ne la passionnait pas, mais elle était fière que je prenne des leçons avec un entraîneur aussi célèbre que George Parma. Elle était aussi amoureuse de lui que moi!

L'entraînement achevé, elle m'accompagnait jusqu'au tramway pour s'assurer que je le prenais bien, sauf certains jeudis soirs; j'avais parfois une leçon le vendredi matin, et je restais alors chez elle.

Son appartement était tout petit : une chambre à coucher et une cuisine-salle à manger. Je dormais sur un canapé où elle m'arrangeait un lit. Elle me faisait dîner : un reste de viande de midi, ou du poulet; et toujours des carottes râpées sur lesquelles elle versait du sirop de pomme. Ce sirop est un produit de base en Tchécoslovaquie. Mélangé à de l'eau, il donne une excellente boisson sans alcool, et nous en buvons à tout moment. Nous passions la soirée assises à discuter tranquillement, Je l'appelais Babička, et elle Martina ou Martinička. Elle me nommait aussi Zlata Holtička, « ma petite fille en or ».

Née sous les Habsbourg, elle avait subi toute l'occupation nazie, et parlait couramment l'allemand. J'essayais de l'impressionner avec les mots nouveaux que j'apprenais chaque semaine en classe.

Mais, le plus souvent, je la laissais me raconter ses souvenirs. Sa plus grande aventure, celle qu'elle ne se lassait pas de conter, était un voyage en Hollande qu'elle avait fait quelques années plus tôt. Elle se souvenait des hôtesses de l'air et de leur gentillesse. Elle était fière que sa connaissance de l'allemand lui ait permis de comprendre leur hollandais, fière d'avoir pu parler à des étrangers dans leur langue. Grand-mère aurait pu être linguiste, ou professeur de langues. Mais elle avait grandi à la campagne au début du siècle : elle n'avait pas pu poursuivre ses études au-delà de l'école primaire.

Elle aimait beaucoup le patinage artistique, l'une des grandes traditions tchèques. Elle connaissait les noms de tous nos champions : Aja Zanova par exemple, que je connus plus tard à New York et qui devint l'une de mes meilleures amies. Elle collait leurs photos dans un album où figurait en bonne place Sonia Henie.

Grand-mère n'avait pas la télévision; nous écoutions de la musique et les informations à la radio, et nous faisions des mots croisés. Elle était très forte. Pourtant, il lui manquait souvent un mot qu'elle n'arrivait pas à trouver, disait-elle : des termes de sport, des noms de villes, ou d'autres mots géographiques... Elle gardait les grilles et nous les terminions ensemble. Bien des années plus tard, j'ai compris que les mots que grand-mère laissait en blanc, c'était ceux qu'elle me savait capable de trouver toute seule. Elle voulait me donner l'impression d'être un crack. Elle savait si bien me persuader que j'étais exceptionnelle. J'en ai encore les larmes aux yeux !

Certains jours, ma grand-mère ne venait pas m'attendre à l'arrêt du tramway ni sur les courts, elle me guettait derrière la fenêtre de son appartement. Je lui faisais un signe de la main avant de grimper quatre à quatre les trois étages pour essayer d'être avant elle à la porte. Il m'arrivait de les monter plus rapidement qu'elle ne l'aurait cru. « Comme tu vas vite », me disait-elle. Lorsque nous rentrions ensemble, je l'aidais à monter l'escalier, et elle faisait une petite pause à chaque étage.

Grand-mère ne me demandait jamais si j'envisageais de faire une carrière de tennis. Cette idée la dépassait. Je sais qu'elle était fière de moi quand j'ai commencé à jouer dans des tournois et à voyager dans le monde entier ; mais je n'ai jamais eu le temps de lui faire comprendre vraiment ce qu'est la vie aux États-Unis.

Quand je suis partie de Tchécoslovaquie en 1975, je n'ai osé aller dire adieu à personne, et même pas à ma grand-mère. J'ai fait mes bagages et je suis partie rejoindre le circuit pour ne plus revenir. J'ai cru que jamais je ne la reverrais. Cependant, en 1979, elle fut autorisée à sortir de Tchécoslovaquie. Elle a été la première de ma famille à venir me voir aux États-Unis. Le régime ne s'opposait jamais au départ des personnes âgées. Le pouvoir espérait en fait qu'elles ne reviendraient pas : ainsi l'État n'aurait plus à verser leur retraite. Les personnes de moins de soixante-cinq ans gardaient en revanche une certaine valeur aux yeux de l'État; il leur était donc beaucoup plus difficile de sortir.

Elle fit le voyage de Prague à Dallas en avion, à quatre-vingt-trois ou quatre-vingt-quatre ans. Je n'oublierai jamais l'énergie qu'elle avait en débarquant après presque vingt-quatre heures de vol. Elle était prête à se mettre en route. J'étais heureuse de la voir. Bien entendu, je pleurais, comme maintenant et comme chaque fois que je pense à elle.

Elle fut éblouie par le Texas, son immensité, sa démesure. J'avais acheté ma première maison, une villa à Dallas, d'environ trois cent vingt mètres carrés. Elle en était stupéfaite. Son regard allait de la moquette aux meubles modernes en passant par les trois télévisions : elle ne comprenait pas. Elle resta ébahie devant le four à micro-ondes. On introduit un plat à l'intérieur, deux minutes plus tard, c'est chaud. Moi-même je n'en comprends pas le fonctionnement, même si je suis capable de l'utiliser.

Elle n'avait aucune idée de ce que peut rapporter le tennis ou même toute autre profession aux États-Unis ; toutefois elle était réaliste et en savait assez pour rester en admiration devant tous les gadgets américains. Elle regardait parfois dans la maison et s'exclamait : « Et tu as gagné tout ça toute seule !

Je partageais la maison avec la joueuse de golf Sandra Haynie qui était mon manager à cette époque. Elles devinrent rapidement amies. Le survêtement rose que Haynie portait à la maison plaisait beaucoup à grand-mère. Le dernier jour qu'elle passa à Dallas, elle me dit combien elle aimait ce survêtement. Je le répétai à Haynie qui alla le chercher dans sa chambre et le donna à grand-mère pour qu'elle l'emporte en Tchécoslovaquie.

Je lui fis visiter plusieurs fois Dallas qui devait ressembler à un espace intersidéral pour quelqu'un arrivant de Tchécoslovaquie. Elle était heureuse d'être avec nous. Elle me vit jouer dans un tournoi à Dallas et au championnat Avon au Madison Square Garden à New York. Je battis Tracy Austin en finale, et grand-mère put voir la récompense de toutes ces années d'entraînement à Klamovka.

Si elle était heureuse de me voir gagner, elle fut bien plus impressionnée par certaines des célébrités qu'elle rencontra à New York. Je l'emmenai au Duck Joint, le restaurant que tenait Aja Zanova avec son mari, Paul Steindler. Aja avait été, pendant des années, une star des revues sur glace après son départ de Tchécoslovaquie. Grand-mère était ravie de rencontrer cette ancienne patineuse tchécoslovaque qui avait été championne du monde.

Elle rencontra aussi Lee Majors, le « Six Millions Dollars Man, l'Homme qui vaut six millions de dollars. Elle avait vu l'émission à Dallas et l'avait beaucoup appréciée. Nous étions à l'hôtel à Atlanta. J'aperçois Lee Majors dans le hall, je lui fais signe, et je le présente à grand-mère. Stupéfaite et rose de plaisir, elle bredouille quelques mots. Elle vient de serrer la main à un acteur de télévision !

Mais c'est lorsqu'elle rencontra sa joueuse de tennis favorite que son émotion fut à son comble. Grand-mère ne cessait de me parler de ses qualités. A Dallas, où nous jouions, j'emmenai grand-mère au vestiaire.

« Vous êtes vraiment Chris Evert ? » demanda grand-mère en tchèque.

Chris a été extraordinaire. Elle étreignait grand-mère et l'embrassait chaque fois qu'elle la rencontrait, à Dallas ou à New York; or, elle comptait parmi les célébrités et grand-mère l'admirait comme une étoile lointaine. Moi, j'étais toujours sa Zlata Holtiĉka, sa petite fille en or, ce qui, d'ailleurs, me suffisait amplement.

Avant son départ, grand-mère m'a donné sa robe préférée. Elle l'avait portée des années. Je l'ai toujours, j'aime la sortir du placard pour la prendre dans mes mains. Je me sens alors tout près d'elle.

Je l'ai emmenée à l'aéroport. Elle souriait en montant dans l'avion. Elle était heureuse d'avoir retrouvé sa petite fille en or, qu'elle avait cru perdue pour toujours. Moi, je sanglotais : j'avais peur de ne jamais le revoir.

Un an plus tard, je trouvai dans mon courrier, à Charlottesville où j'habitais alors, une lettre de ma tante de Revnice. Elle contenait un avis mortuaire bordé de noir, un « parte ». Je vis une croix au milieu, et le nom de ma grand-mère.

En larmes, j'appelai Prague. J'appris qu'elle était morte d'un cancer, il y avait quelques semaines. Quand je demandai à ma mère pourquoi on m'avait caché sa maladie, elle éluda la question.

La même année, mes parents vinrent quelques temps chez moi, à Dallas. Ils continuèrent à se taire lorsque, à nouveau, je leur demandai : « Pourquoi ne me l'avez-vous pas dit ? » Peut-être était-ce aussi bien ainsi. Qu'aurais-je pu faire ? Je n'étais pas encore naturalisée américaine, je ne pouvais même pas envisager d'aller en Tchécoslovaquie. Mais j'ai trouvé très dur d'avoir appris sa mort de cette façon. Comme j'ai trouvé dur, plus tard, que mes parents aient attendu si longtemps pour me dire la vérité sur la mort de mon vrai père. Quand ils l'ont fait, il était trop tard pour que je puisse parler de son fils à grand-mère, partager ses souvenirs, peut-être comprendre ce qu'elle ressentait au fond d'elle-même. C'est à ce moment-là que j'ai pris conscience qu'elle ne m'avait jamais beaucoup parlé d'elle.

Elle me donnait toujours l'impression que j'étais le personnage le plus important de sa vie. Elle voulait m'apporter de la joie et ne m'avait jamais narré les événements affligeants qui avaient marqué son destin : la perte d'un fils, celle d'un mari...

Elle était venue à Dallas pour me voir dans une jolie

maison, entourée d'amis, heureuse. Elle est repartie en souriant.

Personne ne m'a aimée comme elle, en m'acceptant, totalement, profondément.

Quelqu'un d'autre le fera-t-il, un jour?

7

L'ÉCOLE

J'étais à l'école comme sur les courts : vive, concentrée, acharnée. J'apprenais facilement et n'avais aucune patience pour ceux qui ne saisissaient pas vite. Pendant les cours, les réponses me venaient immédiatement à l'esprit; aussi ne comprenais-je pas pourquoi d'autres devaient réfléchir si longtemps ni pourquoi ils se trompaient.

C'était comme l'attaque d'une balle. Il me suffisait d'étendre la main et de saisir ce qui passait, mais la balle semblait fuir les mains des autres, surtout de celles des filles; elles n'étaient pas très dégourdies. Je me posais toujours la même question : ne veulent-elles pas l'attraper?

Si un élève se trompait, je pensais : pourquoi a-t-il oublié la réponse? J'en arrivais à croire que les autres commettaient des erreurs exprès. Dans mon esprit, tout le monde avait les mêmes possibilités.

J'ai commencé par l'école maternelle, à quatre ou cinq ans. A six ans, je suis entrée à la grande école. Mon souvenir du premier jour est toujours aussi vif : ma mère m'avait mis une jupe, des souliers vernis et des socquettes blanches, et j'avais l'air d'une vraie petite fille. Je me sentais des ailes en entrant dans la cour.

60

Je me rappelle aussi ce garçon de ma classe, un peu fou, qui tapait sur tout le monde avec un jouet : un train en bois. J'étais déjà intrépide et bien évidemment, dès le premier jour, je me suis battue avec lui. J'ai complètement sali ma jolie robe.

Ce n'était pas pratique de porter d'aussi jolis habits pour aller à l'école. A cette époque ils n'étaient pas en tissus faciles à entretenir et aucune de nos mères ne possédait de machine à laver ni de sèche-linge. Une petite altercation dans la cour de l'école était un vrai désastre.

Ma première école primaire était un vieux bâtiment près de la place du village. Les planchers et les bancs étaient en bois, comme les tables inclinées, percées d'un trou pour l'encrier. En dessous, il y avait une planche pour ranger nos livres. Les bancs étaient prévus pour deux ou trois élèves et quand le professeur ne faisait pas attention, nous pouvions nous laisser glisser par terre et nous promener à quatre pattes sous les tables. Comment rester propre en se traînant sur ces vieux planchers ?

Les professeurs essayaient de nous faire tenir tranquilles. En théorie, nous passions le plus clair de notre temps assis bien droits, les mains derrière le dos (ça redresse la colonne vertébrale !), attentifs, sans bouger. Nous devions lever le doigt pour répondre aux questions, et attention, seulement l'index ou le majeur.

Moi j'agitais ma main ouverte en l'air pour attirer l'attention. Je connaissais presque toujours les réponses. J'étais assise au dernier rang, avec les meilleurs élèves. Je m'appuyais au mur, je levais le bras, et je gardais la main en l'air jusqu'à ce que le professeur m'interroge. C'était parfois long. Bonne gymnastique, qui m'a servi pour mon service au tennis, qui sait ?

Tout comme ma mère, les professeurs toléraient mal le fait que j'étais gauchère. Quel problème pendant les leçons d'écriture ! Je faisais toujours des traînées d'encre. Au bout d'un moment, mon professeur me conseilla d'écrire de la main droite; j'essayai et je réussis. Auparavant, je n'aurais jamais imaginé que ce fût possible.

Mes capacités athlétiques me firent un jour défaut, dans la première classe. Le professeur d'éducation physique, une grosse et méchante femme, nous avait demandé de faire des roulades. Incapable de tenir la tête droite, j'ai roulé de côté sans pouvoir me redresser. Le professeur envoya un mot à mes parents : « Martina est incapable de faire une roulade. »

Mon père lui répondit : « Faites-lui une démonstration. » Il savait qu'elle était trop grosse pour y parvenir. Or, à son avis, un professeur devait être capable de joindre le geste à la parole, de montrer ce qu'il enseignait.

Si nous nous étions mal conduites, les professeurs des premières classes nous faisaient agenouiller. L'une d'elles nous frappait les mains; heureusement, je subis fort rarement ce châtiment. Un jour, dans la troisième classe, ma mère m'avait mis une jupe et un collant blanc tout neuf. Qu'avais-je fait, je ne sais plus, mais le professeur me fit agenouiller sur le plancher sale, plein d'échardes. Mon collant, une rareté en Tchécoslovaquie, fut complètement abîmé. Mes parents étaient furieux : il existait de meilleurs moyens d'inculquer la discipline aux enfants!

D'autres fois, nous devions copier cent fois « Je ne dois pas mâcher de chewing-gum » ou « Je ne dois pas parler en classe ». J'ai également eu des ennuis pour avoir rampé dans la classe. Je voulais faire passer un billet à une camarade, ma voisine refusait de le lui transmettre, alors je me suis mise à ramper dans les allées. J'avais presque traversé la salle lorsque le professeur m'aperçut.

Je n'ai jamais été très conciliante. J'ai donc eu beaucoup de mal à me plier à la discipline scolaire. Ma franchise téméraire me jouait de vilains tours. D'autant plus qu'en classe, nous devions nous taire. Il était interdit de poser des questions, autant que d'imiter les professeurs et de rire derrière leur dos. Le bagne. Moi, j'aimais parler, questionner et rire. Il a bien fallu que j'apprenne à me maîtriser, comme les adultes qui, pour quelques propos inconsidérés, risquaient la prison.

Maintenant que je suis américaine, il faut que je veille à ce que mes mots ne dépassent pas ma pensée. Mes nouveaux compatriotes n'apprécient guère, surtout de la part d'une sportive qui a gardé un accent étranger, la violence verbale.

En classe, j'essayais d'éviter les ennuis avec les professeurs. Je me fis tout de même prendre une fois ou deux à aider des camarades aux prises avec les difficiles accents tchèques qui peuvent changer complètement la prononciation de la lettre sur laquelle ils sont placés.

J'avais fini par accepter l'idée que nous ne naissons pas tous égaux. Cette prise de conscience fut pénible, douloureuse, parce qu'elle heurtait mon sens aigu de la justice. Je jugeais donc équitable d'apporter mon aide aux plus faibles. Et j'avais des ennuis.

Mes premiers jours de classe ressemblent sans doute à ceux de tous les autres enfants européens. Dans leurs fous rires imprévisibles, leurs disputes criardes, leur capacité d'inventer mille bêtises, les petits Tchécoslovaques ne diffèrent pas des autres enfants. C'est peu à peu, en devenant adultes, qu'ils vont changer, devenir autres. A force d'acceptations, d'interdictions, de frayeurs, ils s'enlisent dans la morosité, l'apathie. Moi, je ne voulais pas baisser la tête.

J'étais maintenant en sixième. J'allais dans une nouvelle école, très moderne, près des courts de tennis. On suivait d'interminables couloirs aux murs couverts de marbre, il y avait des vraies chaises et des tableaux noirs neufs.

J'avais une prédilection pour la salle de chimie, équipée de mille merveilles. J'avais l'impression de pénétrer dans l'antre d'une sorcière. Nous avions comme

63

professeur un homme – ils étaient peu nombreux – qui favorisait les garçons parce qu'il pensait que les filles n'avaient pas leur place aux cours de chimie. S'il nous surprenait à parler ou à rêvasser pendant ses explications, il nous lançait sa craie. C'était sa façon d'attirer notre attention, et cela marchait.

En sixième classe, mon professeur d'histoire et géographie s'appelait Kovalova. Elle avait l'air austère, très « comme il faut », et portait des lunettes, si bien que nous l'avions surnommée la Nonne. Elle était, en fait, extrêmement gentille, et me fit connaître l'histoire des Romains, ma période préférée; elle nous parlait des empereurs comme si elle les connaissait personnellement. Nous découvrions Caligula et son cheval, les gladiateurs, et les courses de char.

J'étais fascinée par les gladiateurs dans l'arène. Maintenant, quand j'attends de pénétrer sur l'immense court central pour l'U.S. Open, ou sur le vieux stade vert de Wimbledon, je pense souvent à eux.

Au fond, c'est un peu la même chose : deux soldats, le combat à mort, la foule hurlant pour son favori. J'ai toujours accepté la notion de gagnant et de perdant, et que survive le meilleur, par son seul courage, son ingéniosité, sa compétence.

Mlle Kovalova, passionnée par la nature, nous emmenait promener dans les champs. L'intérêt que nous manifestions pour une plante ou un insecte touchait sa sensibilité; dès ce moment, elle était capable de s'étendre à l'infini sur le sujet. Dans les bois, elle perdait son allure de nonne, elle sautait au-dessus des ruisseaux sans craindre de se salir. Nous la trouvions âgée pour gambader de cette façon. Elle devait avoir quarante ans!

Mes professeurs, d'une façon ou d'une autre, s'intéressaient tous beaucoup à moi. Je réagissais en fonction de leur attitude. La justice était toujours aussi essentielle pour moi. Tant qu'ils étaient justes, je ne me préoccupais pas de savoir s'ils étaient compétents. Je les aimais stricts mais justes, comme Mlle Kovalova. Certains, malheureusement, étaient comme mon professeur de littérature qui m'avait fait sortir de la classe tout simplement parce que je me mouchais trop bruyamment. Plus tard j'eus, au lycée à Prague, un professeur tellement sensible à la littérature tchécoslovaque qu'elle avait les larmes aux yeux en faisant son cours. Elle s'appelait Zemanova. Elle savait que j'étais douée, mais que je n'exploitais pas mes capacités parce que mes trajets quotidiens m'épuisaient. Alors elle essaya de me rattraper. Elle aimait vraiment son métier.

Mon professeur de grammaire était très bien. Celui de gymnastique me détestait, parce que j'étais une forte tête : je lui répondais. Elle était probablement jalouse de moi, parce que je jouais beaucoup au tennis. En fait, j'étais bonne en gymnastique, mais ses exercices d'échauffement ne m'intéressaient pas. Je voulais faire du sport, je n'avais pas besoin qu'elle m'apprenne à m'échauffer.

Le professeur d'enseignement ménager ne m'aimait pas non plus. Elle nous donnait des cours sur le meilleur régime à suivre pour conserver ou améliorer notre forme. Mais je ne l'écoutais pas. J'avais mes propres idées, et je suivais depuis toujours le même régime. J'avais peut-être tort. J'aurais peut-être gagné du temps en suivant ses conseils. Je sais maintenant que mes idées n'étaient pas si bonnes que cela. Il y a quelques années qu'on me l'a dit. Mais cette fois-là, j'ai écouté, et je me trouve bien d'avoir changé mes méthodes.

Dans les grandes classes j'étais toujours dans les trois ou quatre premiers. Deux garçons me surpassaient, peut-être travaillaient-ils davantage à la maison. Je ne pense pas qu'ils étaient plus intelligents. J'avais de bonnes notes en tchèque, en littérature, en mathématiques. Les notes allaient de un à cinq, un étant le maximum. La plupart du temps j'avais des uns.

J'ai abordé l'algèbre de la même façon que le tennis.

Service-volée. Je battais mon adversaire ou j'étais battue. Je parcourais l'équation, me sortais rapidement de $35 = 7x$ et gribouillais la réponse exactement comme j'essayais une volée de revers croisée comme coup gagnant. Je ne vérifiais même pas. Je me contentais d'écrire le résultat 5. J'étais très rapide pour les additions, les divisions, les problèmes de logique, quoique je n'aie jamais très bien réussi la preuve par neuf. La géologie, pour laquelle il faut apprendre des termes latins pour désigner des roches et des plantes n'était pas mon fort.

Mes plus mauvais souvenirs scolaires sont, je pense, les séances chez le dentiste. L'horreur! J'avais de jolies dents blanches, mais elles étaient fragiles et je souffrais sans cesse de caries. Le dentiste arrivait, nous appelait classe par classe, l'un après l'autre. Mon nom étant Subertova, j'ai toujours été dans les derniers les dix premières années. Je tremblais quand mon tour arrivait. Il n'y avait ni anesthésie ni radiographies. Le dentiste tapotait les dents avec une pince; dès qu'il croyait avoir décelé une anomalie, il commençait à percer. Une fois, il venait à peine de commencer que je lui mordis l'avant-bras. Il m'expulsa, mais deux jours plus tard il revint et me convoqua de nouveau.

Il devait travailler sur le canal radiculaire pour me dévitaliser une dent. Ce jour-là, je me suis juré de ne jamais retourner chez le dentiste. Bien sûr, je n'ai pas pu tenir mon serment. Par la suite, nous sommes allés chez une femme dentiste à Pilsen, qui utilisait la novocaïne. Quelle merveille! D'après ma sœur Jana, qui fait ses études de dentiste, les anesthésies et les radiographies dentaires ne sont pas encore pratiquées couramment en Tchécoslovaquie.

Une autre matière m'ennuyait énormément : le dessin. Je n'étais pas douée, peut-être, ou je croyais ne pas l'être.

Enfin, je détestais retourner la terre de la cour et

tailler les arbustes. Je voulais avoir une raquette dans les mains, pas une bêche.

Je n'avais jamais appris grand-chose en cuisine à la maison. Ma mère était une excellente cuisinière, elle adorait – elle adore toujours – nous mijoter les bonnes soupes et les plats traditionnels tchèques. Mais elle n'avait jamais le temps de m'apprendre; je n'en avais peut-être pas envie, non plus. Envie ou pas, en huitième classe, les filles devaient suivre des cours de cuisine. La salle donnait sur les courts, en plus! Et j'étais là, à faire la cuisine, avec une envie folle de tout envoyer au diable pour aller jouer au tennis.

Le premier plat que je dus faire était une soupe aux lentilles. Et je détestais les lentilles. Mais il valait mieux ne rien dire, pour ne pas se faire mal voir du professeur. Je fis donc ma soupe. Quelle surprise! Ce n'était pas mauvais. J'ai même fini par trouver ça bon. La soupe aux lentilles est maintenant un de mes plats préférés, un des secrets de ma forme. Et je peux la faire moi-même!

Ma première amie a été Eva Bekarchiva qui habitait de l'autre côté de la rue. Après la première et la deuxième classe, nous nous sommes un peu détachées l'une de l'autre. Ensuite, dans les dernières classes j'étais insépa-rable de Kveta Vlaskova. Elle habitait au-dessus de la boucherie près du petit cinéma. Intelligente et sportive, je la sentais très proche de moi, nous nous comprenions. Nous jouions assez peu à la poupée; et pourtant j'en avais plusieurs; j'avais aussi des animaux en peluche. Mais mes jouets préférés étaient les voitures de sport miniatures qu'on peut faire rouler. Pas les camions, ni les trains ou les véhicules militaires, non, les voitures de sport uniquement. Je me préparais probablement à conduire celles que j'ai eues depuis aux États-Unis.

Quand je repense à mon enfance turbulente, je me rends compte que j'ai eu de la chance. Je n'ai eu que deux accidents, et ils auraient pu être plus graves. Un jour, au cours de gymnastique, j'ai glissé en courant, et me suis heurté la tête contre le rebord métallique du trampolino. Une autre fois, en descendant à toute vitesse une pente derrière le terrain de volley-ball, je me jette la tête la première dans des barbelés qui protégaient une des grosses ampoules qui éclairaient le terrain de hockey. Une pointe barbelée frappe mon œil gauche. Sous l'effet de la douleur, je porte la main à mon visage en criant. Ma mère arrive en courant; elle a cru que mon œil était arraché. Heureusement seule la paupière était coupée. J'ai toujours la cicatrice.

Nous jouions souvent à la marelle. Mais le jeu qui nous amusait le plus se jouait avec des pièces de monnaie : il s'agissait de lancer sa pièce le plus près possible du centre d'un rectangle dessiné sur le sol. Le gagnant jouait à pile ou face toutes les pièces du rectangle. Il gardait celles qui retombaient du bon côté. Puis le joueur le mieux placé après lui jouait à pile ou face les pièces qui restaient; et ainsi de suite jusqu'à ce qu'il ne reste plus un sou par terre. On pouvait recommencer indéfiniment. Je crois me rappeler que je me débrouillais assez bien à ce jeu.

Nous adorions aussi jouer aux cow-boys et aux indiens, exactement comme les enfants américains avant l'arrivée des jeux vidéo. Le petit cinéma du village avait passé une série de films dont le héros était un chef apache, Vinnetou, joué par un acteur français, Pierre quelque chose, et un cow-boy, Old Shatterhand, joué par Lex Barker. L'apache sauvait la vie du cow-boy. Ils s'incisaient le poignet et prêtaient le serment des frères de sang. Le film devait être doublé. Je n'ai aucun souvenir d'avoir entendu aucun mot d'anglais à cette époque.

Dans nos parties de cow-boys et d'indiens, j'adorais jouer le rôle de Old Shatterhand. Nous avions des fusils en bois, et des arcs rudimentaires dont les flèches ne portaient pas à plus de dix mètres.

Je me prenais pour Old Shatterhand, je grimpais

dans les sapins près de la maison et épiais ma mère. Je l'appelais, elle ne pouvait pas me découvrir dans les arbres. Je lui criais : « Je t'ai eue », comme dans les westerns.

Moi, Martina Subertova Navratilova, Old Shatterhand, vrai cow-boy tchécoslovaque, j'étais toujours très mal habillée pour chevaucher dans la vallée de la Berounka; mais, avec la courtoisie des meilleurs, je laissais les autres mordre la poussière!

8

ADOLESCENCE

Je ne m'en rendais pas compte à cette époque, mais la passion que j'avais pour certains de mes professeurs femmes confinait à l'amour. Et j'ai eu un vrai coup de foudre pour George Parma, qui était et est toujours l'homme le plus séduisant que j'aie jamais rencontré.

Jamais je n'ai été attirée par Kovalova, la Nonne, malgré sa gentillesse, et bien qu'elle fût notre meilleur professeur. Par contre, j'étais follement séduite par mon professeur de maths. C'était une amie de ma mère, mariée, très sportive, et excellent professeur. Je me surprenais à la contempler fixement, je tournais autour d'elle, je trouvais toujours une excuse pour la regarder faire du sport ou pour l'écouter.

Pour autant que je sache, c'est tout à fait normal pour des filles de onze, douze ou treize ans d'être amoureuses de leur professeurs; je ne me suis jamais sentie une exception; et je n'ai jamais été attirée par les filles de mon âge. Mais j'éprouvais des sentiments très forts pour quelques femmes adultes. Et ces sentiments n'ont pas disparu avec l'adolescence.

La psychologie ne m'intéresse pas particulièrement; j'ignore dans quelle mesure le suicide et les secrets de mon père géniteur, tardivement dévoilés, ont eu une incidence sur ma personnalité. Quant au sentiment d'être moche : un garçon manqué, trop maigre et aux cheveux trop courts, je ne crois pas qu'il m'ait beaucoup troublée. J'ai sans doute été aidée par le fait qu'en Tchécoslovaquie, personne ne m'a jamais critiquée parce que je jouais avec les garçons au hockey sur glace et au football. Si je comprends bien, pour les Américains, les filles vraiment douées pour le sport risquaient d'avoir des problèmes sexuels. Une vraie femme pouvait être supporter, mais pas joueuse de tennis ou athlète.

L'image des femmes est heureusement en train de se transformer. Ce n'est plus pour leur beauté qu'on vient les voir jouer, on ne pense plus qu'une bonne athlète ne peut pas être aussi une vraie femme.

Faire du sport ne m'a pas empêchée de grandir. J'ai toujours eu conscience de ne pas avoir un corps féminin, mais j'étais heureuse de pouvoir exploiter mon potentiel physique, et j'acceptais volontiers de sacrifier mon « look » à ma passion. Tant pis pour les canons de la beauté féminine !

Mon père me disait que je deviendrais belle plus tard. J'avais du mal à le croire. Mais il ne se trompait pas.

Je n'ai pas encore atteint ma pleine maturité, certes, et je ne sais pas encore très bien me mettre en valeur. Il faut dire qu'on n'a pas souvent l'occasion de voir une athlète sur son trente-et-un ; on la voit plus souvent transpirant sur les courts. Et quand, par hasard, quelqu'un croise une sportive bien maquillée, des mots de ce genre lui échappent : « Oh ! mais vous êtes rudement mieux que sur le court ! » J'ai parfois répondu : « Vous voulez dire que, sur le court, je suis moche ? »

La rigueur soviétique ne favorisait pas la coquetterie, durant mon adolescence. Bien sûr nous conservions, de notre héritage d'Europe centrale et de la splendeur passée, quelques souvenirs. Il y avait de très belles

71

actrices, de très beaux chanteurs et danseurs dans les théâtres de Prague. On les voyait à la télévision. Mais ce qu'on y montrait surtout, c'était l'ouvrier patriote, musclé, aux cheveux courts.

J'hésitais entre ces deux modèles. J'aurais tout de même souhaité être plus féminine. J'avais malheureusement peu de chances d'y arriver : j'aurais eu bien du mal à faire fondre mes muscles, ils étaient héréditaires, en quelque sorte. Je ressemblais à ma mère qui ne s'habillait que pour aller à l'usine, et dont les produits de beauté étaient réduits au minimum. Il faut dire qu'elle avait du mal à concilier son travail, deux enfants, un mari, le tennis et les autres sports qu'elle pratiquait.

Mais le sport, j'en suis convaincue, m'a rendue plus indépendante, plus fière; il m'a apporté la preuve de ma valeur face aux autres.

Je ne crois pas que la pratique intensive du sport ait changé quoi que ce soit à ma sexualité. Il y a des choses qu'on ne peut pas modifier dans une personnalité. Elles sont là avant même la naissance. En tout cas, je ne me sentais pas différente des autres filles avec qui je grandissais. Elles étaient mes amies.

Au bout d'un certain temps, pourtant, le tennis me sépara des autres enfants de Revnice. Je n'avais pas la grosse tête, mais je vivais dans une autre ambiance qu'eux. A dix ans, une ou deux fois par semaine, je me précipitais, dès la sortie de l'école, pour ne pas rater le train de Prague. Quand je rentrais à la maison, j'avais tout juste le temps de faire mes devoirs avant de m'écrouler de sommeil. Je n'avais pas le temps de créer des liens, et j'ai beaucoup perdu en amitié.

Cependant, même après être devenue professionnelle, je suis restée amie avec Kvĕta. A chaque retour de voyage, j'allais la voir et nous recommencions à bavarder et à rire comme si nous ne nous étions pas quittées.

De temps à autre, je reçois encore une carte d'elle. Elle est mariée et a un enfant. Si je ne me trompe, je suis la seule de ma classe à ne pas être maman. L'une de mes camarades a, paraît-il, eu trois enfants de trois hommes différents. Elle n'a épousé que le troisième. On trouve donc ce genre de situation en Tchécoslovaquie, bien que l'avortement y soit possible. Quand j'étais encore là-bas, quelques camarades se sont trouvées enceintes à quinze ans. C'est tout de même un peu trop tôt. Je venais tout juste d'avoir mes premières règles et ma première aventure avec un garçon n'arriva que deux ans après.

Quand je pense à Kvĕta et aux autres de mes amies qui ont des enfants, j'imagine ce qu'aurait pu être ma vie si je n'étais pas devenue championne de tennis. Je voudrais bien, moi aussi, avoir un enfant avant qu'il ne soit trop tard. Quand je le dis, tout le monde a l'air étonné; c'est pourtant très important pour moi. Je ne suis pas très sûre de vouloir me marier, mais je souhaite pour mon enfant le père idéal : brillant, sensible, excellent athlète et, bien entendu, beau garçon.

Un des hommes les plus merveilleux et les plus beaux que je connaisse est Wayne Gretzky, le plus grand champion de l'histoire du hockey. Pensez à ce que pourraient donner ses gènes, alliés aux miens!!!

9

LIBRE DE JOUER

Une des choses qui m'ont frappée à mon arrivée aux États-Unis est que les spectateurs n'aiment pas que les femmes athlètes se montrent hardies et agressives. Une grande athlète comme Chris Evert, qui ne manque pas de mordant, est acceptée parce que sur le court, elle ne manifeste jamais ses émotions; mais une autre – inutile de la nommer – est critiquée parce qu'elle a la langue bien pendue. Cette attitude est due en grande partie aux stéréotypes sexuels créés par le public et la presse. Les joueuses doivent répondre à une certaine image de la féminité.

Un point à mon avantage : j'ai la réputation d'être fair-play. Je ne supporte pas que les juges fassent mal leur travail, que ce soit à mon avantage ou à mon désavantage. Je les mettais en rage quand je commençais à leur faire remarquer qu'un point m'était octroyé par erreur. Il m'est arrivé de faire délibérément une double faute en entendant annoncer une décision en ma faveur d'une injustice flagrante. Je savais que les juges faisaient de leur mieux, mais je devais rétablir le bon droit. Je ne pouvais m'en empêcher.

Un jour, j'ai essayé de faire changer une décision

d'arbitre en ma faveur : les courts étaient poudreux, il était facile de voir que la balle comptée « faute » était bonne. J'ai pointé ma raquette vers son point de chute en criant aux juges : « Elle est tombée LÀ ». Le lendemain, les journaux titraient : « Navratilova s'attaque aux arbitres! » J'ai appris petit à petit que si on peut la contester, on ne peut changer une décision d'arbitre. Et maintenant, je tiens ma langue.

Je déplaisais parce que j'exprimais hautement des opinions personnelles, parce que je manifestais mes émotions sur le court. Les Américains ne sont pas aussi à l'aise qu'ils le croient avec les fortes personnalités – surtout chez une femme. Dans ce domaine, je ne peux pas être à égalité avec Jimmy Connors ou John MacEnroe.

Ce franc-parler qui irrite maintenant, on l'avait encouragé pendant mon adolescence. Grâce au soutien de ces deux hommes pleinement sûrs d'eux et de leur virilité, George Parma et mon père, j'avais appris le tennis sans jamais me heurter à des barrières sexuelles. C'était très rare qu'ils m'imposent des restrictions, qu'ils me dictent ma conduite. De son côté ma mère, passionnée de tennis et de ski, qui aime travailler pour elle-même et avoir ses propres opinions, n'a jamais essayé de me faire correspondre à un stéréotype féminin quel qu'il soit.

J'ai été attirée, dans ma vie, aussi bien par des femmes que par des hommes. Je ne crois pas que cette éducation sportive y soit pour quelque chose. J'ai été amoureuse de mon professeur de maths comme de George Parma. Mon sentiment de base était toujours le même : c'est une *personne,* et cette personne sait tellement de choses, a tellement de charme, tellement de force de caractère, une telle gentillesse!

Au tennis, j'ai toujours joué, d'instinct, un jeu d'attaque, pour le plaisir, et pour gagner. Mon père et mon entraîneur m'ont encouragée dans cette voie. J'y ai appris la liberté et la passion. Et c'est avec passion, en

75

toute liberté, que je choisis ma vie. J'ai entendu toute mon enfance mes parents et mon entraîneur me dire : « Vas-y! Fonce! ». Et c'est ce que j'ai toujours fait.

Je serai toute ma vie reconnaissante à mon père de ne m'avoir jamais empêchée de me ruer au filet. J'ai parfois joué ma vie comme une partie de tennis. C'est à lui que je dois d'en être capable. Il voulait avant tout que je prenne plaisir à jouer, et que je joue en suivant mon instinct. Dieu merci, il n'avait aucune idée toute faite de ce que devait être le jeu d'une petite fille. Avec mon père, il n'y avait pas de barrage psychologique, pas de pression subtile du genre : « Sois une bonne petite fille, ne cours pas comme ça! »

Il était merveilleux. Il ne me remettait jamais en question. Il était toujours là, m'accompagnait aux tournois, m'emmenait à mon entraînement, me servait d'entraîneur. Il me consacrait énormément de temps. Il était acharné, précis, et toujours prêt à jouer. Pour une jeune athlète, surtout une joueuse de tennis, un tel soutien est une aide considérable. Sans mon père, je n'aurais jamais réussi.

Tout concourait à ce que je fasse une brillante carrière sportive : mes parents, mon entraîneur, mais aussi mon pays. Rien en Tchécoslovaquie, de nos jours, n'empêche une fille d'être une sportive et une championne. Rien ne l'oblige à avoir une allure ou une façon de s'habiller outrageusement féminines. Les femmes tchécoslovaques travaillent aux champs comme dans les usines. Elles sont fières de leur force et de leurs muscles. C'est un principe établi en Tchécoslovaquie que le sport est bon pour les femmes. C'est plus par amour inné du sport que par souci de santé. Et le sport féminin est quelque chose d'important : tout le monde connaît les performances des centaines de gymnastes féminines tchèques, et peut les admirer dans les stades ou à la télévision. Bien sûr, il y a aussi la tradition d'élégance et de « glamour » des jours anciens, mais depuis que les communistes ont pris le pouvoir, les femmes ont moins de temps, moins d'argent pour se maquiller, aller chez le coiffeur, s'habiller, que celles des pays de l'Ouest. J'ai près de trente ans, et je commence seulement à savoir me maquiller et me coiffer. Cela n'a rien à voir avec la sexualité, c'est le résultat d'un mode de vie.

En 1982, après avoir perdu quelques kilos superflus, j'ai été photographiée pour une couverture du «Times Magazine» : le thème était «la nouvelle idée de la féminité» : les femmes sont «en forme», elles n'ont plus «des formes»; pour être «bien dans sa peau», il faut être musclée. Et j'étais là, tout en muscles, avant-bras au premier plan. A côté de moi, il y avait Olivia Newton John. Quel contraste!

J'étais bien préparée au mouvement féministe qui se développait à l'Ouest lorsque je commençai à voyager en 1973. J'étais issue d'une famille tchécoslovaque robuste dont les femmes, bien découplées, n'en étaient pas moins fines d'esprit. J'appréciais les revendications en faveur des droits de la femme : à travail égal, salaire égal; les mêmes droits pour tous. A mes yeux, c'était très américain.

Je suis arrivée à l'Ouest au bon moment. Billie Jean King, Rosie Casals et d'autres avaient déjà beaucoup lutté pour que la génération suivante soit plus favorisée au tennis et gagne autant d'argent, ou presque, que les hommes.

Billie Jean King, surtout, a relevé le niveau du tennis féminin. Ce n'est peut-être pas son match avec Bobby Riggs qui en fournit la meilleure preuve. Quelle fierté pouvait tirer la meilleure joueuse de tennis de l'époque de sa victoire sur un homme de cinquante-cinq ans?

Pourtant, aucune joueuse sensée ne prétendrait pouvoir battre les meilleurs joueurs du circuit. C'est ce que j'ai répondu à Vitas Gerulaitis lorsqu'en 1984, pour se moquer du tennis féminin, il a dit que j'étais incapable de battre le centième joueur mondial. J'ai précisé tout de même qu'il y avait bien des joueurs classés que je me sentais capable de battre. Mais il suffit de me voir jouer avec mon entraîneur, Mike Estep, un excellent joueur, pour voir que la puissance et la vitesse sont différentes chez les hommes et chez les femmes. Toutefois, Billie Jean démontra autre chose de tout aussi important : le sens de la compétition chez les femmes. Au cours de ce match, elle s'est comportée devant ce joueur expérimenté comme un croisé luttant pour sa foi. Elle portait le drapeau : c'était sa manière de proclamer qu'il est normal d'être une athlète, une compétitrice, d'être dure, de ne pas tout accepter des officiels. Chris l'a fait à sa façon, moi à la mienne, Billie Jean l'a fait la première. Les femmes étaient fières de cette nouvelle compétitivité que, d'ailleurs, beaucoup d'hommes appréciaient.

Les jeunes ne me semblent plus animées du même orgueil, de la même fougue. Pour elles, le tennis est un moyen de gagner de l'argent et d'acquérir la célébrité. Elles sont autant vedettes qu'athlètes. Quelque chose s'est perdu.

Il y a quelques années, on appréciait l'outrance. Or, j'étais parfois trop excessive ou trop émotive, jamais je n'étais indifférente. C'était dû en partie à l'état d'esprit créé par Billie Jean et sa génération, et en partie à mes origines, au fait que mon père et George Parma avaient développé en moi l'envie de me battre.

Cela n'a pas toujours été facile. Il y a quelques années, je devais promouvoir la marque d'un produit d'hygiène qui venait d'avoir de gros problèmes publicitaires. Tout sembla marcher jusqu'au jour où les dirigeants de la société virent Rita Mae présenter, à la télévision, son dernier roman et faire, à mon propos, quelques commentaires du genre : « Certaines relations sont un marathon et d'autres un sprint. La nôtre était un sprint. » Ils furent tellement choqués que ma qualité de première joueuse du monde n'eut plus aucune importance à leurs yeux. J'avais désormais une étiquette, une étiquette qui, pensaient-ils, risquait de gêner la vente de

78

leurs produits. Et malheureusement, ils n'avaient probablement pas tort.

Quand on est ainsi cataloguée, il faut assumer. Et ce n'est pas toujours facile. Des amis sincères m'ont dit avoir entendu dans les tribunes des critiques à mon sujet. L'un d'eux a même vu, pendant la finale de l'U.S. Open 1983, une femme qui encourageait Chris Evert en hurlant : « Vas-y, Chris, il faut que ce soit une vraie femme qui gagne. » Pourtant, il y aurait eu tant de meilleures raisons pour encourager Chris!

L'image que les autres se font de moi me blesse souvent. Ce n'est pas par hasard que je n'ai jamais paru en couverture de la revue « Sports Illustrated » avant de gagner l'U.S. Open 1983. J'avais gagné partout ailleurs, mais les manitous préfèrent présenter un mannequin en maillot de bain en couverture plutôt que la meilleure joueuse de tennis du monde. Ils vendent leur revue à des hommes, et croient savoir ce qui les attire.

Je pourrais prendre aussi l'exemple du prix attribué chaque année au meilleur ou à la meilleure athlète de l'année par ce même magazine. En 1983 j'ai gagné trois des quatre tournois du Grand Chelem, perdu seulement un match dans l'année, mais c'est à la coureuse de demi-fond Mary Decker que le prix fut attribué. Je n'ai rien contre Mary Decker; c'est une parfaite athlète qui avait eu une saison fabuleuse, mais je pense que je le méritais tout autant.

En fait, ce n'est pas le choix que je conteste, mais la manière dont il fut fait. L'article sur Mary expliquait combien elle avait besoin d'être protégée, aimée, soutenue, il racontait que son mariage était brisé, qu'elle avait enfin rencontré l'homme de sa vie (c'était Richard Slaney, elle l'a épousé par la suite), qu'ils vivaient ensemble, dans la tendresse, et une photo les montrait enlacés. Ce n'était que flots de tendresse et de gentillesse à l'eau de rose.

Quand Nancy Liebermann m'aida pendant une

période difficile de ma vie, me força à me regarder moi-même plus franchement, me poussa à travailler dur et à prendre un entraîneur pour la première fois de ma vie, on fit des remarques insidieuses sur le « Team Navratilova ». Une grande coureuse de demi-fond comme Mary Decker peut se permettre de trouver un nouveau soutien, mais une joueuse de tennis comme Martina Navratilova ne peut, sans exciter les mauvaises langues, avoir elle aussi un appui.

Sports Magazine publia un article sournois racontant que j'employais une masseuse et quelqu'un pour promener mon chien, et demandant si je me prenais pour Mohammed Ali et si j'avais toute une armée de serviteurs. Nancy arriva au bon moment : « Il ne suffit tout de même pas que l'une de nos amies arrive de Dallas, reste à la maison pendant Wimbledon et promène le chien pendant que nous sommes sur le stade pour en déduire que tu as une employée pour promener ton chien. » L'amie qui promenait le chien est Pam Derderian, qui s'occupe maintenant d'une grande partie de mes affaires.

Tout le monde s'en donnait à cœur joie sur le « Team Navratilova ». Mike Lupica écrivit dans le « New York Daily News » : « J'aime Martina Navratilova mais pas le Team Navratilova. » Le comique de la chose c'est que le « Team Navratilova » était loin d'être parfaitement uni. Nancy et Renée n'ont jamais été très bien ensemble.

Les gens riaient parce que, quand je jouais contre Chris Evert, mes amies Nancy et Renée, mon diététicien Robert Haas, et quelques autres amis, étaient toujours côte à côte dans les tribunes. Pourtant, un peu plus loin, il y avait bien la mère de Chris et sa sœur, presque toujours John Lloyd son mari, plus quelques amis intimes et parfois son entraîneur Dennis Ralston. Et je trouve cela très bien : Chris a le droit d'avoir sa famille et ses amis autour d'elle pour l'applaudir. Mais j'en ai le droit aussi. Et pourtant, pour le public, elle avait « des amis », moi j'avais « le Team Navratilova ».

10

NÉE AMÉRICAINE

J'ai abordé la culture américaine par les westerns et la géographie : j'étais déjà éblouie par les noms des états et des villes que nous apprenions à l'école : Floride, Californie, Las Vegas, Miami Beach, New York, Chicago, Empire State Building, étaient des mots magiques. Pour moi, en Amérique, tout était merveilleux, même si on nous disait le contraire en classe!

Avant le milieu des années soixante, la culture américaine ne parvenait pas jusqu'à nous, ou fort peu. A la radio nous entendions surtout de la musique classique, quelques valses, des polkas, quelquefois de célèbres chanteurs de pop. Une camarade de classe possédait un disque des Beatles, et nous l'écoutions sans arrêt. Il n'y avait presque jamais de chansons en anglais à la radio.

Depuis mon enfance, j'avais rêvé de l'Amérique comme d'un lieu de légende. Quand mes parents écoutaient la « Symphonie du Nouveau Monde » de Dvorak, les thèmes envoûtants du folklore américain me donnaient le sentiment de l'infini, de la liberté du Nouveau Monde.

L'Australie aussi, cette Mecque du tennis, m'attirait, avec ses champions Rod Laver et Margaret Court, comme le Japon – je rêvais de Tokyo et de ses treize millions d'habitants. Mais rien ne me fascinait comme l'Amérique.

J'avais environ treize ans quand j'ai pour la première fois rencontré quelqu'un qui y était réellement allé. C'était à un tournoi. Une des joueuses avait vécu à Philadelphie avec sa famille. J'aimais à lui parler de cette ville, pour le plaisir d'en prononcer le nom. J'arrivais même à l'orthographier correctement. Vivre à Philadelphie à treize ans me semblait l'aventure la plus merveilleuse qui soit.

Après notre première série de westerns nous avons eu de plus en plus de films américains. Pendant mes années de lycée, j'allais tous les week-ends au cinéma à Revnice ou près de la Place Wenceslas à Prague. Assise dans l'obscurité, je regardais bouche bée Fred Astaire et Ginger Rogers, Katherine Hepburn et Spencer Tracy. Ils étaient tellement décontractés, élégants, raffinés et, pour la plupart, si « convenables ». A travers eux, j'imaginais une Amérique bien différente de ce que les communistes nous racontaient, à l'école et dans les journaux. J'admirais les limousines étincelantes, les Cadillac aux chromes rutilants. « C'est ça, l'Amérique!... », pensais-je.

En même temps que les films, est arrivée la musique pop américaine. Je me souviens de « Your' Cheatin' Heart » dans un arrangement tchécoslovaque, et de la vraie version, celle de Hank Williams, que nous avons entendue plus tard, à Radio-Luxembourg. Ce n'était pas facile d'écouter les succès à la mode : à cette époque, la transmission était tellement mauvaise qu'on n'arrivait pas à entendre grand-chose. Ça s'est amélioré vers la fin des années soixante.

Hepburn et Tracy, Rogers et Astaire, Hank Williams et Ray Charles étaient loin de l'image de l'Amérique que les communistes voulaient nous imposer. Le discours officiel, venu droit de Moscou, ne nous parlait que du mauvais côté des choses...

On nous répétait que les impérialistes américains exploitaient les ouvriers, que les riches devenaient de plus en plus riches et les pauvres de plus en plus pauvres, que les noirs étaient mis au ban de la société.

Je me souviens de notre joie en 1964 quand les gymnastes tchécoslovaques battirent les Russes et que l'Américain Bob Hayes gagna une médaille d'or aux Jeux Olympiques. Après tout ce qu'on avait entendu sur l'oppression et la pauvreté des noirs, nous avons vu un athlète de couleur, dans une forme éblouissante, gagner une médaille d'or pour son pays. Il me sembla encore plus évident que la propagande communiste était mensongère.

Les Tchèques, après des siècles de domination étrangère, étaient devenus méfiants. Ils avaient aussi appris à s'arranger pour survivre sous n'importe quel régime.

Ma province natale, la Bohême, avait été autrefois le joyau de l'Europe Centrale, sous Carol Ier, notre roi importé, devenu Charles IV sous le Saint-Empire romain germanique, et que personne dans son pays n'est près d'oublier.

Revnice se trouve à quelques kilomètres de son château, Karlstein, construit au sommet d'une montagne. Pendant mes années de lycée, j'y allais avec mon petit ami rêver des jours glorieux du XIVe siècle. Carol Ier fonda l'Université Charles au centre de Prague, il est immortalisé par des statues et le magnifique Pont Charles qui enjambe la Moldau. Dans un pays communiste, Carol Ier était le symbole de ce qu'avait été la Bohême, ce qu'elle aurait encore pu être.

Ensuite, au cours des siècles, nous avons subi successivement la domination des Habsbourg, des Prussiens, puis des Russes. La Tchécoslovaquie fut créée le 30 octobre 1918 par le regroupement de la Bohême, de la Moravie et de la Slovaquie, de sorte que plusieurs ethnies différentes étaient regroupées dans une même nation. Un étranger ne se rend probablement pas compte des différences. Dans le pays, elles avaient une grande importance. Je suis née en Bohême, c'est important à savoir pour me comprendre.

Mon ami Ted Tinling, le fameux créateur de tenues de tennis, a dit un jour à mon propos dans le « World Tennis Magazine » : « Elle est la plus grande joueuse de service-volée de l'histoire du tennis. Elle a surtout beaucoup d'imagination, de fantaisie. » Il ajoutait : « Elle possède ce tempérament slave qui s'épanouit dans le drame. Elle va toujours vers la tempête ; elle sous-estime son adversaire, mais aussi ses propres capacités de faire face quand l'orage éclate. Elle est capable de passer sans transition de l'arrogance à la panique. »

Il avait raison en ce qui concernait mes sautes d'humeur, mais il se trompait en ce qui concernait mon caractère ethnique. Ma mère, mon vrai père et mon père étaient tous originaires de Bohême, par conséquent je suis tchèque non pas slovaque. Les Slovaques viennent de l'Est. Il n'y en avait pas dans la petite ville de Revnice. Nous apprenions la langue tchèque tandis qu'à l'est du pays c'était le slovaque. Il s'agit de deux langues différentes ; même si, quand on connaît l'une, on peut comprendre l'autre.

Les préjugés n'existaient pas. Les Slovaques étaient traités comme les autres ; néanmoins ils savaient très bien qu'ils n'étaient pas Tchèques. Ils n'ont presque jamais été indépendants ; ils ont toujours été dominés par d'autres, tandis que les Tchèques ont eu leur propre pays pendant un certain temps.

Quand les Russes organisèrent la prise du pouvoir, en 1948, les Slovaques s'emparèrent de nombreux postes importants. Géographiquement, par leur langue et leurs coutumes, ils étaient beaucoup plus proches des Russes et mieux disposés à recevoir leurs ordres. Les habitants de Prague, à l'ouest du pays, n'oubliaient pas qu'ils avaient vécu dans un pays capitaliste, ils savaient se débrouiller seuls, ils avaient le sens de leur dignité.

Mon père était économe dans une usine. Nous allions faire du ski tous les ans pendant nos vacances. Bien sûr, il y avait des gens qui allaient au bord de la mer, et nous nous demandions comment ils pouvaient se payer cela. Mais dans l'ensemble, mes parents vivaient bien. Ils n'ont jamais accepté d'adhérer au parti communiste, et m'ont donné là un bel exemple d'indépendance, de fierté. Mais j'étais déjà encore plus farouche, plus têtue qu'eux. Toute petite, j'étais déjà plus américaine que tchécoslovaque.

Le personnage le plus illustre de notre littérature était le bon soldat Svejk. Mon père l'appelait « notre modèle ». Tout le monde connaissait les « Aventures du brave soldat Svekj au temps de la Grande Guerre », de Jaroslav Hasek, avec des illustrations de Joseph Lada. Svejk a une tenue négligée, un physique trapu, avec un nez à la W.C. Field et un sourire innocent. Il a l'air naïf, se comporte comme un naïf, mais arrive à survivre en temps de guerre comme en temps de paix.

On lui donne l'ordre d'aller au front, mais on le voit marcher dans la campagne, s'arrêter à chaque taverne et dormir dans toutes les granges qui se trouvent sur son chemin. On veut l'envoyer en prison ? Il fait l'un de ses saluts de travers, demande pardon, explique longuement qu'il a réellement essayé de rejoindre le front mais qu'il faisait trop noir. Personne ne peut prouver qu'il ment ou qu'il complote quelque chose, et il évite le cachot.

A l'école, les maîtres nous répétaient sans cesse une de ses phrases les plus fameuses : « Restons calmes. » Il paraît qu'en 1983, pour le centenaire de Hasek, toutes les librairies de Prague vendaient des éditions spéciales de Svejk. La télévision nationale a même présenté un feuilleton qui lui était consacré – sans aucun doute adapté à la tendance politique de rigueur.

La même tendance politique imprégnait tout ce qu'on nous apprenait sur l'Amérique. On nous parlait de l'exploitation capitaliste aux États-Unis. Mais tous les films américains que nous pouvions voir nous faisaient penser qu'on nous mentait. En outre, beaucoup se souvenaient de la période de 1918 à 1938, quand la Tchécoslovaquie était encore une démocratie occidentale libre. Les Tchèques et les Slovaques n'ont jamais oublié la promesse de l'Occident. Ils aimaient l'Amérique, ils enviaient ce pays, même s'ils ne le comprenaient pas toujours.

Un jour, nous découvrîmes, ma sœur et moi, un numéro de « Playboy » dans l'armoire de mon père. La littérature érotique était rare dans notre pays, et dissimulée. Nous n'avons pas été choquées. Cela m'a semblé un peu idiot, mais c'était une preuve que l'Amérique était un pays libre. L'attitude socialiste puritaine m'a toujours souverainement agacée. Je conteste les préjugés moraux, comme tout ce qui porte atteinte à la liberté.

Au bout du compte, il m'aurait été impossible d'être un brave soldat Svejk. Quand le sergent prend le simple bidasse de haut, je me sens bouillir. Je déteste l'abus de pouvoir. Les ordres me font dresser les cheveux sur la tête. Or, pendant mon adolescence, nous étions entourés de dirigeants qui nous imposaient leurs opinions.

Beaucoup de Tchécoslovaques pensent encore que tous les Américains sont riches. Un New-Yorkais m'a raconté que, de passage à Prague, il avait pris un taxi. Le chauffeur était tellement convaincu que tous les Américains roulaient dans d'énormes voitures de plus de cent mille dollars que lorsqu'il lui dit qu'il possédait une Datsun payée seulement six mille dollars, l'autre le regarda d'un air hébété. Il le prit pour un dingue. Il refusait de croire que des Américains puissent rouler en voiture japonaise bon marché.

Ma mère et ma sœur ne pouvaient imaginer qu'en Amérique aussi la pauvreté sévit. Elles avaient vu un film, « Fille de Mineur », retraçant la vie d'une vedette de la musique folklorique, Loretta Lynn, qui avait grandi dans une minuscule maison dans la montagne, portait des robes en sac à patates et fréquentait une petite école minable. Elles ne pouvaient pas y croire.

Ma famille aime à croire que tous les Américains gagnent autant d'argent que moi, que leur opulence est sans limites. En même temps, les communistes racontent que la plupart d'entre eux sont exploités. Comment y croire devant tous ces supermarchés, ces parcs d'attractions, ces voitures?... La prochaine fois que mes parents viendront me voir, je les emmènerai dans les Appalaches et dans certains quartiers misérables de New York, pour qu'ils aient une image complète de mon pays adoptif. Je veux qu'ils voient l'entière réalité.

Dès mon plus jeune âge, j'ai été fascinée par les films américains. Je préférais les versions originales aux films doublés. C'était ridicule, ces mouvements de lèvres qui ne correspondaient pas à ce que les acteurs disaient. Katherine Hepburn parlant tchèque, grotesque! Et puis, les films en v.o. me permettaient d'apprendre l'anglais, peu répandu en Tchécoslovaquie, dont la seconde langue est l'allemand, depuis le Saint-Empire romain germanique! Quand on rencontre un étranger, c'est d'abord en allemand qu'on s'adresse à lui. Le russe ne vient qu'après. C'est après la fin de la Seconde Guerre mondiale que le russe a été enseigné dans les écoles, sur ordre de Moscou. Nous en apprenions juste ce qu'il fallait pour ne pas avoir d'ennuis. Demandez à n'importe quel Tchèque aujourd'hui s'il parle russe. Il vous répondra non. Mais il a bien été obligé de le comprendre.

Quel dommage que les Russes soient arrivés en Tchécoslovaquie juste avant les Américains à la fin de la Deuxième Guerre mondiale. Ils en font maintenant toute une affaire : j'ai appris que les anciennes synagogues de Prague sont aujourd'hui décorées de photos représentant les Russes libérant les camps de concentration à la fin de la guerre. Ils ont réussi à s'emparer du pays en 1948, mais pas à faire oublier que l'Amérique existe.

L'Amérique présente une telle diversité que l'on y

87

trouve pêle-mêle l'Oncle Sam, Paul Bunyan, Johnny Appleseed, Betsy Ross, le Sergent York, Jackie Robinson, des vrais héros, des héros légendaires, des héros du nord, des héros du sud, des héros blancs, des héros noirs, de pâles héroïnes, d'autres de couleur. En Tchécoslovaquie nous avons Svejk : c'est bien peu!

Tous les Tchèques et les Slovaques ont un peu de Svejk en eux. Quant à moi, jamais je n'aurais pu être un Svejk. Je clamais ce que je pensais à l'école, à la maison, sur le court. Dans un pays opprimé, où tout le monde restait au ras de la terre battue, essayant seulement de survivre, j'étais la championne du service-volée.

11

LE TOURNOI INTERROMPU

Je ris quand j'entends dire maintenant que je suis trop costaud (Superman peut-être?) et que l'on devrait m'interdire de participer aux tournois féminins. Où étaient-ils ceux qui le prétendent lorsque, petite fille maigrelette, je jouais contre des adversaires qui me dépassaient d'une tête?

Mes avant-bras me viennent un peu de la nature, et surtout des exercices de musculation. L'exercice finit par donner des résultats extraordinaires. Par ailleurs, aucun règlement ne prévoit que les adversaires doivent avoir la même taille et le même poids. Le tennis, ce n'est pas la boxe.

Si c'était le cas, j'aurais été dans les poids-plume à mes débuts. Sur les photos de cette époque, on a du mal à penser que c'est moi, cette gamine maigre et toute petite, toute oreilles et grands pieds, à côté d'une adversaire déjà grande et épanouie. Un jour, le comité refusa de me laisser disputer un tournoi. C'était le championnat des moins de douze ans. J'en paraissais tout juste neuf. Finalement, avec un certificat médical, on m'autorisa à jouer. Je portais le même T-shirt et le même short que pour l'éducation physique. Je ne payais sûrement pas de mine. En finale, j'ai battu 6-1, 6-4 une fille de douze ans qui me dominait de sa haute taille.

Maintenant je suis Goliath, mais à l'époque personne ne créait de comité en vue de rendre la lutte un peu plus équitable pour les minuscules Martina. Il fallait jouer contre la partenaire prévue.

Mes parents se sacrifiaient pour que je puisse jouer. Pendant cinq années consécutives, ils se sont privés de vacances d'été; ils économisaient tout l'hiver pour que je puisse voyager. Ils croyaient en moi, ne mettaient jamais en question ma participation aux tournois. Quand je rentrais à la maison, un bon dîner nous attendait; ma mère s'asseyait et nous écoutait parler tennis, mon père et moi. Dès que nous commencions à nous disputer, elle intervenait pour changer de sujet. Nos disputes étaient sans méchanceté. Mon père était bon, jamais il n'aurait supporté que j'aille me coucher sans que nous soyons réconciliés; il ne voulait pas que nous ayons de la rancune le lendemain.

J'ai joué avec ma mère jusqu'à ce que je la batte pour la première fois. Je n'oublierai jamais le score : 7-5. J'avais une nouvelle raquette, une Dunlop Maxply, et elle me plaisait tellement que j'ai joué mieux que d'habitude. Après, ma mère n'a plus voulu jouer avec moi; elle a consacré plus de temps encore à nous faciliter la vie.

Je me débrouillais très bien à Revnice, de sorte que mon père décida de m'inscrire à des tournois dans d'autres villes du pays. Comme beaucoup d'autres familles nous n'avions pas de voiture, nous nous déplacions en autobus ou en train. Pour nous rendre aux tournois, mon père me montait sur le siège arrière de sa moto qui atteignait cent à l'heure. J'aimais la vitesse, je n'ai jamais eu peur. S'il pleuvait, tant pis pour nous.

Je fus inscrite pour un tournoi où je n'aurais jamais pensé gagner un seul match. Il faut savoir que dans notre système, aucun frais ne nous était remboursé tant que nous n'avions pas gagné un match. Mon père m'emmena

Nous avions prévu de rentrer le soir même. Or, je battis une adversaire de quelques années mon aînée et dus rejouer le lendemain. Nos finances nous interdisaient le restaurant. Comme nous n'avions rien à manger, mon père retourna à la maison chercher des saucisses et du pain pour tenir quelques jours. Une autre fois, ma mère arriva juste à temps avec un panier de provisions, alors que nous étions prêts à déclarer forfait tellement nous avions faim.

Peu à peu on fit attention à moi et je me liai d'amitié avec des personnalités du monde du tennis. Pendant le tournoi de Pilsen, au mois d'août, j'habitais chez Vera Hrdinova, ma partenaire de double. C'était la nièce de Vera Sukova, finaliste à Wimbledon en 1962, entraîneur national pour les femmes, et fille de la vedette tchécoslovaque du tennis que, vous vous en souvenez, ma grand-mère avait battue autrefois.

Quelques années plus tard, mon « passage à l'Ouest » devait causer des quantités de problèmes à Vera Sukova, qui était toujours entraîneuse nationale. Nos relations en ont souffert jusqu'à sa mort. Bien sûr, nous avons continué à nous saluer et à échanger quelques mots quand nous nous rencontrions, mais ça n'a plus jamais été la même chose. Le lien Sukova-Navratilova existe pourtant toujours. La fille de Vera, Helena, est devenue un des espoirs du tennis tchèque. Je me souviens d'elle, petite fille, ramassant les balles à Prague. Elle mesure maintenant 1 m 85, c'est une superbe jeune fille qui commence à sortir des timidités de l'adolescence. A mon dernier match de l'année 1984, elle m'a battue en demi-finale de l'Open d'Australie, par 1-6, 6-3, 7-5. C'est elle qui m'a barré la route du Grand Chelem (les quatre grands championnats mondiaux gagnés dans la même année) que je n'ai toujours pas réussi. Quand je l'ai félicitée après le match, je me demande si elle pensait comme moi à tout ce qui est arrivé à nos deux familles, et à notre pays, en trois générations.

Depuis que j'habite en Amérique j'ai souvent entendu parler de « l'année 1968, ligne de partage des eaux », de tous les changements et tragédies qui se sont produits cette année-là : l'assassinat de Martin Luther King et de Robert F. Kennedy, la controverse au sujet du Vietnam, le président Johnson refusant de se représenter aux élections, la convention démocratique sanglante à Chicago, l'élection de Nixon.

Nous aussi, nous avons eu une « ligne de partage des eaux » en Tchécoslovaquie, nous avons été envahis.

J'avais onze ans en 1968, pendant le bouleversement politique le plus important que nous ayons connu depuis la prise du pouvoir par les Russes en 1948. Les Tchécoslovaques voulaient diriger leur pays avec plus de liberté. En janvier le chef du parti, Antoni Novotny, fut déposé, et Alexander Dubcek, nommé à sa place.

Un mois plus tard le peuple entier regardait à la télévision notre équipe de hockey battre les Russes 5-4, aux Jeux Olympiques d'Hiver de Grenoble. Pour fêter cette victoire, les gens étaient descendus dans la rue malgré un temps épouvantable. Le symbole « 5-4 » fut écrit à la craie partout, sur les trottoirs et sur les murs.

Certains pensaient que ce triomphe était de bon augure pour l'année. D'autres étaient convaincus que sous Novotny notre équipe nationale n'aurait jamais été autorisée à battre les Russes, mais que sous Dubcek, elle pouvait jouer jusqu'aux limites de ses possibilités.

Même si, comme mes parents, on s'intéressait peu à la politique, il aurait fallu être sourd, muet et aveugle pour manquer ce qui se passait à Prague au printemps 1968.

Tout le monde essayait de retrouver l'entrain d'avant-guerre. A la radio, dans les journaux, revenait incessamment la même question : « Pourquoi ? » Le 27 juin, une déclaration de Ludvik Vaculik, signée par soixante-dix personnalités, intitulée « Les 2 000 mots », fut publiée dans quatre journaux; elle réclamait des changements positifs, dans la paix; il n'était aucunement question de révolution et elle ne mentionnait rien contre les Russes. Or la Pravda l'attaqua et Dubcek ainsi que les autres dirigeants furent contraints à la réfuter.

Une pétition soutint « Les 2 000 mots ». J'ignore si mes parents la signèrent. Beaucoup, en tout cas, eurent de graves ennuis pour l'avoir signée. Des avocats se retrouvèrent à ramasser du fumier à la pelle, des enseignants à creuser des fossés, des journalistes de la télévision à balayer les rues.

Même une écolière prenant le train pour Prague une ou deux fois par semaine pouvait sentir cette agitation, cette tension dans l'air. Des rassemblements avaient lieu dans les jardins publics; les participants promettaient qu'ils travailleraient plus dur pour aider à reconstruire le pays si seulement on les motivait, on les récompensait, au moins par un espoir de liberté.

Pour lutter contre cet état d'esprit, les Russes nous faisaient des cadeaux dérisoires : ils proclamaient qu'un jour serait désormais férié; alors nous devions assister à un rassemblement sur la place Wenceslas à Prague. Ils nous faisaient sortir des écoles, nous emmenaient à une parade où nous devions chanter les hymnes nationaux tchécoslovaque et russe. Notre drapeau bleu-blanc-rouge flottait partout à côté de leur drapeau écarlate. La place était pleine de bannières et de panneaux proclamant « Amitié pour toujours avec l'Union soviétique ». « Pour toujours » était souligné.

Quand ils nous emmenaient à l'un de ces rassemblements, nous essayions de fuir sous les arcades qui partent à angles droits de la place Wenceslas pour voir les titres des films et regarder si on vendait des vêtements de style occidental dans les magasins. Ceux qui ne réussissaient pas à s'enfuir se retrouvaient avec une bannière à la main, marchant dans la parade.

Parfois, le matin, toutes les bannières rouges qui

pavoisaient les immeubles étaient en berne. Modeste protestation contre la propagande inlassable des journaux, qui exhumaient le passé, soulignaient que les Russes étaient venus libérer la Tchécoslovaquie des nazis en 1945.

La propagande sévit encore. Hana Mandlikova a un jour apporté un journal tchécoslovaque à l'U.S. Open. Quelles âneries ! Je me suis sentie heureuse d'être loin. En fait, tennis ou pas, dès 1975 je ne pouvais plus supporter la propagande. Ce fut au fond la vraie raison de mon départ.

Selon de nombreuses rumeurs, en ce glorieux Printemps de Prague de 1968, si Dubcek et son gouvernement ne prenaient pas des mesures draconiennes, les Russes viendraient. Nous n'avons jamais voulu croire que cela arriverait. La vie continuait normalement.

En août, mes parents me laissèrent aller à Pilsen, où je logeais chez Vera Hrdinova, pour un tournoi junior. Nous étions, Vera et moi, deux vrais garçons manqués, portant des shorts, les cheveux courts, nous couchant tard, comme tous les enfants en vacances, riant et parlant à tue-tête. La nuit du mardi 20 août nous avions fini par nous endormir. Vers 6 heures du matin son père téléphone de son travail : « Ne sortez pas, il y a des chars partout », dit-il.

Il nous explique que les Russes sont entrés la veille au soir et que les tanks parcourent la ville.

Le gouvernement demandait à la population de ne pas agir inconsidérément. Tout le monde a gardé son sang-froid, malgré la tension générale. Une foule considérable s'était rassemblée près du Centre de la Radio à Prague, un des principaux centres de communication du pays. Dubcek conseillait de ne rien faire, d'abandonner.

J'ai appris plus tard, par un cousin qui était dans l'armée à ce moment-là, qu'il y avait, çà et là, des groupes de soldats prêts au combat. Si leurs mouvements avaient

94

été coordonnés, s'ils avaient attaqué, les Russes n'auraient pas pu avancer aussi facilement. Quoi qu'il en soit, le mot d'ordre était de ne pas résister. De l'avis de certains, les Américains auraient pu venir à notre aide par la frontière allemande; mais, cette année-là, l'Amérique était confrontée aux problèmes du Vietnam et n'était pas en mesure d'intervenir. D'ailleurs ce fut aussi bien : il y aurait eu un véritable bain de sang, les Tchécoslovaques étant pris entre deux feux, comme toujours.

J'étais tellement puérile que ma première réaction fut de me mettre en colère parce que le tournoi serait annulé. Nous étions enfermées par une matinée radieuse, jouant aux cartes, rouspétant contre les Russes qui nous gâchaient notre tournoi. La maison de Vera était à l'écart. Nous ne pouvions pas voir grand-chose.

Dès que son père rentra du travail, il nous accompagna au club de tennis; tout le long du chemin nous aperçûmes les chars et les soldats. Les gens criaient : « Dehors, les Russes, fichez le camp. » En réponse les soldats sortaient la tête des tourelles des chars et pointaient leurs mitrailleuses. Ils ne tiraient pas, mais donnaient l'impression que c'était imminent. Plus tard nous apprîmes qu'ils avaient tiré à Prague, à Brastilava et dans d'autres villes.

A Pilsen où je me trouvais, dès qu'un Russe fermait la tourelle d'un tank, quelqu'un dans la foule lançait une pierre. Elle rebondissait sur le tank, n'avait aucun effet, mais faisait un bruit réjouissant. Au bout de quelque temps nous fûmes nombreux à lancer des pierres et des cailloux contre les chars. Clac, clac, la belle affaire!

Par la suite nous avons trouvé mieux, nous retournions les plaques des noms de rues et les panneaux indicateurs de directions. S'ils étaient assez futés pour trouver Pilsen, les Russes étaient capables aussi d'aller à Prague sans panneaux indicateurs.

Parfois, aussi, des petits malins avaient posé des

panneaux qui indiquaient : « Moscou, 1 500 km. » Il fallait bien les aider, ces Russes, non ?

Beaucoup de Tchécoslovaques connaissaient un peu de russe, et ils pouvaient insulter les soldats dans leur propre langue.

Ils leur hurlaient : « Vous savez au moins où vous êtes ? »

Ce qui semble incroyable, c'est que souvent, ils ne savaient pas. Ils se croyaient encore en Allemagne de l'Est, en Pologne ou Dieu sait où. Ils ignoraient la raison de leur présence, si c'était pour leur entraînement ou si c'était sérieux.

L'un de mes amis questionna l'un d'eux un jour où ils avaient tiré :

– Pourquoi es-tu là ?

– Parce que le commandant l'a dit.

– Pourquoi tu tires sur eux ?

– Parce que le commandant l'a dit.

– Et si c'était ta mère, tu tirerais ?

– Oui.

Ils avaient subi de tels lavages de cerveau qu'ils étaient indifférents à ce qu'ils faisaient. Ils racontaient partout qu'ils représentaient les pays du Pacte de Varsovie. Pour quatre-vingt-dix-neuf pour cent, ils étaient Russes, les autres étant quelques Polonais, Allemands de l'est, Hongrois et Bulgares.

Mon père vint me chercher à moto à Pilsen. Sur la route, se succédaient des chars et des camions, les soldats russes réglementaient la circulation. La chaussée, en parfait état quelques jours auparavant, avait été défoncée par ces gros engins. Le trajet fut pénible, extrêmement dangereux.

Les Russes conduisaient comme des brutes, sans pitié pour nos routes. L'un d'eux, dans un camion qui nous précédait, signala qu'il allait tourner à gauche et tourna à droite. Dieu merci ! mon père, prudent, avait ralenti. Sinon, il nous renversait. Pour la plupart, les Russes ne savaient pas conduire.

S'ils nous questionnaient en russe, nous leur faisions comprendre que nous n'en parlions pas un mot. S'ils nous demandaient leur chemin pour une ville, nous leur indiquions le sens opposé. Que faire d'autre?

Quand nous sommes enfin arrivés, nous nous sommes demandés, angoissés, ce que les Russes feraient de nous. Nous redoutions le pire, une occupation semblable à l'occupation allemande pendant la dernière guerre, mais ils n'eurent pas de raison d'en arriver là, puisque Dubcek, devant la gravité de la situation, donna l'ordre de ne pas résister.

Nous étions furieux quand nous les voyions faire des achats. Ils avaient un argent fou. Ils achetaient goulûment, voracement, frénétiquement ce qu'ils ne trouvaient pas chez eux.

Quand un soldat entrait dans un magasin de chaussures, il disait : « Je voudrais vingt paires de chaussures. » Alors, nous apprenions tout ce que nous avions besoin de savoir sur leur situation en U.R.S.S. Ils ne se préoccupaient même pas des pointures. Ils mettaient les chaussures en vrac dans leurs chars et les ont emportées chez eux à la fin.

Autre exemple : selon le règlement militaire, ils devaient porter des gants marron. Or on n'en fabriquait pas en U.R.S.S. (le Plan n'en avait peut-être pas prévu?). Donc, chaque fois qu'ils sortaient, ils étaient en infraction, ce qui permettait à leurs officiers de les punir et d'atteindre sans peine leur quota de sanctions. En Tchécoslovaquie, les soldats russes ont acheté des quantités invraisemblables de gants marron.

Nous avons eu de la chance. Ils ne vinrent jamais à Revnice. Mais ils avaient envahi des villes comme Mlada Boleslav dont ils ne sont jamais repartis. Maintenant, si l'on se promène dans certaines villes, on entend parler russe.

Quand je retournai à Prague à la rentrée des classes, je les voyais dans les rues. Ils prenaient très peu le train, ils avaient leurs propres voitures. Lorsqu'ils étaient arrivés, ils étaient six cent mille soldats pour contrôler vingt-cinq mille « individus dangereux », ce qui faisait vingt-quatre soldats armés de mitrailleuses et de grenades pour chaque « agitateur » non armé.

Pendant des semaines, on a pu voir flotter toutes sortes de bannières :

« Ivan, va-t'en. Natacha a des problèmes sexuels. »

« Socialisme, oui. Occupation, non. »

« Le Cirque National Russe est arrivé, avec tous ses singes savants. »

« Qu'est-ce que tu dis de nos morts à ta mère ? »

« Ici ce n'est pas le Vietnam. »

« Dehors, chiens. »

Sur les chars les gens inscrivaient des graffitis « Ivan, fiche le camp », ou dessinaient des croix gammées.

En réalité nous savions bien que tous ces slogans, même s'ils humiliaient les Russes, ne les feraient pas s'en aller. Ils étaient dérisoires contre leur force armée. Nous les avions sur le dos. Désormais la vie dans ma patrie ne serait plus jamais la même.

12

LA RÉPONSE

J'ai eu douze ans en octobre 1968, deux mois après l'arrivée des Russes. Nous avions trop espéré le « socialisme à visage humain ». Nous avions désormais une botte devant nous, pour toujours, comme dans la description du futur de George Orwell. L'invasion a définitivement bouleversé mes idées sur mon pays, mon avenir, sur moi-même.

Plus de cent vingt mille Tchécoslovaques, dont beaucoup comptaient parmi les « meilleurs et les plus brillants » du pays, écrivains, artistes, hommes d'affaires, enseignants, athlètes, se sont enfuis au cours de la première année suivant l'invasion. Ce n'étaient pas, pour la plupart, des gens qui faisaient de la politique mais seulement des hommes lucides, convaincus que leurs dons et leurs aspirations seraient réduits à néant dans leur patrie.

Parmi eux, mon cousin Martin avait prévu de partir en automne au Canada pour continuer ses études; il savait que dans la nouvelle conjoncture il ne pourrait jamais se spécialiser comme il le voulait. Il laissa son argent à ses parents, réussit à traverser la frontière et alla au Canada grâce à l'aide de sympathisants autrichiens. Il

99

a maintenant une bonne situation dans une grande entreprise de produits chimiques, et une famille que j'adore rencontrer quand je vais au Canada. Ses parents ont pu sortir pour aller le voir, mais lui-même n'est jamais revenu en Tchécoslovaquie.

Des gens comme Martin ont apporté leur contribution au Canada, à l'Australie, à l'Angleterre, à toute l'Europe, à Israël, aux États-Unis. J'éprouve de la tristesse quand je pense à ce qu'ils auraient pu faire pour leur patrie s'ils y étaient restés. Mais dans un tel système, qu'auraient-ils pu réaliser?

L'invasion me fit perdre aussi un entraîneur, George Parma. Il était allé travailler tout l'été dans un hôtel en Autriche. Dans les pays communistes, le système normal consiste à ne pas autoriser tous les membres d'une même famille à partir ensemble; si le mari part, sa femme reste en otage, et vice-versa. Sous le régime de Dubcek, ces lois avaient été adoucies : les gens étaient heureux dans leur pays, ils avaient l'espoir, ils entrevoyaient la possibilité d'être libres de travailler, de parler et de vivre à leur guise.

Sans difficulté donc, la femme et la fille de George avaient pu aller en vacances en Autriche. C'est alors que les Russes nous envahirent; les Parma décidèrent aussitôt de ne pas revenir, abandonnant leurs amis et leur famille.

J'ai parfaitement compris leur décision. Nous avons envoyé à George une coupe que j'avais gagnée à un tournoi junior; il adressa à mon père une réponse dans laquelle il lui donnait des leçons à mon intention pour le reste de l'année. C'est ainsi que mon père redevint mon entraîneur; pendant longtemps, il réussit à obtenir de moi des progrès en me disant : « C'est George qui le veut. » Il me suffisait d'imaginer ces yeux bleus, deux morceaux de ciel, derrière le filet pour travailler encore plus dur.

George resta un an en Autriche, puis alla à New

York et ensuite en Californie. Depuis lors, ni lui ni sa femme ne sont jamais retournés en Tchécoslovaquie.

Ceux qui étaient restés essayaient de glaner quelques pauvres plaisirs, quand ils le pouvaient. Les Jeux Olympiques de Mexico furent le premier grand événement qui suivit l'invasion d'août. Nous soutenions nos participants ou, quand ils ne gagnaient pas, les Américains. Je regardais Jimmy Hines à la télévision, en espérant qu'il obtiendrait toutes les médailles d'or. Les communistes nous répétaient sans cesse qu'aux États-Unis, les Noirs n'étaient pas les égaux des Blancs. Ils avaient raison : Jimmy Hines n'était pas égal. Il était supérieur.

Dès la fin des Jeux Olympiques, nous avons plongé dans l'hiver, un hiver sombre et glacé qui ne devait pas prendre fin. Pourquoi se baisser pour ramasser un caillou, arracher une mauvaise herbe sur une terre qu'on ne possède pas ? Des amis qui sont allés récemment là-bas m'ont raconté que seuls les jardinets privés sont bien entretenus.

Voulait-on faire une plaisanterie politique après l'invasion ? Il fallait, d'abord, bien regarder autour de soi. Si, pendant une soirée, quelqu'un se mettait à imiter Brejnev, il devait s'assurer que personne ne prenait de photos.

Néanmoins, nous nous moquions de nos dirigeants tels Gustav Husak, le premier secrétaire du parti communiste tchécoslovaque.

– Tu sais que Husak a la plus grande voiture du monde ?

– Non, pourquoi ?

– Le siège est à Prague, mais le volant à Moscou.

L'humour allégeait un peu, provisoirement, le désespoir. Comme c'était triste pour une adolescente de voir, en passant près du Musée National en haut de la place Wenceslas, les trous laissés dans le ciment par les tirs de mortiers des Russes pendant les manifestations pacifiques de 1968.

Ma rancœur contre eux m'aida, je crois, à progresser en tennis. Un ou deux ans plus tard, en effet, j'ai joué en double contre deux Russes au Club Letna à Prague; lorsque nous eûmes gagné, l'une d'elles, une blonde, parfaitement infatuée d'elle-même, se contenta de me tapoter légèrement le bout des doigts. Elle ne me donna pas la franche poignée de main d'usage; je n'en avais d'ailleurs nulle envie.

« Il te faudrait un char pour me battre », lui dis-je.

Après l'invasion, on n'exerçait plus de pression sur les gens pour qu'ils entrent au Parti communiste. Mes parents n'y ont jamais adhéré quoique les officiels aient tenté de les convaincre en utilisant perfidement l'argument de ma carrière. Comme je prenais des leçons à Prague, ils avaient suggéré, avec peu de subtilité, que je devais quelque chose au gouvernement. Si je ne m'inscrivais pas au Parti, si je ne devenais pas membre des Jeunesses communistes, ce pourrait être, pour moi, un frein. Ils ont menacé aussi de me fermer les portes de l'Université.

L'un des principaux membres du gouvernement était passionné de tennis, il m'incitait sans cesse à adhérer et à assister à des réunions. Je finis par participer à un congrès, vers seize ans. Il y avait là une gymnaste russe, médaillée olympique; elle avait l'air tellement mal à l'aise qu'elle me faisait pitié. Je me demandais ce que ce congrès signifiait pour elle. Il était évident qu'elle n'y assistait pas pour travailler librement dans sa spécialité. Elle était là pour promouvoir la ligne du Parti. Il avait été prévu que nous passerions trois jours à ce congrès. J'y restai une heure. Je n'étais pas faite pour ce genre de manifestations et je n'ai jamais pu m'y habituer.

Pouvaient-ils m'empêcher de jouer au tennis ou de faire des études? J'en suis persuadée. Ils ont fait le même genre de chantage à d'autres, et la façon dont ils ont considéré ma carrière par la suite m'a montré que pour

102

eux la politique était plus importante que les résultats sportifs, plus importante que tout.

Après 1968, nous avons tous constaté que les principes avaient changé. Nous avions toujours travaillé dur, nous avions tout fait pour survivre sous les dominations étrangères, en respectant la loi ou en surmontant patiemment les difficultés comme le Brave Soldat Svejk ; mais, après 1968, il a fallu véritablement nous démener pour survivre. Nous changions de l'argent au marché noir, à vingt-cinq ou trente couronnes pour un dollar américain plutôt qu'au change « officiel » qui nous donnait trois fois moins. Les gens commencèrent à ménager leurs forces pour faire, en dehors de leurs heures de travail des travaux supplémentaires qui leur rapportaient un petit pécule.

En 1969, la moitié des soldats russes était repartie. Les autres étaient invisibles, mais nous sentions leur présence. Ils terrifiaient tellement le gouvernement tchécoslovaque que les dirigeants nous serraient la vis.

Nous avons appris à dominer nos sentiments. Nous sommes devenus un peuple déprimé, un peuple qui ne croyait plus à son avenir. Rien n'est changé, si j'en crois les nouvelles que je reçois. L'austérité gagne même les brillantes fêtes d'autrefois. Et dans les soirées de ballets ou d'opéra au magnifique théâtre Swetana, si les spectateurs, vêtus de leurs plus beaux costumes, sont toujours les mêmes, c'est maintenant un baryton ukrainien qu'ils écoutent, c'est d'un danseur géorgien qu'ils admirent les envolées. Et l'enthousiasme est mort.

Je n'en veux pas au peuple russe mais aux dirigeants politiques, aux « aparatchik ». Où que je sois, je les repère immédiatement et mes cheveux se dressent sur ma tête : même en complet-veston, ils ont l'air en uniforme. Une raideur qui ne trompe pas.

A treize ans, j'ai vu mon pays perdre sa verve, sa productivité, pire : son âme.

Pour échapper à cette nasse, à cet étau, une seule solution : partir.

13

PREMIER VOYAGE
A L'ÉTRANGER

C'est en 1969 que je quittai pour la première fois la Tchécoslovaquie. Pas pour l'Amérique, l'Australie ou le Japon, ces trois pays de mes rêves, mais pour l'Allemagne de l'Ouest. C'était presque aussi extraordinaire.

Mon club de Prague, Slavie V.S., avait conclu des accords avec différents clubs allemands : Krefeld, Duisburg et Dusseldorf. Nous devions jouer une série de matches contre leurs meilleurs joueurs.

Ce n'était pas mon premier grand voyage; en Tchécoslovaquie, j'avais de bons résultats contre des joueuses plus âgées que moi, et j'étais invitée un peu partout. A dix ans, j'avais pris mon premier avion, un vieux Tupolev 14 à deux hélices, dont on se demandait à chaque instant s'il n'allait pas tomber! J'étais ravie de prendre l'avion. J'allais enfin voir les nuages de près. Hélas, il n'y avait pas un nuage ce jour-là.

Nous devions aller en Allemagne en train, pas en avion. C'était tout de même très excitant. Mon père et moi, nous n'avons pas hésité.

En 1969, il était difficile de passer la frontière : beaucoup de Tchécoslovaques s'étaient enfuis depuis 1968. L'obtention d'un visa était coûteuse et longue. Les

autorités voulaient avoir la certitude qu'on ne cherche-
rait pas à s'enfuir; nous laissions ma mère et ma sœur
derrière nous : c'était une façon de s'assurer que nous
reviendrions.

Quelle affaire quand mes camarades de classe surent
que j'allais en Allemagne de l'Ouest! La plupart n'avaient
jamais mis les pieds à l'étranger. Quelques chanceux
avaient voyagé en Bulgarie, en Yougoslavie, en Pologne,
bref dans les pays communistes. Ce qui nous faisait tous
rêver, c'était l'Europe de l'Ouest, et la mer. Quiconque
avait vu l'Océan Atlantique ou la Méditerranée était un
grand personnage!

L'Allemagne de l'Ouest était assez proche. A
Revnice, des trains passaient qui y allaient, via Pilsen,
puis Nuremberg. Du quai de notre gare, on pouvait voir,
assis dans les wagons, les élégants businessmen qui
rentraient chez eux.

Nous avons obtenu nos visas par la Fédération de
Tennis tchécoslovaque. Nous prenons enfin l'express
Prague-Francfort. Sur le quai de la gare de Revnice, au
passage de notre train, ma mère agite son mouchoir. Je
contemple le paysage verdoyant, riant. Soudain tout
change : des baraques, des barbelés! Des voitures de
police partout. Je comprends que nous sommes à la
frontière. Nous nous arrêtons dans une gare pleine de
soldats. Le calme semble alourdi d'une menace. Nous
sommes tous tendus. Même les Occidentaux cessent de
plaisanter et se mettent à tapoter nerveusement leur
précieux passeport. Nous nous dévisageons, suspicieux,
anxieux. Est-ce un arrêt normal?

Dehors, des soldats vont et viennent, la mitrailleuse
sur le côté, prêts à tirer sur un fuyard. Puis, les douaniers
entrent, inspectent absolument tout, même la housse de
ma raquette pour s'assurer que nous ne passons rien ni
personne en contrebande. Ils nous questionnent : où
allez-vous? Pour combien de temps? Pour quelle raison?
Combien d'argent avez-vous? Heureusement, tous nos

papiers sont en règle; pas de problème. Mais quelle peur dans le wagon! Quelques passagers, j'en suis sûre, avaient peur parce qu'ils avaient quelque chose à cacher. Dehors, on voyait de temps à autre un malheureux obligé de sortir du train, escorté par des hommes armés : ses papiers n'étaient pas en règle.

Nous repartîmes, en traversant les barbelés et en passant le long des baraques, pour arriver en Allemagne de l'Ouest. A nouveau, changement saisissant : des maisons pimpantes, des belles voitures et des supermarchés, des gens élégants; la campagne était belle et luxuriante. Jusqu'à Francfort, le même enchantement.

Pendant le tournoi, je logeais chez des particuliers. Je regardais tout ce qu'ils possédaient. Ils n'étaient pas riches mais ils avaient la télévision, des appareils électriques, une voiture. Ils affichaient, surtout, une éclatante santé! Leur teint rose faisait paraître plus blanc celui des gens de mon pays. J'ai compris qu'ils étaient mieux nourris.

Autre chose, aussi, m'avait frappée dès le début : ici, tout le monde se lavait les cheveux très souvent. Les Allemands avaient même l'air de se les laver tous les jours : ils étaient toujours propres, et si brillants. En Tchécoslovaquie ce n'était pas comme ça : on nous apprenait que les shampooings trop fréquents abîment les cheveux et les font tomber. Un shampooing par semaine, c'était bien suffisant.

J'allais d'étonnement en étonnement. Je découvrais un autre monde, les principes de mon éducation vacillaient devant moi. Un jour, j'eus un véritable choc : j'étais assise dans les tribunes, regardant un match. Tout près de moi une femme, vêtue d'une robe sans manches, tenait son voisin par le cou; je pouvais voir ses aisselles, et la première chose que je remarquai, c'est qu'elle n'avait pas le moindre poil sous les bras! C'était très important pour moi : j'ai eu une puberté tardive, à treize ans je n'avais pas une ombre de poitrine, mon système pileux était inexistant, et j'avais très peur d'être anormale. En Tchécoslovaquie, les femmes avaient toutes du poil sous les bras, et je me sentais si honteuse de n'être pas comme elles que quand j'allais me baigner à la rivière, je m'arrangeais pour ne pas lever les bras. Quand j'ai vu les aisselles lisses de cette Allemande, je me suis sentie rassurée sur mon cas. Et puis tout d'un coup j'ai compris qu'elle avait fait comme les mannequins dans les quelques magazines de l'Ouest qu'on trouvait à Prague : elle s'était rasé les bras et les jambes!

J'étais trop jeune encore, mais dès que mes poils ont poussé, je les ai rasés. Ma mère en piqua une crise, et me déclara que cela ne servirait qu'à les faire repousser plus dru. Mais j'ai continué : c'est tellement plus joli.

J'étais la plus jeune joueuse tchécoslovaque du tournoi, et je battais les allemandes à plate couture. Les journaux allemands publiaient des photos de moi, en s'étonnant que je ne sois pas plus connue. J'ai rapporté à la maison de belles coupures de presse, fière de les montrer à ma famille et à mes amis. Mais une fois rentrée, finie la gloire internationale. On ne parlait pas de moi dans les journaux tchécoslovaques. Ce n'était pas une politique de silence. Simplement, j'avais franchi un palier en Allemagne, mais je n'avais pas encore atteint le plein épanouissement de mes dons.

D'Allemagne, je rapportai aussi une superbe collection de crayons-feutre. Une des plus belles du monde, à coup sûr! Ils étaient très rares en Tchécoslovaquie. J'en avais trouvé un plein rayon dans une papeterie de Francfort. J'y ai dépensé presque tout l'argent de poche que mon père m'avait donné. A mon retour, quel succès j'ai eu auprès de ma sœur et de mes amis!

Au cours de ce premier voyage « au-dehors » j'eus aussi un autre choc. Pour la première fois de ma vie, je vis des Noirs américains. On ne rencontre en Tchécoslovaquie que de rares Africains. Nous étions à proximité de la base américaine. Aussi importante qu'ait été la propagande sur la présence américaine en République Fédérale d'Allemagne, nous n'y croyions pas vraiment avant de l'avoir vue. Sur l'autoroute, on se serait cru dans l'Ohio ou le New Jersey. D'immenses voitures américaines, deux fois plus grandes que les boîtes minuscules que nous avions dans mon pays s'alignaient; bien entendu il y avait aussi des Mercedes, des B.M.W., des Porsche fonçant à 150 à l'heure.

Nous avions l'impression que la plupart des soldats américains étaient des Noirs ou des Hispano-Américains. Nous avions toujours entendu dire que les Américains obligeaient les Noirs à vivre dans des ghettos, qu'ils ne pouvaient pas avoir de position sociale élevée; or les Noirs roulaient dans des voitures semblables à celles des Blancs, ils portaient les mêmes galons sur leurs uniformes et n'avaient pas du tout l'air de citoyens de seconde zone. Depuis que je suis devenue américaine je connais la discrimination; elle n'a rien de comparable avec ce qu'on nous enseignait.

Ces soldats américains étaient sportifs; ils jouaient au basket dans une arrière-cour; quels athlètes! Je ne serais pas surprise que la prochaine première joueuse de tennis soit une Noire.

A la suite de ce premier voyage à l'étranger, je m'interrogeai sur le racisme. Tous les Juifs avaient disparu de Tchécoslovaquie dans les années soixante; les nazis avaient tué la plupart d'entre eux pendant la guerre et les autres avaient fui aux États-Unis ou en Israël. Pendant mon adolescence, j'ignorais même leur existence. Le gouvernement a maintenant transformé l'ancien quartier juif de Prague en musée national; les six anciennes synagogues et les cimetières qui les entourent peuvent donner une idée de ce qu'était la vie des Juifs à Prague avant la guerre. Je n'y suis jamais allée, puisque je suis partie avant cette transformation, mais je sais qu'il se situe juste à la sortie du pont Charles. Le gouvernement en a fait un musée en partie pour faire concurrence aux Russes et à l'ouverture des camps de concentration à la fin de la guerre.

Quand j'ai commencé à voyager dans les pays de l'Ouest, j'étais incapable de reconnaître un juif. Au bout de dix ans aux États-Unis, je me sens un peu Juive moi-même, surtout depuis que la mère de Nancy, Renée Lieberman, qui est juive, m'a appris à dire « kvetch » et « Oy vay ». Et j'aime la cuisine juive comme si c'était ma cuisine nationale.

Mais je trouve triste que les mensonges de la propagande soient si difficiles à oublier : quand mes parents sont venus me voir aux États-Unis, ils ont rencontré des Noirs au club de tennis.

– Que font-ils ici ?

– Que voulez-vous dire ? Ils sont membres du club.

Mes parents ont eu du mal à me croire. L'idée que la ségrégation raciale sévit partout aux États-Unis s'était imprimée dans leur conscience.

Pour moi, ce premier voyage à l'étranger fut une confirmation de ce que je pensais déjà : la liberté qui règne à l'Ouest donne à la vie une saveur que le communisme ne peut lui apporter.

14

JUNIOR

Ce voyage à Francfort fit comprendre aux officiels que j'étais capable de participer aux tournois junior internationaux. La frêle adolescente de treize ans avait rapporté des médailles et fait une bonne publicité pour son pays. On se mit à m'accorder plus de temps sur les courts principaux du Club Sparta à Prague.

Sparta est l'un des plus célèbres clubs sportifs de Tchécoslovaquie, depuis sa création en 1893. De nos jours, Sparta est équipé pour la pratique de nombreux sports. C'est un peu comme si le New York Yankees, le West Side Tennis Club, le New York Athletic Club et le Madison Square Garden étaient tous regroupés en un seul organisme national.

L'équipe de football de Sparta fait partie des meilleures du pays. Au stade, la jeunesse afflue; elle s'y émeut, y vibre, y palpite comme un seul cœur. Enthousiasme rare en Tchécoslovaquie! Pour avoir une place debout, à trente couronnes – approximativement trois dollars au cours officiel – il faut arriver deux heures avant le match, et attendre, serrés les uns contre les autres, en buvant de la bière et en mangeant d'énormes saucisses épicées. Quand Sparta gagne, on peut assister à l'éclosion d'une émotion, d'une joie qui, depuis plus de dix ans, est toujours contenue. Elle n'en jaillit que plus vivement.

En Tchécoslovaquie le tennis est très populaire depuis la jeunesse de ma grand-mère maternelle. Nous avons eu un champion à Wimbledon, Jaroslav Drobny, en 1954. Puis, après son départ (il vit à Londres) notre niveau a baissé. Quand un calme relatif revint dans le pays après le printemps 1968, les Russes comprirent l'utilité d'un bon programme sportif national.

Je dus modifier mon emploi du temps scolaire pour pouvoir jouer à Sparta. Revnice n'ayant pas de lycée, je m'inscrivis la première année à Radotin, à mi-chemin entre Revnice et Prague. Je prenais le train de 7 h 15 le matin, arrivais au lycée à 7 h 45, et dès la fin de mes cours, je courais prendre le train de 1 heures pour Prague.

Dès mon arrivée à Smichov, j'attrapais le tramway pour Mala Strana, prenais là une correspondance, après quoi je parcourais trois kilomètres à pied, en montant la colline, jusqu'à Stromovka, grand parc qu'entourait les méandres de la Moldau. Stromovka signifie « multitude d'arbres »; c'était merveilleux pour le tennis lorsqu'il faisait beau. Je m'entraînais de 15 à 17 heures, fonçais pour attraper le train de 18 h 15, le rapide pour Revnice. Si je le manquais, je devais attendre l'omnibus de 18 h 40. Comme auparavant, j'étais toujours chargée de mon matériel et de mes livres. Il n'y avait pas de vestiaire au lycée ni sur le court, et j'avais tous les soirs des devoirs à faire.

J'avalais un rapide dîner, puis j'étudiais. Le matin j'étais incapable de travailler; c'était et c'est toujours sans espoir. Il paraît que l'on se souvient de ce que l'on apprend le soir. Que ce soit vrai ou non, c'est ce que je me disais quand je me tenais la tête à deux mains devant mes livres jusqu'à 22 h 30. Je n'ai jamais tenu jusqu'à minuit.

A dire vrai, je préférais Sparta au lycée. Il y avait une véritable équipe à laquelle je participais pleinement. Généralement le tennis est un jeu de solitaire, le joueur étant seul face à son adversaire au milieu de la foule. J'ai toujours été une passionnée du sport d'équipe, passant le palet à un autre pendant un jeu de hockey sur un étang, envoyant le ballon à un camarade pendant un jeu de football dans la cour de l'école. J'aimais la camaraderie qui régnait au club, les encouragements mutuels que nous nous prodiguions, les conversations pendant le retour à la maison. Je regrette de ne pas y avoir plus de temps pour les sports en équipe : j'étais engagée dans le programme de tennis et je savais qu'il fallait que je concentre tous mes efforts pour obtenir un résultat.

Nous formions à Sparta une famille d'enfants effrontés, travaillant dur, sachant que nous deviendrions tous célèbres un jour. Ma meilleure amie était Renata Tovanova. Après l'entraînement, nous restions près du club pour jouer aux échecs ou aux cartes, pour bavarder et rire. Nous avions un humour spécial, bien à nous. Je ne l'ai retrouvé nulle part.

Ces dernières années, des fans du tennis et des journalistes se sont moqués de moi parce que certains de mes amis et conseillers se regroupaient pour m'acclamer pendant mes matches. On parlait du « Team Navratilova ». C'était calomnier l'esprit d'équipe. Quand j'avais treize ou quatorze ans, mes camarades formaient une équipe, et j'en faisais partie. Je n'étais pas là uniquement pour moi-même : d'autres dépendaient de moi et je dépendais d'eux. J'aimais me sentir solidaire.

Un athlète peut-il avoir une plus grande émotion que lorsque, du court, il voit le drapeau de son pays ou la bannière de son club flotter au vent? J'ai eu le rare privilège de jouer pour deux nations dans la Coupe de la Fédération : lorsque j'étais tchécoslovaque et lorsque j'ai été naturalisée américaine. J'ai été fière de représenter mes deux pays. Quelle joie d'être camarade de Chris, de

Pam et des autres pendant les quelques jours de la Coupe Wightman, ou d'Andrea Lang à la Coupe de la Fédération.

J'ai adoré aussi jouer dans le World Team Tennis, où j'ai côtoyé des gens comme Mike Estep et les Australiens. Je savais que mon match influerait sur les résultats de l'équipe et cette responsabilité augmentait mon ardeur. Si je continue à jouer en double, c'est que j'aime faire équipe avec ma partenaire, la comédienne aux sourcils arqués, Pam Shriver de Lutherville, Maryland. Nous portons alors les mêmes chemises rouges, les mêmes jupes blanches et nous passons notre temps à bavarder sur le court. Quand elle joue vraiment bien, je partage même mon déjeuner avec elle pendant le changement de côté.

J'attache la même importance aux doubles qu'aux simples. En double, je ne suis plus seule. Nous sommes deux soudées l'une à l'autre. Nous nous aidons mutuellement, et nous formons une vraie équipe. C'est tout droit de Sparta que me vient ce sens du travail en équipe.

Il y avait vraiment de bons joueurs à Sparta. Je me souviens d'un garçon d'un an plus vieux que moi, Ivan Iakovski. Il a gagné à onze ans les internationaux des douze ans, à douze ans ceux des treize ans, et ainsi de suite... On n'avait jamais vu ça chez les juniors. Il avait un talent fou, des coups superbes. Il a même battu Bjorg quand ils avaient quatorze ans l'un et l'autre. Mais du coup, sa tête a enflé, et à l'âge adulte, le mieux qu'il ait fait a été d'arriver quatrième au classement national.

Du côté féminin, Renata Tomanova me surpassait. Elle avait deux ans de plus que moi et dès qu'un journal publiait un article un peu flatteur, il la citait en premier. J'étais parfois irritée que mon talent ne soit pas reconnu à sa juste valeur! Mais je savais que mon style de jeu était mieux adapté que le sien à la compétition internationale, que j'étais meilleure athlète que la plupart des joueuses

113

tchécoslovaques. Il me fallait simplement plus de temps pour évoluer et m'épanouir.

Je continuais à jouer au filet. Certaines joueuses arrivaient encore à faire passer leur balle hors de ma portée, mais je savais que ce serait un jour impossible. J'aurais la patience d'attendre ce jour-là. J'étais toujours maigre, je sentais cependant qu'en grandissant je pourrais frapper des coups plus puissants et que je surpasserais toutes les autres. D'autres fois j'étais désespérée à l'idée que je ne grandirais jamais; mais quand mon père racontait partout que je remporterais Wimbledon, aussitôt je reprenais confiance et poursuivais mes efforts.

A Sparta nous disputions souvent des matches contre d'autres clubs. Nous en jouions jusqu'à dix-sept en deux jours, des simples et des doubles. Dans les doubles mixtes je faisais parfois équipe avec Jan Kodes, le meilleur joueur tchécoslovaque depuis Drobny, en outre diplômé en sciences économiques de l'Université de Prague.

Le service de Kodes était très particulier. Il se déroulait en plusieurs phases : on aurait dit un moteur qui démarre avec des ratées. Jimmy Connors s'amusait à l'imiter quand ils jouaient ensemble. Parfois, pendant un match, je me retournais pour regarder ce partenaire de niveau international envoyer son service peu orthodoxe, puis, tout d'un coup, je me rappelais que j'étais là pour jouer, moi aussi.

Très souvent, les rencontres commençaient par les doubles mixtes. D'après Jan, j'étais déjà une « pro » la première fois qu'il m'a vue. Il ne faut pas le croire, j'étais une novice, morte de peur à l'idée de laisser le grand Kodes en panne. Il me faisait confiance et me laissait frapper ma part de coups au filet. A la fin nous quittions le court ensemble et recevions les compliments de nos camarades et des officiels. Je n'oublierai jamais avec quel respect me traitait Jan Kodes, moi qui étais encore une enfant, ni comme il me défendit, plus tard, lorsque j'eus

114

des problèmes avec la Fédération tchécoslovaque de tennis.

Je retournai en République Fédérale d'Allemagne en 1970. L'année suivante, je jouai un tournoi senior en Bulgarie, un tournoi junior en Allemagne et un en Hongrie, tous pour le circuit d'Europe de l'Est. Puis, à quinze ans, je fis mon premier voyage en Union soviétique où je battis une Roumaine ressemblant à une gitane, Virginia Ruzici, sur un court en terre battue sableuse (où il y avait en fait plus de sable que de terre battue) à Sotchi, sur la mer Noire.

La partie la plus intéressante de ce voyage a été ma nuit passée à Moscou entre deux avions. Nous sommes allés en groupe sur la Place Rouge voir le fameux Kremlin et nous avons fait un tour au Goum, le gigantesque grand magasin situé en face. Quelle surprise de voir si peu de marchandises dans les rayons. C'était bien pire qu'en Tchécoslovaquie! Devant le magasin, des femmes vendaient des écharpes et des chaussettes dans des stands minuscules, autour desquels voletaient des pigeons.

Les différents pays de l'Est étaient curieux à voir. Nous allâmes une fois, Renata Tomanova, une autre joueuse et moi, disputer un tournoi en Pologne. Les principales autoroutes étaient larges, bien entretenues, mais fort peu fréquentées.

Je suis aussi allée en Bulgarie, en Hongrie et en Allemagne de l'Est pour le tennis, et en Yougoslavie, un été, en colonie de vacances. Le seul pays de l'Est que je ne connais pas est la Roumanie. Un lien permet la communication entre tous ces pays : la langue russe. Je ne me sentais pas solidaire des Allemands de l'Est; en revanche, j'ai une sympathie particulière pour les Hongrois, envahis en 1956.

Malgré la solidarité unissant tous les pays satellites, je mettais les Tchèques à part. Notre histoire est tellement riche que nous sommes différents des autres peuples, même des Slovaques.

Quand arriva 1972, deux ans avant mon seizième anniversaire, j'avais déjà été beaucoup plus applaudie à l'étranger que dans mon propre pays. C'était frustrant. Nous manquions chez nous d'ambiance, d'éloges, de prix. Nous faisions notre travail, et en guise de félicitations, nous avions droit à une petite tape dans le dos et une froide congratulation. Nous nous sentions réduits au rang d'objets par le rigide programme national.

Je partis battue d'avance aux championnats nationaux de Tchécoslovaquie de 1972. Ils se déroulaient à Ostrava, près de la frontière polonaise. Pour que nos frais nous soient remboursés, il nous fallait passer le premier tour. C'était une véritable gageure pour une joueuse non confirmée comme moi. Pourtant, d'après le programme, nous allions, Renata Tomanova et moi, faire un tabac. Et finalement, c'est ce qui arriva. Nous sommes arrivées toutes les deux en demi-finale. Je l'ai battue, et j'ai joué la finale contre Vlasta Vopickova, la sœur déjà mariée de Jan Kodes, classée première série depuis des années.

J'avais un énorme rhume depuis le début de la semaine. J'aurais dû arrêter. Pour le match contre Vlasta, j'étais malade comme un chien : mon rhume était devenu une mauvaise grippe. Toute la journée j'ai bu du thé bouillant, et j'ai continué pendant le match. Pour comble de malheur, je me suis écorché le genou en me baissant pour un revers. Malgré tout, j'ai tenu le choc.

Je faisais des efforts surhumains, avec l'énergie du désespoir. Jamais je n'ai disputé un match aussi difficile, me disais-je. Mais je rattrapais des balles que j'aurais juré hors d'atteinte. Mes services passaient, je retournais toutes les balles en force, j'attaquais, j'exploitais tout mon registre. J'avais complètement oublié ma grippe et mon genou. Je pensais : j'ai une chance de m'en sortir. Et j'ai gagné 7-5, 6-4.

Après ma victoire, je repris le train et, à peine arrivée à la maison, enfin, au lit! Ma mère me fit du bouillon, comme toutes les mères du monde quand leurs enfants sont malades. Le lendemain matin, mon père va acheter les journaux. Cette fois, on parlait de moi, même dans les journaux d'information, et j'avais droit à la première page dans les journaux sportifs. On m'appelait « la junior qui promet » et on s'extasiait sur mes étonnantes capacités.

Cette victoire sur Vlasta est sans doute la plus grande de ma carrière, car, du coup, je fus classée au deuxième rang national, ex aequo avec Marie Pinterova et juste après Renata Tomanova ; autrement dit, je pouvais, dès lors, participer au circuit international.

A seize ans, pendant l'hiver 1973, j'allai pour la première fois en Angleterre pour jouer un tournoi en salle à Torquay, près d'Eastbourne, sur une surface en bois dans un hôtel. Pendant tout ce tournoi, j'ai joué mon service et mes volées à ma façon et j'ai gagné ; ma victoire fit beaucoup de bruit dans ce pays où l'on me prédit que je serais un jour championne à Wimbledon, comme me le disait mon père depuis des années. A cette époque mes connaissances d'anglais étaient presque inexistantes, mais je comprenais bien les compliments.

C'est à ce tournoi que j'ai rencontré des Américains pour la première fois, deux garçons bien de chez eux, Peter Fleming et Vitas Gerulaitis. Je les regardais, élégants, confiants, presque arrogants, et cependant courtois ; je me demandais : « Est-ce que les Américains sont tous comme eux ? »

15

LES ÉTATS-UNIS

« Je pars en Amérique. »

Ma voisine fit semblant de ne pas entendre. Le professeur ne voulait pas que nous parlions en classe.

« Je te dis que je pars en Amérique. »

Elle eut un sourire de condescendance, pour me faire taire ou parce qu'elle ne me croyait pas. J'avais moi-même du mal à le croire. J'allais voir Katherine Hepburn et Spencer Tracy descendre la Cinquième Avenue. J'allais admirer Ginger Rogers et Fred Astaire dansant sur l'Avenue Collins.

Je devais jouer au tennis contre Chris Evert et Evonne Goolagong. C'était ça, surtout, qui était merveilleux! Après avoir gagné le championnat de Tchécoslovaquie en 1972 et le tournoi en salle en Angleterre, la Fédération tchécoslovaque avait en effet décidé que Maria Neumannova et moi participerions au circuit d'hiver des États-Unis, au début de l'année 1973.

Maria, de dix ans mon aînée, serait mon chaperon. C'était la seule joueuse tchécoslovaque du circuit « Virginia Slims » qui avait le droit de gérer ses dépenses elle-même. Elle voyageait même sans chaperon.

J'étais ravie non seulement d'aller aux États-Unis,

mais d'y aller avec quelqu'un qui n'était pas « politique », qui participait normalement au circuit. C'était vraiment un triomphe.

J'allais disputer huit tournois d'affilée dans le circuit de la United States Tennis Association, le premier à Fort Lauderdale, le deuxième à Dallas, le troisième à Hingham dans le Massachusetts, puis à Akron dans l'Ohio, à New York et les trois derniers à nouveau en Floride. A cette époque, il existait deux circuits : le circuit Virginia Slims avec Billie Jean King et Rosey Casals, et le circuit de la U.S.T.A. avec Virginia Wade, Evonne Goolagong et Chris Evert.

Nous avons décollé au cœur du rude hiver de Prague. Nous nous enfoncions dans la neige jusqu'aux genoux et les nuits n'en finissaient pas, dévorant le jour. Puis, après une longue journée dans les airs, nous arrivons soudain à Miami pour découvrir de véritables palmiers, des orangers, un pays de cocagne, avec tous les cadeaux du progrès : des voitures, des restauroutes, des fast-food, des motels... C'était vraiment la Floride. J'étais en Amérique.

On nous attribua, à Maria Neumannova et à moi, un appartement près du club où nous devions jouer à Fort Lauderdale. Notre propriétaire habitait ailleurs, mais tous les jours il nous emmenait déjeuner au club et insistait pour que nous prenions le même ice-cream chocolat-vanille. Comme il faut être poli en pays étranger, je n'ai pas cessé d'engloutir des crèmes glacées, des montagnes! Ice cream dans le ciel. Ice cream à l'horizon. Ice cream dans le congélateur. Ice creams partout.

L'appartement de notre propriétaire donnait sur les courts, il avait une véranda typique de la Floride d'où il pouvait regarder les matches. Il nous restait un peu de temps pour explorer le Nouveau Monde. Pour faire notre première expérience avec le capitalisme américain, Maria et moi avons descendu la rue au bout de laquelle nous avons découvert un grand magasin « 7-11 ». Nous avons

119

acheté des magazines et des quantités de bonnes choses à manger. Je me rappelle avoir pris du jambon et du pain en tranches, avec l'impression que ça allait être un désastre pour mes finances. Et tout cela ne nous a coûté que cinq dollars.

Je ne parlais pas très bien l'anglais, que je n'avais commencé que six mois avant en classe, et j'ai eu du mal à traduire les étiquettes et les prix. Mais j'ai été impressionnée par le nombre de magazines et de journaux, par la variété des produits alimentaires, des produits de beauté. Par-dessus tout, j'étais sidérée que les gens puissent s'offrir tout cela.

En revenant du « 7-11 », j'aperçus un cocotier. J'avais déjà mangé de la noix de coco, mais je n'en avais jamais vu une entière, et encore moins sur sa branche. J'en voulais une. Comment faire ? Sans hésitation, je grimpai dans l'arbre, et en cueillis une. En retournant à l'appartement, je me demandais comment j'allais l'ouvrir. Nous avons fouillé dans tous les placards pour trouver un marteau et un tournevis, je me suis installée sur le balcon et j'ai attaqué. J'ai eu de la chance. Je suis arrivée à la casser sans m'esquinter les mains. Elle s'est cassée en morceaux et nous sommes arrivées à en manger quelques-uns. Malheureusement, ils avaient goût... de tournevis.

Je mangeai mon premier hamburger cuit sur le grill au club. Les tickets que l'on m'a ensuite donnés pour les repas m'ont servi à en reprendre des deuxième et des troisième. En outre, je progressais en anglais. J'eus une longue conversation avec Michelle Gourdal, alors que nous nous dirigions vers les courts :

Martina : Vous avez joué ?
Michelle : Oui.
Martina : Vous avez gagné ?
Michelle : Non.
Martina : Oh, c'est dommage.

Maintenant, je me débrouille très bien au point que

je pense et rêve en anglais, et j'aime employer des mots bizarres, des termes rares. (L'un de mes amis m'appelle le Joseph Conrad du tennis, d'autres pensent que je devrais moins parler.) Mais, ces premiers jours en Floride, j'avais bien du mal à comprendre ce qu'on me disait. Lorsque à mon tour je parlais, les rires fusaient, à mon grand étonnement.

J'ai trouvé d'emblée les Américains sympathiques. En Europe – pas seulement en Tchécoslovaquie, mais presque partout – il est rare que des amitiés se nouent en quelques secondes. Il faut un certain temps pour se connaître, s'apprécier. Aux États-Unis, en revanche, il arrive que dès la première rencontre, on s'appelle par son prénom et on se confie des secrets.

J'aime toujours cette spontanéité des Américains, peut-être moins qu'autrefois pourtant. Une Américaine n'hésite pas à parler de ses amants, de ses ruptures, de ses problèmes sentimentaux, à raconter qu'elle a été enceinte il y a deux mois, et qu'elle a dû avorter. Elle livre toute sa vie sans gêne. Je n'ai pas été habituée à cela. Mais en retour, on peut toujours se montrer tel qu'on est avec les Américains. On n'a pas besoin de dissimuler, et c'est important. Dès mon premier voyage aux États-Unis, j'ai compris que je pourrais y être moi-même, la vraie Martina.

Aux États-Unis, on peut faire ce qu'on veut, on peut s'habiller comme on en a envie, sans complexe. C'était nouveau pour moi qui venais de Tchécoslovaquie où les gens ne portent que du noir et du gris, et on dirait que tout ce noir et ce gris ont déteint sur eux. En débarquant à Fort Lauderdale, j'ai été éblouie par le spectacle de la rue. Il m'aurait presque fallu des lunettes de soleil. Les gens arboraient du rouge, du rose, du mauve, portaient des vêtements de sports multicolores, d'un goût parfois atroce, avec le plus grand naturel. Ils s'exprimaient par leurs vêtements. Et ils avaient l'air rudement bien dans leur peau.

Bien sûr, pour les Américains, cette description évoque, bien plus que la réalité, le vieux show « La vie du Samedi Soir », où deux acteurs tchécoslovaques en jeans et chemises hawaïennes passent leur temps à courir après de superbes créatures séduites par leur vitalité « primitive et débridée ». Moi, c'était ça que je voyais dans la rue. J'étais Miss Conservatrice, débarquant de l'avion de Prague, et je tombais sur tous ces Américains en vacances en Floride, avec leurs bermudas qui ressemblaient à des tableaux de Jackson Pollock, leurs pantalons couleur de tomate mûre, c'était la télévision en couleurs. Mais tout était vrai. Des types séduisants, à la vitalité « primitive et débridée », il y en avait partout. Mais ceux-là venaient de New York ou du Nebraska, ce n'étaient pas des acteurs tchécoslovaques.

Le propriétaire de notre appartement avait une boutique de perruques. Il m'en offrit une, la plus chère, une superbe chose à dix dollars. Et je cachais mes cheveux fins et raides, châtains à cette époque, sous cette somptueuse crinière frisée. Je l'ai mise pour une soirée à Dallas, lors du tournoi suivant. Je crois que j'étais sensationnelle. A mon retour à Revnice, je l'ai donnée à ma mère. Elle la porte encore, pour les grandes occasions.

Cependant, le climat ne m'a pas gênée pour jouer. J'ai gagné trois parties d'affilée aux qualifications avant de tirer au sort Evonne Goolagong pour le premier tour des tournois nationaux en salle. Son jeu avait atteint sa maturité. Agile et magnifique athlète, elle avait déjà gagné Wimbledon en 1971, à dix-neuf ans à peine. J'ai eu du mal à ne pas m'arrêter de jouer pour admirer sa grâce. Mais je me suis ressaisie, et je lui ai tenu la dragée haute, avant de m'incliner 6-4, 6-4. Je n'avais perdu qu'un jeu par set sur mon service, et j'avais vraiment très bien joué.

Après ce match, on a commencé à se dire que cette inconnue était une bonne joueuse. Je n'avais que seize ans, personne n'avait jamais entendu parler de moi. Pour me présenter, l'annonceur disait : « A peine seize ans, la Tchécoslovaque... » Je n'étais plus aussi menue qu'autrefois, j'avais un excellent service, mes volées étaient redoutables, et le public m'a aimée tout de suite. Je me sentais chez moi. C'était comme si je m'étais retrouvée, enfant, jouant avec George Parma à Klamovka. Je courais toujours après des balles qu'aucun joueur raisonnable n'aurait essayé de rattraper. Même à la fin du voyage, avec pas mal de kilos en trop, je courais encore allègrement. Mon service restait bon. J'avais mis les muscles de mon estomac à rude épreuve pendant quatre semaines, et ce n'était peut-être plus un service aussi dur, mais il restait plutôt efficace. Mes revers étaient mauvais, mais j'avais un excellent coup droit. Mon agressivité ne s'était jamais démentie, et m'a permis de gagner ma bonne part de matches tout au long du tournoi. Je ne savais pas encore vraiment jouer, mais j'étais décontractée, sûre de moi.

J'avais appris à aimer les doubles à Sparta, en jouant avec Jan Kodes. Avec Maria Neumannova, nous avons battu Evonne Goolagong et Janet Young à Sarasota, puis Sharon Walsh et Patty Hogan, en finale.

Mon style de jeu m'a amenée à aimer les courts américains en dur, mais c'est sur terre battue que j'ai disputé l'un de mes meilleurs premiers matches, contre Helga Masthoff, très bonne joueuse à l'époque, à Saint Pétersburg. La température devait atteindre trente-cinq degrés, l'air était saturé d'humidité. Helga avait remporté le premier set, et menait dans le second par 4-0. Mais je n'ai pas perdu pied, je suis remontée, jusqu'à lui prendre le second, puis le troisième set. Et j'ai gagné par 1-6, 7-5, 7-5. Le match a duré trois heures et demie. Il m'a appris quelque chose : j'étais capable d'être une des dix premières. J'étais capable de gagner contre n'importe qui !

Ce n'est pas seulement sur les courts que j'apprenais. Je découvrais la vie américaine. J'étais frappée de la franchise avec laquelle les Américains pratiquent leur religion. Dans une famille où j'avais été hébergée, chacun disait son action de grâces avant les repas. La première fois, j'ai cru que c'était une blague.

On ne m'avait jamais donné d'éducation religieuse. Mes parents s'en désintéressaient et, depuis 1948, le gouvernement avait essayé de faire disparaître la religion. Nous pouvions regarder les statues du pont Charles ou visiter la magnifique cathédrale de Prague pour en admirer l'architecture, nous entendions parler des anciennes traditions; néanmoins, la religion n'a jamais été aussi forte chez nous qu'en Pologne par exemple.

Cette éducation a fait de moi une agnostique : je crois que l'esprit humain est incapable d'expliquer d'où vient le monde, comme de savoir où il va. Je ne crois pas à cette histoire d'Adam et Ève. Je crois beaucoup plus volontiers à la théorie de Darwin sur l'évolution : elle est cohérente, au moins, on peut la comprendre. Bien sûr, je sais qu'il y a « autre chose », que nous sommes entourés de forces qui dépassent notre compréhension. Je me sens parfois très proche de ma grand-mère, j'aimerais la retrouver dans une autre vie. Mais j'ai bien du mal à croire que le ciel et l'enfer, ça existe.

Non seulement les Américains prononçaient leurs actions de grâces avant les repas, mais ils avaient des émissions de télévision consacrées à la prière et portaient sans cesse des bibles sur eux. Ma surprise a été grande de les voir aussi croyants, eux qui, pour moi, étaient à la pointe de la science. Ils étaient capables de réaliser des prouesses sur leurs ordinateurs et d'aller dans la lune. Et ça ne les empêchait pas de faire leur prière tous les jours. C'était peut-être le côté romantique des Américains, cette foi en la religion? Je n'ai pas encore trouvé la réponse.

Depuis que j'habite aux États-Unis, j'entends beaucoup parler de renaissance de la foi. J'ai vu une de mes amies devenir une vraie grenouille de bénitier : quatre fois par semaine elle allait à l'église. A mon sens, il existe une différence entre la foi et la manière dont on la manifeste aux autres. La prière à l'école ? Mieux vaut prier seul quand on le veut. En Californie, une école baptiste a annulé un match de basket contre l'équipe d'une école catholique. Que d'actes ridicules accomplis au nom de Dieu !

La religion doit être pratiquée avec modération. Le fanatisme, quel fléau ! Quand on pense aux heurts entre catholiques et protestants qui déchirèrent la Tchécoslovaquie et ravagent aujourd'hui l'Irlande ! Sans parler du Liban, de l'Iran où les gens perdent la boule. Pourquoi s'entretuer si Dieu est amour ?

Rendre la prière à l'école obligatoire, comme certains essayent de le faire en ce moment aux États-Unis ? On peut imaginer un moment de silence pour laisser prier ceux qui le veulent. Mais instituer une prière officielle, publique ? Ce pays a été fondé sur le principe de la liberté de choix pour chacun. Il arrive que je reçoive des brochures religieuses. Je les retourne à l'envoyeur sans les lire. Chacun est libre de penser ce qu'il veut, moi la première.

J'étais plutôt maigre quand j'ai quitté la Tchécoslovaquie. Pourtant j'ai toujours eu un gros appétit. Mais je pouvais manger comme quatre sans prendre un kilo. J'étais tout en os et en muscles, aussi droite qu'un bâton. Mon père ne m'appelait-il pas « Prut », le bâton ? Mais dans le Nouveau Monde, je découvris des mets appétissants : les pizzas, les hamburgers, les steaks, les frites, les crêpes, les céréales. Quand je passais devant un restaurant fast-food, impossible de me retenir : il fallait que j'aille goûter. Big Mac. Whopper. International House of Pancakes. Howard Johnson. Lum's. Wendy's. C'est devenu une vieille plaisanterie de dire que j'étais au régime « see-food * ». Tout ce que je voyais à manger, je l'avalais.

Mon métabolisme ne venait plus à bout de toute cette abondance. Tout se retrouvait sur mes joues et à ma taille. C'est alors que la joueuse Olga Morazova arrive à Hingham la troisième semaine. Je l'avais rencontrée l'année précédente au Tournoi Communiste à Budapest où nous avions sympathisé. Elle me regarde, ne dit pas un mot, et gonfle les joues.

« Que veut-elle dire ? » pensai-je. J'étais convaincue que ça m'allait très bien, d'avoir grossi. Enfin j'avais des « rondeurs féminines », mes muscles se voyaient moins. Je ne tins pas compte de l'allusion. Je continuai ma cure de Big-Mac jusqu'à Akron où, métamorphosée, bien en chair, je jouai au premier tour contre une joueuse d'à peine deux ans mon aînée.

Elle s'appelait Christine Marie Evert.

* Jeu de mots : « sea-food » = poissons et fruits de mer
see-food = nourriture qui se voit
sea et see se prononcent de la même façon.

16

CHRIS

Lorsqu'en 1983 nous arrivâmes, Chris et moi, en finale de l'U.S. Open, tout le monde était très excité. Il semblait évident qu'elle était l'obstacle qui m'empêcherait de gagner le seul grand championnat qui n'était pas encore à mon palmarès. Tous les journalistes inventaient des histoires sur notre vieille rivalité; à la conférence de presse, la veille de notre rencontre, ils me demandèrent si je me souvenais encore de mon premier match contre Chris.

« Bien sûr, répondis-je. C'était en 1973. A Akron. Au premier tour. J'ai perdu 7-6, 6-3. Score du tie-break 5-4. A 4 jeux partout je ne sais pas ce qui s'est passé, elle a probablement joué un passing-shot alors que j'étais au filet. J'ai été ravie de jouer contre elle! »

Les journalistes eurent l'air étonné, comme si j'étais une sorte de génie pour être capable de me souvenir des résultats d'un match vieux de dix ans.

Pourtant, comment oublier un si grand moment? De toute façon, j'ai toujours eu une bonne mémoire. Et puis, le tennis, c'est mon métier. Est-ce qu'un agent immobilier oublie la première maison qu'il a vendue? Ou une avocate la première cause qu'elle a plaidée devant un juge?

Lors de mon premier voyage en Amérique en 1973 Chris était déjà parmi les meilleures du circuit. Elle s'était lancée à quinze ans en 1970, était arrivée en demi-finale à l'U.S. Open en 1971, avait été demi-finaliste à Wimbledon et à Forest Hills en 1972. Elle venait d'avoir dix-huit ans et avait déjà toute l'Amérique à ses pieds. Cette princesse au sourire glacé et au superbe revers à deux mains savait séduire le public. Elle vous arrachait le cœur sur les courts et son regard savait vous faire comprendre : « Gardons nos distances ! »

Je connaissais tout sur Chris, grâce aux revues de tennis que m'envoyait du Canada mon cousin Martin. J'arrivais à déchiffrer l'anglais à l'aide d'un dictionnaire, et mes traductions du jargon sportif étaient parfois hautement comiques, mais les photographies m'aidaient : Chris était une déesse blonde qui éclipsait toutes les autres, Billie Jean, Virginia et Evonne. Avant même que je ne la rencontre, elle était pour moi l'image parfaite de tout ce que j'admirais dans son pays : l'équilibre, la compétence, l'esprit sportif, l'argent, l'élégance.

Je n'oublierai jamais notre première rencontre ; elle jouait au jacquet avec Frank Hammond, le juge arbitre du tournoi. Sa sœur Jeanne était à côté d'eux. Je passai en essayant d'avoir l'air indifférent, et Chris me fit un petit signe de tête. Les timides comme moi ne saluent que s'ils se sentent en confiance : je ne répondis pas. Quelques jours plus tard, je la revois au club et cette fois, elle me fait un sourire ; j'aurais dû être contente, elle me reconnaissait ; et je me sentais, en face d'elle, une paysanne mal dégrossie.

Aujourd'hui nous sommes, Chris et moi, associées dans l'esprit du public comme le chocolat à la vanille ou le jazz à la musique classique : deux styles opposés, deux tempéraments différents, deux championnes qui luttent pour la place de première joueuse de l'histoire du tennis féminin. Nous sommes pourtant restées amies, malgré quelques ombres entre nous quand nous parlons de nos deux carrières. Mais à cette époque de notre première rencontre, rien ne nous séparait. D'emblée, elle a été gentille avec moi, me faisant de petits signes de tête, souriant, me faisant sentir qu'elle avait conscience de ma présence. Elle fait toujours très bien les choses. Peut-être n'étais-je pour elle qu'un nouveau repoussoir, une visiteuse venue d'au-delà du rideau de fer pour passer son temps à bouffer, mais certainement pas une adversaire à sa taille.

En fait, la première fois qu'elle m'a dit bonjour, j'étais littéralement envoûtée. A Akron, au premier tour, je n'ai pas mal joué du tout. Mais elle avait plus d'expérience que moi, et elle a fini par m'avoir. Je n'étais pas prête pour l'affronter, je n'avais pas ses réserves de puissance. En outre, elle était entourée de ses amis et de sa famille et moi, je me sentais complètement seule, sans le soutien de mes équipiers de Sparta.

Chris a eu son « Team Evert » longtemps avant que j'aie mon propre système de supporters. Son père, Jimmy, qui fut son premier entraîneur et lui donna la passion du tennis, n'était pas très souvent sur le circuit, mais sa mère, Colette la suivait, ainsi que sa sœur Jeanne, elle-même joueuse dans le circuit, et d'autres amis. Chris ne savait pas ce qu'était la solitude dans la lutte.

Mme Evert est une femme charmante qui ne dit jamais de mal de personne. La première fois que je jouai dans le circuit, j'eus l'impression qu'elle était sincèrement navrée quand je perdais et heureuse quand je gagnais. Si Chris me battait, Mme Evert venait près de moi : « Un joli match, Martina », me disait-elle. Elle me donnait la force de continuer, à moi, l'enfant esseulée loin de sa famille.

Je n'oublierai jamais la petite tape amicale que Chris me donna à la sortie du court, après ma victoire à l'U.S. Open en 1983, en dépit de sa déception. Sa mère vint plus tard me dire qu'elle était contente pour moi, et je suis sûre que c'était vrai.

129

Je l'appelle tout simplement Chris, non pas Chris Evert ou Evert. La première semaine du circuit, je remarquai que les femmes avaient tendance à s'appeler par leurs prénoms. Certes, elles étaient toutes là pour remporter la victoire et gagner de l'argent, mais il n'y avait ni la dureté ni l'ambiance impersonnelle qui existe sur le circuit masculin. C'est curieux qu'on considère les femmes comme des hypocrites, toujours prêtes à médire. En fait, au tennis, les hommes sont bien pires. Nous disons ce que nous pensons, nous avons nos arguments, mais il ne règne pas le même mauvais esprit que parmi les hommes. Voyez, par exemple, les relations entre Connors, Lendl, et Mac Enroe!

Les femmes parviennent à bien s'entendre. Nous passons ensemble plus de temps que les hommes, mais ça n'explique pas tout. Au fond, les femmes sont d'instinct des protectrices. Elles aiment les gens, elles cherchent à adoucir la vie. Bien sûr, elles aiment vaincre aussi, mais leur esprit de compétition est très subtil.

Chris est toujours à la hauteur de sa réputation de gentillesse : elle sait toujours dire ce qu'il faut quand il faut. Moi, j'en suis incapable. Je ne prends jamais de gants, je dis ce que j'ai envie de dire sans réfléchir. C'est comme cela que j'ai révélé à la fin de l'Open 1982 que j'avais une toxoplasmose, ou que j'ai critiqué le montant du prix quand j'ai gagné Wimbledon en 1983, ce qui m'a mis tout le monde à dos. J'aurais mieux fait de me taire ou de parler d'autre chose, mais je ne pouvais ou ne voulais pas. Quand Chris donne son avis, la presse le reproduit sans le déformer. C'est un don qu'elle a.

Néanmoins, la Chris du public n'est pas exactement celle que nous connaissons au vestiaire. En public, elle semble d'humeur égale, elle plaisante les journalistes ou sourit à ses fans. En privé, elle est drôle. Beaucoup ignorent que si on lui met un verre de vin à la main, elle est capable de raconter les histoires les plus cocasses. Elle n'a rien d'une prude!

Par-dessus tout, Chris a toujours un moral de vainqueur. Il lui a permis de remporter contre moi des matches que j'aurais dû gagner. En demi-finale du tournoi de Saint Petersburg en Floride, notre seconde rencontre, je l'ai talonnée de très près, mais elle m'a tout de même battue 7-5, 6-3.

Il m'a fallu attendre encore deux ans pour la battre, au sixième essai, où je l'ai enfin vaincue par 3-6, 6-4, 7-6, en quarts de finale à Washington. Le score du tie-break était 5-4. Après le service, je joue une volée de coup droit amortie : le coup gagnant. Non pas que je voulais jouer une volée amortie, mais je tremblais tellement que je n'ai pas pu frapper la balle autrement. Le soir, j'étais dans un tel état de nerfs que j'ai dû, pour la première fois de ma vie, prendre un somnifère.

La même année, elle me battit 6-4, 6-4 en demi-finale de l'U.S. Open à Forest Hills, sur terre battue. Je n'étais pas en forme, j'avais sept kilos de trop. Bud Collins m'avait surnommée « Le gros grand espoir ».

Chaque fois que je jouais contre Chris, ces premières années, je savais qu'il fallait faire très vite si je voulais gagner. Si je gagnais le premier set, je me disais : Il faut gagner le second. Sinon je serai trop fatiguée pour jouer un troisième set. Et qu'arrivait-il ? Je perdais le second, puis le troisième set.

C'était décourageant de jouer contre Chris. Je me démenais et m'épuisais à retourner son cesse au fond du court sur ses lobs. Je ne pouvais la battre qu'au filet, je le savais. Je fonçais vers l'avant, mais elle m'obligeait sans répit à revenir en arrière. Au troisième set j'étais épuisée.

Chris en est arrivée à totaliser quatorze victoires contre moi alors que je ne l'avais battue que deux fois. J'avais tant d'autres problèmes, il est vrai, que je n'arrivais pas à me reprendre en main et à la battre.

Chris et moi, nous rions encore au souvenir du tournoi de Houston 1976 ; je l'avais, pour la première fois, battue en finale d'un championnat, par 6-3, 6-4. Tout de suite après, nous jouions un double ensemble, contre Rosie Casals et Françoise (Frankie) Durr. Les gens l'ont un peu oublié, mais nous avons joué en double ensemble à une époque ; nous avons même gagné les doubles dames à Wimbledon en 1976. Ce jour-là, à Houston, Chris n'était déjà pas ravie d'avoir perdu en simple contre moi, et voilà que nous perdons ensemble en double. Il fallait faire quelque chose pour détendre l'atmosphère.

Françoise avait déjà son chien Topspin qui la suit partout (c'est typiquement français), même au restaurant. Elle lui avait appris à porter sa raquette dans sa gueule. Après le double, Topspin fit son travail : il prit la raquette de Françoise et sortit du court sur ses pas. Aussitôt, je saisis la raquette de Chris, la mets entre mes dents et sors du court derrière elle. Elle a éclaté de rire, et a continué à rire jusque dans les vestiaires. Elle n'est pas toujours la princesse de glace que l'on croit.

Quand je commençai à gagner des tournois, Chris sut perdre avec noblesse, avec grandeur. Elle vint m'embrasser la première fois que je gagnai à Wimbledon en 1978 en remportant les second et troisième sets de la finale contre elle. Quand nous avons échangé la traditionnelle poignée de mains, il était presque impossible de savoir laquelle de nous deux avait gagné. Mon sourire était à peine plus épanoui que le sien. Elle a été merveilleuse.

L'année suivante, lorsque je l'ai battue en deux sets, j'ai très bien compris qu'elle montre plus d'amertume.

Jouer ensemble en double devint difficile à partir du moment où je fus capable de battre Chris en simple. J'ai commencé par ne plus porter sa raquette, puis nous avons fini par cesser de jouer ensemble.

En 1980, mon niveau au tennis a beaucoup baissé ; je vivais alors avec Rita Mae Brown. Chris a fait des déclarations publiques : j'avais besoin, disait-elle, de mettre de l'ordre dans ma vie privée si je voulais revenir au premier rang. Je ne pense pas qu'elle l'ait fait pour me nuire. Elle se préoccupait sincèrement, amicalement de mes problèmes.

Nancy Liebermann me reprochait d'être trop amie avec Chris. Au basket, disait-elle, l'intimidation commence dès que l'on avance sur le terrain : par le comportement, les vêtements, la façon de se pavaner. Il suffit de voir Bernard King du New York Knicks prendre son « visage de match » – un air féroce – avant même d'apparaître. Nancy insistait beaucoup pour que j'en fasse autant.

J'acceptais d'avoir l'air revêche sur le court, mais même les basketteurs professionnels ne transportent par leur agressivité au-dehors. S'ils se rencontrent dans un aéroport, ils ne se regardent pas d'un air menaçant, pour autant que j'aie pu le constater. Nancy, elle, voulait que j'aie mon « visage de match » dès que je me trouvais à proximité de Chris.

Je suis extrêmement émotive. Mes états d'âme transparaissent toujours : bonheur, tristesse, nervosité, confiance. C'est visible à un kilomètre.

Il n'existe pas de vestiaires séparés au tennis. Chacune est parfois dans une cabine très proche de celle de son adversaire; j'avais beaucoup de mal à me concentrer lorsque mon adversaire et mon amie étaient la seule et même personne. Même maintenant je fais attention de ne pas croiser le regard de Pam Shriver avant de nous affronter en simple. Qu'elle relève ses sourcils expressifs et me sourie, et je perds toute ma concentration.

Chris était toujours amicale, même les jours de match : « Quel beau temps aujourd'hui! Comment te sens-tu, Martina? Nous allons faire une bonne partie, en amies! Oh! Excuse-moi d'avoir envoyé ce revers croisé si loin! »

Et je me retrouvais tout d'un coup, sans savoir comment, menée 4-6, 1-3!

Nancy m'aida beaucoup, grâce à son expérience de

basketteuse. Je me souviens d'un jour à Wimbledon en 1982 : une foule de joueurs voulaient s'entraîner, et il était presque impossible de trouver un court, à cause de la pluie. Chris et moi avons dû nous entraîner l'une contre l'autre. Nous n'y voyions aucun inconvénient : nous étions amies, et professionnellement chacune de nous connaissait bien le jeu de l'autre. Si, de temps en temps, l'une ou l'autre envoyait une balle dans un coin, elle s'en excusait. C'était uniquement destiné à stimuler l'attention de l'adversaire.

Pendant cet entraînement, les gens applaudissaient derrière la grille comme si nous avions été sur le court central. Ils criaient : « Beau coup, Chrissie. » Nancy ne riait pas. Elle examinait ses doigts et observait le ciel pour voir si la pluie allait encore recommencer.

Chris me demanda bientôt : « Qu'a-t-elle Nancy? Mon jeu ne lui plaît pas? »

Puis, pour voir si Nancy était attentive (elle l'était!) elle envoya une balle exprès à ses pieds. Nancy a regardé Chris en disant : « Oh, bonjour, Chris, je ne vous avais pas vue! » Chris a éclaté de rire.

Nancy devait savoir que ce genre de tactique ne démontait pas Chris Evert. Mais elle voulait me faire comprendre que j'aurais pu battre Chris plus régulièrement. Grâce à la mise en condition psychique et physique que je recevais de Nancy et l'entraînement que j'avais avec Renée Richards et Mike Estep, je suis devenue capable de battre Chris régulièrement, et j'ai commencé à rétablir l'équilibre entre nos résultats.

Chris en a été affectée pendant un certain temps, surtout au début de l'année 1984, quand elle se sépara de son mari, John Lloyd, et dut répondre à toutes les questions personnelles que lui posaient les journalistes. C'était même pour Chris Evert, difficile à surmonter; or pendant le circuit 1984 elle apparut dans une forme physique que je ne lui avais jamais connue. Elle avait travaillé les haltères, appliqué d'autres techniques de mise en condition que je pratiquais aussi et elle avait gagné de la puissance.

Pendant le tournoi Virginia Slims 1984, Chris joua quelques coups gagnants sur mon premier service et elle transforma la partie en l'un des matches les plus ardus que j'aie connu. J'arrivai quand même à la battre en trois sets; c'était le premier championnat féminin où la finale se jouait à la meilleure des cinq manches.

Je n'aurais pas dû être surprise que Chris ait pu perfectionner son jeu à vingt-neuf ans. Elle a été pendant longtemps une grande championne et un exemple pour tous les athlètes hommes ou femmes; je ne considérerai jamais qu'elle a atteint ses limites. A notre rencontre suivante, je l'écrasai sur terre battue pour la première fois de ma carrière, 6-2, 6-0, compensant ainsi le score 6-0, 6-0 qu'elle m'avait infligé trois ans auparavant alors que j'étais au creux de la vague. A la fin, Chris lança à ses fans : « Je suis navrée » et elle me félicita aussi chaleureusement que d'habitude.

Elle a été aimable même quand je l'ai battue à Wimbledon en 1984, où elle a joué l'un des meilleurs matches de sa vie et où j'ai réussi à gagner 7-6, 6-2, et à rompre ainsi notre rivalité puisque nous étions à trente victoires chacune.

Bien que nous ne nous voyions plus aussi souvent, j'ai dit un jour à Roy Johnson du « New York Times » : « J'attends le jour où nous pourrons boire une bouteille ensemble et parler du bon vieux temps. »

Nous pouvons être les plus grandes rivales de notre époque, je n'oublierai jamais que lorsque je suis arrivée la première fois, incertaine et seule, Chris Evert a été là pour me saluer.

17

LE « GROS » ESPOIR

Je me suis goinfrée pendant tout mon voyage dans le Nouveau Monde en 1973; au moment du départ, j'avais tellement grossi que j'ai dû acheter de nouveaux vêtements. J'étais fière de ma nouvelle féminité. Je ne me regardais pas souvent dans les glaces, et au fond de moi, je me sentais toujours la même Martine.

Mes parents ont deux photos de moi : avant et après. Sur la première, je suis à l'aéroport, maigre comme un clou; il faut me découvrir à côté de Maria Neumannova. Sur la seconde, prise huit semaines plus tard, on ne voit plus que moi... et l'avion. Je suis à gauche...

On a écrit que mes parents ne m'ont pas reconnue. Ce n'est pas tout à fait vrai. Moi, ils m'ont reconnue. Les dix nouveaux kilos, non. Ils en sont restés bouche bée.

Je n'ai pas suivi de régime particulier. Simplement, je faisais des repas normaux à la maison. Au bout d'un moment, j'avais maigri : la cherté des produits alimentaires permet difficilement les excès de table en Tchécoslovaquie, même aux gens qui vivent bien, comme mes parents.

Puis mon poids s'est mis à fluctuer. Un séjour à la maison me faisait maigrir, mais je reprenais des kilos chaque fois que je repartais à l'Ouest. Je n'ai jamais reperdu tout le poids pris la première fois, et j'ai atteint mon maximum en 1976 : quatre-vingts-kilos. On a souvent dit que j'avais grossi après mon départ de Tchécoslovaquie parce que je mangeais pour me consoler de ma solitude : c'est faux. En fait, je me nourrissais très mal. Je n'avais aucune idée de ce que devait être un régime adapté à l'effort physique. Ce n'est que plus tard que j'ai découvert les pâtes, les céréales, le poulet, les salades et les fruits, et que j'ai renoncé aux graisses animales, aux sucres et aux féculents.

Mais après ce premier voyage, autre chose en moi avait changé. Pendant deux mois, seule et autonome, j'avais agi à ma guise. Il me fallait maintenant rentrer à l'école, reprendre la vie d'une écolière de seize ans. Ce fut difficile : j'étais malheureuse de devoir demander des permissions à mes parents, à la Fédération de Tennis, à tout le monde, tout le temps.

Aussi ai-je commencé à fumer dans le dos de mes parents pour manifester ma rébellion. Je me croyais « relax ». Mes parents fumaient l'un et l'autre et ils m'avaient bien conseillé de ne pas me laisser prendre. Ma mère parvenait parfois à s'arrêter, mais dès qu'elle devenait nerveuse, elle reprenait une cigarette.

J'avais l'habitude d'aller courir, pour me maintenir en forme, sur le chemin caillouteux qui longe la rivière, juste en dessous de la voie ferrée. J'y ai emporté mes cigarettes. Et je me suis retrouvée en pleine absurdité : je courais pour me mettre en forme, et je perdais ma forme en fumant. Je détestais le goût que la cigarette me laissait, je passais mon temps à me rincer la bouche. Mais je m'installais dans les toilettes pour fumer en paix.

J'ai cessé de fumer, heureusement, avant que ce soit devenu une habitude bien ancrée. J'ai encore eu besoin d'une cigarette de temps en temps, pour me calmer et me détendre dans les moments durs : je fumais quand je jouais au jacquet avec Rosie Casals, ou après une défaite sur le court. Je ne perds plus très souvent maintenant, et je n'ai guère fumé que trois ou quatre cigarettes depuis quatre ans. Et je déteste qu'on fume à côté de moi en voiture, ou dans un ascenseur.

Quant à la marijuana, je connais de nom, c'est tout. Je n'en achète pas, je n'en ai pas besoin, je n'aime pas ça. Mais pour moi, la plus dangereuse des drogues, c'est l'alcool. On ne s'en méfie pas assez. Il a des effets beaucoup plus destructeurs, parce que plus insidieux que ceux de l'herbe. L'alcool peut tuer. Et c'est la drogue la plus répandue, celle dont on abuse le plus.

Au cours de mon premier voyage à l'Ouest, outre mes goûts nouveaux, j'avais acquis la conviction que je pouvais devenir une grande joueuse. La Fédération devait penser la même chose : elle me laissa aller aux Internationaux de France. Je gagnai mes deux premiers matches sur la brique pilée rouge du stade Roland Garros, puis, le long des marronniers en fleurs, j'allai jouer contre Nancy Richey, la deuxième joueuse américaine sur terre battue, classée juste après Chris Evert.

J'étais ravie de voir Nancy en personne. Je l'avais vue à la télévision chez moi; sa coiffe blanche, qui ressemblait à celle que ma mère portait pour son premier mariage, nous faisait rire. Je la trouvais vieille, mais à cette époque-là je trouvais tout le monde vieux. En tout cas je savais que c'était une excellente joueuse.

Je n'avais alors aucune notion de stratégie, j'ignorais même que la terre battue était sa surface de prédilection. Mais il faisait très chaud, j'avais seize ans, et je courais après toutes les balles, je renvoyais les plus difficiles; je suffoquais de chaleur, mais je ne pensais même pas que Nancy pouvait en être malade aussi. J'ai joué comme d'habitude, au filet sur mon service, comme je le faisais sur n'importe quelle surface, terre battue comprise, et je jouais assez bien pour battre Nancy Richey 6-3, 6-3.

J'étais très excitée d'avoir gagné contre une aussi grande joueuse. Et je le fus encore plus après, au vestiaire, car Margaret Court, la joueuse dont le style m'a influencée le plus, était là. Sa taille m'a impressionnée – et pourtant elle était nu-pieds et j'avais de hauts talons. J'essayais de ne pas avoir l'air idiot, et voilà qu'elle m'a dit bonjour. Elle savait qui j'étais! Elle saluait celle qui avait battu Nancy Richey!

Cette grande victoire me mena en quarts de finale contre Evonne Goolagong. J'avais déjà joué deux fois contre elle aux États-Unis; j'avais confiance et je lui menai la vie dure avant de perdre : 7-6, 6-4.

Ces deux événements suffisaient à garantir mon invitation au plus grand tournoi du monde : Wimbledon. Je jouai à Hambourg, puis partis pour l'Angleterre pour ma mise en condition au Queens Club. A notre arrivée, nous avons constaté, Maria et moi, que nous n'étions pas sur les listes du Queens. Nous avions envoyé nos bulletins d'inscription de Rome, ignorant qu'il y avait une grève des postes, et qu'ils n'étaient pas arrivés. Tout arrangement fut impossible.

Nous avons alors logé chez une famille tchécoslovaque et tous les jours, nous allions nous entraîner au Queens Club. Je revois toujours Billie Jean et Rosie passer en voiture. Maria les connaissait et leur parlait en anglais. Comme j'étais impressionnée! Je savais tout des grandes joueuses grâce aux journaux que mon cousin m'envoyait : Julie Heldman, Pam Teeguarden, Pam Austin, Mona Shallau Guerrant. Qui plus est, je connaissais toutes les joueuses du Virginia Slims : Chris, Virginia, Evonne.

Billie Jean et Rosie n'eurent pas un regard pour moi. Comme je ne voulais pas jouer les trouble-fête, je restais à l'écart, en pensant : « Cette fois-ci, c'est le grand moment. »

Même si je n'étais pas inscrite au Queens, je l'étais à Wimbledon. C'était grisant! J'avais grandi sur les courts en terre battue tchécoslovaques en rêvant du gazon de Wimbledon. La première fois que j'arrivai dans cette ville légendaire, je m'agenouillai pour effleurer, d'une main respectueuse, le fameux gazon. Quand mes parents, aujourd'hui, parlent de ma carrière, ce n'est ni ma victoire à l'U.S. Open, ni mon classement à la tête du circuit féminin qu'ils évoquent, ni l'argent, ni l'Australie, ni la France... non. Ils ne prononcent qu'un mot, un nom magique : Wimbledon.

Pour mon premier match, je me fais faire une robe de tennis par Fred Perry. Je veux respecter la tradition; j'abandonne donc mes shorts coutumiers. Quand je saute pour attraper une balle difficile, elle se déploie, s'envole et dévoile mon soutien-gorge. Je dois aussitôt la rabaisser. Une autre balle impossible... et tout est à recommencer! Et il fallait que je subisse cette robe diabolique précisément à Wimbledon!

Pourtant, malgré la robe infernale, je bats Christine Truman : 6-1, 6-4 au premier tour sur le court 1. J'enfile ensuite une jupe plus pratique pour battre Laura Dupont : 8-6, 6-4, avant de m'incliner devant Patty Hogan.

Ma plus grande émotion fut de voir Jan Kodes, mon ancien camarade de Sparta, jouer dans le tournoi masculin. Par suite de mésententes sur les conditions financières, certains grands joueurs étaient absents, ce qui l'aida quelque peu. Il était au début de sa carrière et il se débrouillait déjà très bien. (Il est actuellement capitaine de l'équipe de Coupe Davis de Tchécoslovaquie.) Jan est merveilleux. J'étais folle de joie lorsqu'il battit Alex Metreveli : 6-1, 9-8, 6-3 en finale. Tous les Tchécoslovaques étaient d'autant plus heureux de sa victoire que Metreveli est russe.

Je jouai aussi en double mixte avec Jan, contre Owen Davidson et Billie Jean en seizièmes de finale sur le court 2. Tendue, nerveuse, j'essayais de frapper de grands coups, d'impressionner Billie Jean; j'espérais qu'elle se souvenait de moi. J'ai très mal joué, nous avons perdu. Ce sont nos adversaires qui ont gagné le championnat.

Après toutes ces émotions, je rentrai dans mon pays où je remportai le tournoi de Pilsen; puis, je retournai en Amérique du Nord à la fin de l'été pour jouer à Toronto, à l'U.S. Open à Forest Hills et à Charlotte en Caroline du Nord.

Si je n'avais pas encore les gains d'une professionnelle, j'en avais dès lors la formation. Je m'adaptais à la vie du circuit semaine après semaine, aux changements d'horaires, aux différentes conditions climatiques, aux fluctuations de l'ambiance, aux blessures et à la douleur.

Je souffrais terriblement de la faim. Je n'ai jamais pu supporter d'avoir l'estomac vide, même pendant un grand match. Depuis mes tout premiers débuts, j'ai besoin de manger souvent pour avoir de l'énergie durant tout le match. La première fois que je fis le circuit, je me suis toujours arrangée pour avoir des aliments consistants, comme des hot dogs ou des sandwiches au rosbeef avec moutarde et mayonnaise que j'engloutissais pendant le changement de côté.

Mon estomac, en effet, est exigeant. J'avale un petit déjeuner avant dix heures, je pars m'entraîner sur les courts, prends une douche, joue mon match vers midi et demi, reprends une douche et joue des doubles vers trois heures. Alors, j'ai trop faim pour attendre jusqu'à huit heures pour dîner.

Après avoir acquis des notions de diététique, il y a quelques années, j'ai cessé de manger de la viande rouge, surtout pendant un match; Robert Haas, mon conseiller en diététique, crée de l'énergie en barres avec des caroubes, du raisin et des dattes. Parfois, j'emporte un gâteau ou du pain et des oranges. Pendant les doubles, je partage mes remontants avec Pam; nous mâchons pendant le changement de côté. Il arrive qu'elle me parle et que je sois toujours en train de mastiquer en retournant sur le court; je dois mettre la bouchée sur le côté pour ne pas l'avaler pendant que je cours sur une volée.

Ces habitudes font rire et on s'étonne parfois que les aliments et les boissons que j'ingurgite pendant un match ne m'obligent pas à aller au petit coin. Très tôt dans ma carrière j'ai constaté que certaines fonctions cessent pendant l'activité physique. J'ai quelquefois l'impression que je dois y aller; c'est généralement au cours des quinze premières minutes et je sais que c'est nerveux. Quand on se sent malade on peut demander à sortir du court une fois pendant le match, mais on attend vraiment un cas d'urgence.

Une fonction qui ne s'arrête pas, en revanche, c'est la menstruation. Je n'ai pas eu à m'en préoccuper quand j'étais junior, mais dès que j'ai atteint la puberté et que j'ai commencé à voyager hors de la Tchécoslovaquie, j'ai appris à changer mes tampons au bon moment. J'ai déjà vu des joueuses sortir au milieu d'un match ou même jouer en pantalon de survêtement par temps chaud sous les yeux des journalistes hommes qui ouvraient des yeux comme des soucoupes.

Quand cela m'arrivait, les premières années, j'avais des douleurs atroces. J'en étais arrivée au point de ne plus conduire, par peur d'avoir un accident. Pendant un ou deux jours, toute coordination normale de mes mouvements m'était impossible, tant j'avais mal.

Si je regarde en arrière, je peux dire honnêtement que les plus gros échecs que j'ai subis à la fin des années soixante-dix et au début des années quatre-vingts se sont produits pendant les jours les plus pénibles de mes règles, quand j'ai été battue par Pam en 1978 et par Tracy en 1979 à l'U.S. Open, ainsi qu'à quelques matches précédents à Wimbledon. Depuis que je suis un bon régime, ces douleurs ont quasiment disparu, je n'ai plus de crampes ni de difficultés de coordination. Je n'ai besoin que d'un petit comprimé pour être en forme et gagner.

A propos de douleur, il y a une chose que j'ai apprise très tôt sur les courts. C'est de savoir distinguer une balle lancée sur un adversaire pour l'empêcher de monter au filet (c'est une tactique normale, je l'emploie moi-même contre Kath Jordan qui tente toujours de monter au filet sur son service, évidemment pas contre Chris Evert qui joue au fond du court) et une balle lancée sur quelqu'un pour le toucher et lui faire mal. Il y a des hommes qui utilisent ce genre de coup bas; je dois dire que je n'ai jamais vu une femme le faire. Certains hommes sont capables de mesquinerie, de méchanceté même, envers leurs adversaires. Pas les femmes. Elles se sentent proches les unes des autres. Et puis, comment avoir le cœur de faire mal à quelqu'un avec qui, une heure plus tard, vous pouvez être en train de bavarder au Club House?

Le bilan, à la fin de l'été 1973, était le suivant, j'avais perdu au troisième tour à Toronto, au premier à Forest Hills et en demi-finale à Charlotte. Le plus beau moment pour moi avait été le jour où Rod Laver (Rod Laver que mon père m'avait emmenée voir jouer à Prague quand j'avais neuf ans!) était venu voir Wendy Turnbull jouer contre moi au premier tour à Toronto. Si j'avais su que Laver était là, j'en serais tombée raide morte, au lieu de battre Wendy 6-0, 7-5. Heureusement, je ne l'ai su qu'après le match. Le soir, je jouais au billard dans la salle réservée aux joueurs. On m'a affirmé que Rod Laver avait dit que je deviendrai une grande joueuse. J'étais folle de joie. Et j'étais bien décidée à ne pas le faire mentir.

Le compliment illumina mon automne à Prague. Cependant, le tennis n'était pas toute ma vie : mon emploi du temps au lycée était chargé, et je venais de découvrir les garçons!

18

PREMIÈRE AVENTURE

Mon nouveau poids m'avait donné de belles rondeurs : je me sentais pleinement femme, à dix-sept ans, d'autant que j'étais enfin parfaitement réglée et que, grâce aux informations que m'avait données mon père, je n'étais plus aussi ignorante des choses du sexe.

Il m'était déjà arrivé de sortir avec un garçon – un de mes camarades de classe. Nous nous tenions tendrement par la main, et ça s'arrêtait là. Depuis mes voyages, je savais qu'à mon âge, les garçons et les filles pouvaient déjà former des couples. Je commençais à rêver d'avoir moi aussi un boy-friend. Mais les prétendants étaient rares sur les courts de tennis. Les garçons beaux, riches et en bonne santé ne se pressaient pas en foule à la porte des vestiaires. Les tournois ne nous laissaient jamais séjourner plus d'une semaine dans la même ville, et les hommes étaient toujours d'un certain âge : les arbitres, les agents, les journalistes comme les invités du club régional. Où donc les jeunes se cachaient-ils ?

Cet automne-là, sortie du cocon protecteur du tennis féminin, je me retrouvais lycéenne dans une ville où vivaient des milliers de jeunes gens. L'un d'eux était un de mes anciens camarades de Revnice, de quatre ans mon aîné. Il était étudiant en architecture. Nous avions

144

souvent joué au tennis ensemble; il avait appris tard, vers quatorze ans ou quinze ans, et au début je le battais, mais il avait vite fait assez de progrès pour gagner à son tour. Cet automne-là, c'était de nouveau moi la plus forte. Il n'en semblait pas vexé. C'était comme une petite guerre entre nous : je le faisais beaucoup courir. Je me souviens qu'il avait un excellent revers.

Nous étions sortis assez souvent ensemble l'année de mes seize ans. A mon retour des États-Unis, il me marqua un intérêt nouveau. J'avais davantage confiance en moi, je me sentais plus féminine, je devenais plus douce. Mes joues étaient rondes, et j'aimais cela parce que je n'avais plus l'air d'un garçon. Je ne me rendais pas compte que j'étais vraiment grosse. Je me sentais bien, et cette plénitude se communiquait, je pense, à mon ami.

Comme les autres étudiants, nous allions ensemble au cinéma, au Théâtre National, à des concerts ou à l'Opéra. Nous nous promenions dans les vieux quartiers de Prague, où nous mangions des saucisses en buvant de la bière. Nous restions des heures devant la fameuse tour de l'Horloge, ou bien nous faisions du lèche-vitrines, avant de nous mettre à la recherche d'un bar où nous écoutions de la musique américaine.

Parallèlement à ses études d'architecture, il travaillait pour l'État. A cette époque, il contrôlait les travaux de restauration du château de Karlstein, près de Revnice. Il avait le droit de rouler jusqu'à l'escalier où il laissait sa voiture, sans être obligé de la garer en ville comme tous les autres visiteurs. Nous allions souvent nous y promener. Il avait l'air d'avoir une telle assurance que j'imaginais qu'il ne serait pas timide en amour.

Je me sentais bien avec lui. Il était calme, athlétique, intelligent, plus âgé que moi. J'aimais sa compagnie, et mes succès sportifs ne le complexaient pas. Nous sommes devenus de plus en plus intimes. Il m'a demandé de venir dans sa chambre.

J'avais reçu de mes parents des conseils contradictoires. Ma mère était restée assez traditionaliste pour souhaiter que j'arrive vierge au mariage! Mon père me disait qu'une bonne entente physique était importante dans un couple, et qu'il valait mieux ne pas épouser un garçon avant d'être sûre que, sexuellement, il vous plaisait. Mais il ajoutait : « Ne couche avec aucun garçon avant d'avoir vingt et un ans, et ne couche qu'avec un garçon que tu as l'intention d'épouser! »

Physiquement, il m'attirait. Mais je n'envisageais pas de me marier. Et quant à attendre vingt et un ans, pas question! Pourtant j'hésitais. Nous savions tous les deux que ce serait pour moi la première fois. A force d'en parler, d'y penser, j'ai fini par accepter. Nous décidons de profiter d'une absence de ses parents, partis en week-end. J'étais paniquée. Intérieurement, je me répétais : « Il a déjà fait l'amour, lui. Calme-toi. Fais-lui confiance! »... Il s'est jeté sur moi comme on se jette à l'eau. Il n'a pas été tendre, il n'a même pas été adroit. Aucune cloche n'a sonné, aucune étoile n'a tournoyé en mon honneur. C'était plat, terne et j'avais mal, très mal. Je me répétais : « Comment font les autres? Comment peut-on avoir envie de ça? Ça fait trop mal! » J'espérais qu'après cette première fois, ce serait différent. Ma curiosité persistait. Je voulais savoir. Je voulais qu'il m'apprenne : il avait de l'expérience, lui! Mais rien n'a changé. La douleur ne disparaissait pas.

En fait, je présumais trop de lui. Je pensais également qu'il n'ignorait rien de la contraception. Or, quelque temps après, je comptais dans le désarroi les jours suivant mes dernières règles : sept jours de retard. Je tentai d'interroger mon père. « Reviens me voir quand tu auras vingt et un ans » me répondit-il. Moi j'étais pressée, et pour cause.

J'étais tellement revêche que ma mère finit par comprendre que quelque chose n'allait pas.

— Qu'est-ce que tu as?
— Je n'ai pas encore mes règles.

146

– Pourquoi t'en faire pour cela?

– Hum, je crois que j'ai de bonnes raisons de m'en faire.

Ils ont réagi très calmement. Ils m'ont dit : « Ne recommence pas », sans hurler, sans gémir.

Quelques années plus tard, le jour où ils ont découvert que je vivais avec une femme, leur réaction a été beaucoup plus tumultueuse.

Toujours est-il que mon retard se prolongeait. Je n'ai rien dit à mon ami. Je ne me sentais pas assez proche de lui. C'était mon problème. A moi seule. Ma carrière de tennis me semblait compromise, j'en souffrais terriblement.

Je ne savais pas jusqu'où le tennis me conduirait, mais c'était déjà ce qui comptait le plus. Je l'avais compris quelques années plus tôt, vers quatorze ans, en skiant. Sur les pentes, je prenais des risques jusqu'au jour où j'ai pensé : « Si je tombe, si je me casse une jambe, c'est peut-être la fin de ma carrière. » Alors, au milieu des Monts des Géants, j'ai ralenti et depuis lors, je skie très prudemment.

Je devais prendre une décision. L'avortement est libre en Tchécoslovaquie mais j'avais du mal à en accepter l'idée. Quel dilemme : avoir un enfant ou avorter, gâcher ou non ma carrière?

Il y avait la solution du mariage forcé. Elle me répugnait. « Il faut se marier, avoir des enfants, travailler de neuf heures à cinq heures. » Mais je ne voulais pas de cette vie-là, je ne voulais pas aller à l'usine ou au bureau, obéir à un patron. Quoi qu'il puisse m'arriver au tennis, je voulais être ma propre patronne (ce qui aurait été difficilement réalisable en Tchécoslovaquie).

Dans l'abstrait, j'avais toujours pensé que je me marierais et que j'aurais des enfants. Mais pas si tôt. Pas à dix-sept ans.

Heureusement, mes règles arrivèrent toutes seules quelques jours après, et tout rentra dans l'ordre. Quelques mois après, aux États-Unis, je racontai ma mésaventure à une amie qui me donna la pilule. Je l'ai prise pendant quatre ou cinq jours, puis j'ai arrêté : à quoi bon prendre la pilule, je voyais si peu souvent mon partenaire ? Maintenant que j'en sais plus sur les effets secondaires de la pilule, je suis contente d'avoir arrêté si vite.

Nous nous sommes revus, mon ami et moi, quand je suis rentrée à Prague. Mais je voyageais souvent, il était tellement pris par ses études, que cela ne pouvait pas continuer. Nous sommes tombés d'accord qu'il valait mieux faire notre vie chacun de notre côté. Mais nous ne nous sommes pas brouillés. Je demande toujours de ses nouvelles à mes parents. J'ai su qu'il s'était marié, et que le mariage l'avait changé ; célibataire, il était tellement paresseux que sa jeune sœur et sa mère faisaient tout pour lui. Mais sa femme l'a dressé. Et il a quatre enfants, ce qui ne m'étonne pas !

Si cette expérience était à refaire, je ne la referais pas. Je me suis trompée en croyant que je l'aimais. J'aurais dû attendre. Mon père n'avait pas tort. Il exagérait en fixant un âge aussi précis, mais je suis sûre que les choses se seraient mieux passées si j'avais été plus mûre, physiquement et sentimentalement. Cette première expérience m'a tout de même appris à ne jamais plus me lancer à l'aveuglette dans une histoire d'amour.

19

LA CALIFORNIE, CETTE FOIS

J'obtins à nouveau l'autorisation de partir en 1974. Cette fois, le circuit commençait en Californie. En explorant les collines et les boutiques de San Francisco, le désert si proche des grands immeubles de Palm Springs, je découvrais que les États-Unis étaient encore plus somptueux et variés que je ne l'avais imaginé. Tout me plaisait : il faisait si beau, tout était si propre... J'étais conquise par tant de beauté. Mais je restais lucide. Le circuit nous emmenait à Washington, Fort Lauderdale, Detroit et Chicago, et je me sentais peu à peu écrasée par l'immensité des États-Unis, les changements de climat (en une heure d'avion, on passait de la canicule à une température de plein hiver), et par la violence omniprésente, l'étalage des crimes dans tous les journaux. A Prague, on entendait parler de la criminalité aux États-Unis, mais on n'y croyait pas. On recensait tout au plus dix meurtres par an à Prague, moins qu'il n'y avait de gens tués en traversant sans précaution les voies de chemin de fer. Seuls les soldats avaient des armes là-bas. Aux États-Unis, tout le monde était armé (oui, moi aussi, maintenant), il était impensable de ne pas avoir une arme à la maison.

Il y a tellement d'agressions chaque jour. Ce n'est que longtemps après mon arrivée que j'ai compris les ravages de la violence aux États-Unis. Avant d'y vivre, je ne pouvais pas le croire. Je pouvais admettre le crime passionnel, mais pas cette insécurité permanente, cette violence aveugle.

Maintenant je connais les deux côtés de la médaille : sur une face, la violence sans frein : sur l'autre, l'amitié sans limite.

Je me suis très vite fait des amis aux États-Unis. Je n'oublierai jamais ma première rencontre avec deux de mes amis les plus chers : je disputais un match à Chicago, et les juges de ligne arbitraient d'une façon qui ne me plaisait guère. Je rouspétais, et j'ai envoyé quelques jurons bien sentis... en tchèque, persuadée que personne ne me comprendrait. Après ma victoire, alors que je quittais le court, deux des juges, un homme et une femme, m'ont abordée en souriant, et l'un d'eux m'a dit : « Dobry den. Jak se mate? » (Bonjour. Comment allez-vous?) Ils parlaient parfaitement le tchèque.

J'étais affreusement gênée, mais ils trouvaient ça drôle. Ils avaient bien ri, même quand c'était eux que j'injuriais. Mirek et Svatka Hoschl ont une fille qui a à peu près mon âge, et je me suis très bien entendue avec toute la famille. Ils m'ont invitée à dîner, ce premier jour (il y avait, je m'en souviens, du canard et des boulettes de pâte) et depuis nous sommes restés amis. Je descends chez eux chaque fois que je dispute un tournoi à Chicago. Svatka m'accompagne parfois à Wimbledon ou à l'U.S. Open, et c'est elle qui fait la cuisine. La veille du match elle me prépare des boulettes à sa façon, capables de réveiller un mort.

Le circuit de 1974 m'a menée jusqu'à New York, où je suis allée voir George et Jarmila Parma. George était devenu l'entraîneur d'un joueur tchécoslovaque qui habitait New York. En 1973, je n'avais vu que George, toujours aussi beau, qui n'en était pas revenu de me trouver si changée : « Toi qui étais si petite! », m'avait-il dit.

Mais c'est en 1974 que je fis vraiment la connaissance de sa femme. Je passai trois nuits chez eux. Nous avons veillé tard, bavardant et fumant cigarette sur cigarette. Je voulais acheter des cadeaux pour ma famille et mon petit ami, et Jarmila m'a aidée. Elle m'a aussi raconté des tas de choses sur la vie aux États-Unis.

Les Parma parlaient très peu du gouvernement tchécoslovaque. Ils ne faisaient pas de politique, jamais ils n'essayèrent de me convaincre de fuir. Sans doute me trouvaient-ils trop jeune; et puis, de toute façon, la décision n'appartenait qu'à moi seule. J'étais heureuse pour eux, heureuse qu'ils aient pu s'échapper. Jamais je n'ai pensé que George était redevable à quiconque, ni à moi, ni à l'État, et qu'il aurait dû rester. Beaucoup de gens avaient essayé de fuir en 1968, et je trouvais que les Parma avaient eu de la chance d'être déjà à l'étranger.

On ne quitte pas sa patrie sans douleur. Les Parma me racontèrent que, pendant leur sommeil, il leur arrivait souvent de rêver qu'ils étaient de retour; ils cherchaient leurs passeports mais ne les trouvaient pas. Au bout d'un moment ils se réveillaient avec des sueurs froides. Chacun d'eux faisait ce même rêve. Au début de 1974, ma décision était déjà prise, je partirai! En les écoutant, je compris cependant que ce ne serait pas une partie de plaisir.

Ils savaient qu'ils ne pourraient jamais retourner voir leurs parents; ils devaient attendre que les membres de leur famille aient plus de soixante ans pour qu'on les laisse sortir, parce qu'ils n'auraient plus aucune valeur pour l'État. A l'idée de passer vingt ans ou plus sans voir mes parents, j'avais des frissons dans le dos.

Pendant mon séjour chez les Parma, je constatai que des milliers de Tchèques et de Slovaques vivaient dans la région de New York, grâce à l'aide d'églises, d'agences de voyages et de restaurants. Les Parma m'emmenèrent au

151

Duck Joint, restaurant à la mode tenu par Paul Steindler et sa femme, Aja Zanova, l'ancienne championne du monde de patinage artistique qui vivait à New York depuis 1951.

Aja est une championne grande, belle, intelligente, équilibrée, qui s'est longtemps produite dans les spectacles des Ice Follies avant de s'installer à New York avec Paul, tchécoslovaque lui aussi. Ils étaient, en 1974, au cœur de la vie politique et sociale de New York. Je rencontrais, dans leur restaurant, toutes sortes de célébrités. Ils connaissaient tout le monde : des hommes politiques, des acteurs, des hommes d'affaires. Ils me firent connaître la vie new-yorkaise.

D'après Aja, il n'existait pas de « communauté tchécoslovaque » à New York, malgré le nombre important de nos compatriotes qui y vivent. Pour sa part, elle était sans cesse harcelée par des appels à l'aide, ou en butte à la jalousie parce qu'elle avait réussi, alors que beaucoup en étaient réduits à des métiers qu'ils jugeaient humiliants.

Certains Tchécoslovaques constituent un réseau dès qu'ils sont à l'étranger et ils suivent de près les événements qui se passent dans leur pays. Bien entendu j'ai déjà été contactée, cependant je ne donne pas suite. Je ne fais pas de politique, ma famille non plus. Bien des choses de là-bas me manquent, je regrette surtout les paysages, mes amis, ma famille ; cela ne me pousse pas pour autant à m'enfermer dans une communauté regroupant tous les Tchèques et les Slovaques qui vivent aux États-Unis.

New York était la dernière étape de mon voyage. J'avais gagné dans un tournoi trois mille dollars que je devais remettre comptant à la Fédération tchécoslovaque dès mon retour à Prague. Ils n'étaient pas fous : comme tous les débrouillards qui essayaient de changer de l'argent sur la place Wenceslas, ils voulaient des dollars américains. L'économie était dirigée contre nous. Économiser était tellement difficile que le Tchécoslovaque normal n'avait aucun espoir de voyager. Le gouvernement achetait des dollars aux Américains, payait dix couronnes pour un dollar, ou même quatorze au cours des touristes; or les gens étaient tellement prêts à tout pour avoir des dollars qu'ils payaient jusqu'à vingt-cinq couronnes le dollar et même plus au marché noir. Puis ils entassaient leurs acquisitions dans des cachettes secrètes – dans leurs chaussures, dans un matelas, dans une vieille boîte de conserve dissimulée dans la cour – et les utilisaient pour faire des achats dans les magasins réservés aux touristes ou pour aller à l'étranger.

Bien entendu la Fédération tchécoslovaque voulait, elle aussi des dollars. Comme j'avais moins de dix-huit ans, je devais désigner quelqu'un qui encaisserait le chèque pour moi. J'eus recours à Jarmila Parma; elle était inquiète : « La Fédération se sert de toi comme convoyeur de fonds; je ne voudrais pas voir une fille de ton âge se promener dans New York avec trois mille dollars sur elle », me dit-elle. Finalement elle m'emmena à sa banque et encaissa le chèque. Son montant énorme ne me troublait pas outre mesure, habituée que j'étais à avoir de l'argent liquide sur moi en Tchécoslovaquie, où nous n'avions ni cartes de crédit ni chèques. Peut-être étais-je et suis-je toujours insouciante à ce propos. « Ne t'en fais pas, tout ira bien », dis-je à Jarmila.

C'est surtout au gouvernement tchécoslovaque qu'elle en avait; elle ne ménagea pas ses termes quand elle me mit dans un taxi et me fit promettre de l'appeler de l'aéroport. J'avais déjà entendu des histoires épouvantables : des chauffeurs de taxi peu scrupuleux faisaient parfois faire le tour de New York à des étrangers et leur réclamaient ensuite des centaines de dollars. Allais-je être escroquée par un chauffeur taxi new-yorkais, moi qui redoutais d'être grugée par ma propre Fédération?

Celle-ci m'annonça que j'étais trop jeune pour garder tout cet argent. Pourtant je n'avais pas été trop jeune pour le gagner sur le court. Ils me dirent, ces bureaucrates qui faisaient des affaires avec les constructeurs de matériel occidentaux, qu'ils contrôleraient tous mes endossements. Quelle lutte inégale!

La Fédération me donnait onze dollars par jour pour ma nourriture en 1973 et augmenta cette somme à dix-sept dollars en 1974; je réussissais à économiser et à rapporter des dollars chez moi. Le résultat c'est que je dépensais fort peu pour manger, ce qui ne convenait pas du tout à une athlète en plein entraînement; mais mes connaissances en diététique étaient absolument inexistantes à cette époque.

Je savais seulement qu'en rentrant à Prague j'allongerai trois mille dollars américains à la Fédération. Je me révoltais intérieurement: « Un jour ils ne l'auront pas, tout le fric que je gagnerai. »

Au cours de l'année 1974, je commençai à considérer l'argent autrement, car je fis la connaissance d'un homme d'affaires de Beverly Hills, Fred Barman, par l'intermédiaire de sa fille Shari qui avait fait partie de la première vague du circuit féminin. C'était à la suite d'une lettre de Shari, qui lui avait écrit pour lui demander un peu d'argent, que Fred avait participé à certaines aventures tennistiques. Shari et d'autres femmes m'avaient assuré que Fred serait capable de me trouver un bien meilleur arrangement avec la Fédération tchécoslovaque.

Pendant l'U.S. Open 1974 je m'entraînais un jour sur un court arrière à Forest Hills lorsque Fred passa sa tête au-dessus de la clôture et se présenta. Le soir, devant un café à l'hôtel Roosevelt, il m'expliqua qu'il avait réfléchi à ce qu'il pouvait faire pour ma carrière aux États-Unis. Le lendemain matin sa surprise dut être grande à l'heure matinale où je l'appelai (j'étais encore à l'heure de Prague, il était à celle de Los Angeles) pour lui dire: « Fred, j'ai besoin de vous. »

Il répondit à peu près: « Bien sûr, mais qui êtes-vous ? » puis il se déclara d'accord pour me représenter. Sa notoriété dans le showbiz et ses contacts dans le monde du tennis m'impressionnaient.

La Fédération tchécoslovaque ignorait complètement qui était Fred. Certains croyaient qu'il était mon amant, même quand ils voyaient sa femme superbe et ses quatre filles à peu près du même âge que moi. En réalité nous étions seulement amis. La Fédération n'a vu en lui, j'en suis persuadée, qu'une nouvelle étape dans l'américanisation de Martina.

Elle dut mieux comprendre lorsque Fred la contacta en vue de trouver un meilleur arrangement pour mes victoires sur le circuit. Mineure, je lui versais encore tous mes gains. Il parvint à un partage de quatre-vingts/vingt en ma faveur et il aimait toujours préciser que les vingt pour cent que je payais à la Fédération étaient « nets, nets, nets ».

Nous avions réussi cet arrangement juste à temps : certains signes montraient que j'allais ramasser beaucoup d'argent sur le circuit. Dès le début de l'année 1974, j'étais arrivée en finale à l'Open d'Italie (où j'avais été battue par Chris), en quart de finale en France contre Elga Masthoff ; j'avais dû m'incliner à Wimbledon dès le premier tour, mais j'avais passé deux tours à l'U.S. Open avant d'être battue par Julie Heldman. Je pris ma revanche contre Julie quelques semaines plus tard à Orlando, où je gagnai mon premier tournoi professionnel par 6-4, 7-6. J'ai gardé une photo prise juste après la balle de match, où l'on me voit, folle de joie, étreindre un lampadaire, faute de connaître quelqu'un à embrasser !

Les économies que j'ai faites pendant mes deux premières années de tournois aux États-Unis, je les ai données à mon père qui s'est acheté une voiture. C'était une Skoda, la marque d'un grand constructeur tchécoslovaque dont les usines avaient été nationalisées.

Autrefois, Skoda était synonyme de qualité ; sous le régime socialiste, une Skoda, c'est plutôt de la camelote.

La voiture était verte, d'un vert affreux, mais c'était notre première voiture. Nous étions enchantés.

Nous avions toujours rêvé d'en avoir une (à deux mille dollars à cette époque, il fallait un an et demi de salaire). Mes parents dépensaient quatre-vingt pour cent de leurs revenus (mon père gagnant environ cent dollars par mois et ma mère un peu moins) pour la nourriture et les frais courants.

A cette époque, environ un habitant sur vingt-cinq possédait une voiture. Nous ne nous en faisions pas une gloire. Simplement, nous étions ravis de voyager en famille; avant, mon père seul m'accompagnait à mes tournois, avec sa moto. Nous allions aussi à la campagne, à Prague. Depuis six ou sept ans, nous n'avions pas pris de vacances en famille parce que j'avais commencé le tennis sérieusement. Il était grand temps que ça change!

20

LA DÉCISION FORCÉE

A mon retour en automne 1974, j'envisageais déjà de quitter mon pays. Je voulais devenir une joueuse de classe internationale, je voulais vivre en Amérique, peut-être avais-je déjà l'idée de devenir un jour citoyenne américaine.

La Tchécoslovaquie était – EST – ma patrie. Moi qui tergiverse souvent, j'aurais été heureuse de garder un pied dans chaque pays. La décision allait être un déchirement. Je me promenais dans Revnice, dans une sorte de transe, en jouant avec ma chienne Babeta, un berger allemand qui n'était encore qu'un chiot. J'allais voir des copains, mon ami, je passais quelque temps chez ma grand-mère Subertova, et je faisais de longues promenades dans les montagnes surplombant la ville, contemplant la rivière, les maisons, et me demandant : « Es-tu vraiment prête à quitter tout cela ? »

Je ne l'étais pas. Mais alors que je débattais avec moi-même, les bureaucrates prirent la décision pour moi en créant des problèmes politiques tels que j'eus peur de ne plus pouvoir voyager.

Je commençais à régner sur le tennis féminin beaucoup plus que Jan Kodes, sur le tennis masculin ; il n'y avait d'ailleurs pas de rivalité entre lui et moi. Le problème se posait par contre avec Antonin Bolardt qui appartenait à la Fédération, et devint par la suite capitaine de l'équipe de Coupe Davis de Tchécoslovaquie. Lorsque nous avions, Renata Tomanova et moi, aidé à gagner la Coupe de la Fédération, l'équivalent féminin de la Coupe Davis, Bolardt et d'autres officiels tchécoslovaques avaient été jaloux.

Bolardt avait connu mon père à seize ou dix-sept ans; il commença donc à se plaindre à lui : je devenais « trop américanisée »; il ajoutait que je ferais mieux de changer d'attitude si je ne voulais pas avoir d'ennuis. C'était un chantage; ils pouvaient me démolir. J'ai toujours détesté les menaces. Nous subissions déjà celles des Russes; nous n'avions certes pas besoin de celles d'un concitoyen!

Vera Sukova, entraîneur pour les femmes, m'a soutenue : « Il faut te calmer. Tu vas avoir des problèmes et tous les autres plongeront avec toi. Joue le jeu. Aie du courage. Fais preuve d'intelligence », me disait-elle parfois.

« Tu peux faire ce que tu veux », me disaient mes parents. Et je me demandais : « Pourquoi pas ? » Je ne me sentais pas l'âme du Brave Soldat Svejk : je ne sourirais pas comme une idiote en disant que j'exécutais les ordres. J'avais dix-huit ans, et je me prenais pour un grand personnage.

Finalement, avec de vagues menaces, on me donna l'autorisation d'aller aux États-Unis pour le circuit de printemps des Virginia Slims. Cette fois j'étais prête. Au troisième tournoi de la saison, je fonçai sur Chris en quarts de finale à Washington, D.C., et la battis 3-6, 6-4, 7-6.

La vraie démonstration de mes progrès fut faite le lendemain. Très souvent, si une joueuse remporte une grande victoire, elle se fait battre le lendemain, parce qu'elle s'est trop dépensée et a eu trop d'émotions. Mais moi, je battis d'abord Virginia Wade puis, en deux sets, Kerry Melville. Et je remportai le tournoi. J'avais ainsi démontré que j'étais capable d'enchaîner plusieurs victoires contre de fortes adversaires. Un mois plus tard, je battis Virginia, Margaret et Evonne, toutes dans des matches en trois sets, à l'U.S. Indoors de Boston, ma plus grande victoire jusqu'alors. Je jouais aussi en double avec Chris et j'étais épuisée en arrivant en finale face à Evonne. Jamais encore je n'avais gagné un seul set face à elle; il m'était particulièrement difficile de contre-attaquer sur son service avec mon petit revers insignifiant. Cependant, je progressais presque de jour en jour, beaucoup grâce à mes propres efforts et à quelques conseils de Billie Jean. Des journalistes tels que Bud Collins du Boston Globe, frappés de cette victoire, me rendirent véritablement honneur.

Avec le recul il me semble que 1975 a été en quelque sorte l'âge d'or du tennis féminin, (même s'il est délicat de faire des comparaisons entre des joueuses d'époques différentes). Billie Jean jouait surtout en double, Rosey constituait une menace, Margaret était toujours tenace, Virginia atteignait sa maturité, Chris dominait, sans parler de Betty Stove Olga Morazova, Kerry Melville, Diane Fromholtz, Nancy Richey.

Toutes, nous pensions que nous étions à l'aube d'une nouvelle ère du tennis féminin, or nous étions au zénith.

Que sont devenues les grandes joueuses qui devaient prendre le relais? Tracy Austin a eu des ennuis de santé, Andrea Jaeger a des problèmes, Pam Shriver et Hana Mandlikova tiennent bon, Virginia Ruzici et Sylvia Hanika ont décliné, et beaucoup de jeunes joueuses ont disparu avant même d'être connues. Il y a un vide à l'heure actuelle : les joueuses de vingt-cinq ans sont très peu nombreuses.

Les jeunes se découragent-elles devant Chris et moi, craignent-elles que nous restions encore longtemps à la première place? Je n'en sais rien. Elles attendent peut-être que le succès leur tombe tout cuit dans le bec? Elles ne veulent peut-être plus faire tous les efforts que nous avons faits, Chris et moi? Qui sait? Moi, à dix-huit ans, je ne rêvais que de battre toutes les grandes joueuses, l'une après l'autre, comme Old Shatterland descendait tous les méchants au temps où je jouais aux cow-boys et aux Indiens.

J'aurais dû rentrer en Tchécoslovaquie après ma victoire à Boston. Mais je décidai de rester pour un autre tournoi qui devait se dérouler la semaine suivante à Amelia Island. C'était mon travail, j'étais une professionnelle. Et j'avais envie de profiter du soleil printanier de la Floride; quelque chose me disait qu'il brillerait certainement plus fort qu'à Prague.

J'ai agi stupidement, comme une gosse. Je n'ai pas prévenu, je n'ai pas demandé d'autorisation à Prague. Je n'ai même pas écrit à mes parents. Au milieu du tournoi, je reçus un télégramme d'eux : ils étaient inquiets. Puis ils m'ont téléphoné, en larmes : je ferais mieux de rentrer, qu'est-ce qu'il m'arrivait? Je les ai rassurés, en promettant de rentrer dès la fin du tournoi.

La Fédération de Tennis ne vit pas les choses du même œil. Ils m'envoyèrent un télégramme m'ordonnant de rentrer immédiatement. Je pleurai. Billie Jean me consola : « Ne t'en fais pas, ça se passera bien, mais tu ferais peut-être quand même mieux de rentrer. » Néanmoins je restai. Finalement, l'un des officiels, Edie McGoldrick, envoya un télégramme pour confirmer que tout allait bien, que je rentrerai à la fin du tournoi. J'arrivai en finale, fus battue par Chris, retournai chez moi et là, j'eus de gros ennuis.

Peu après mon retour, les membres de la Fédération vinrent me reprocher d'être « trop américanisée ». Qu'entendaient-ils par là? Cela signifiait, m'expliquèrent-ils, que j'aimais trop les États-Unis, j'étais trop amie avec les joueuses américaines, Chris, Billie Jean et Rosie; ils souhaitaient que je suive davantage les directives des officiels tchécoslovaques. Dans un sens, ils avaient raison. Je voulais être libre de choisir moi-même mes amis, et je ne participais même pas aux réjouissances organisées par la Fédération tchèque pendant les tournois.

Ils me traitèrent de « nafoukana » (tête en l'air) et me sommèrent de rester aux côtés du peuple tchécoslovaque et des joueurs de l'Est. Je ne voulais pas les comprendre. Nous étions tous sur le même circuit, et nous étions tous des professionnels du tennis. Pourquoi être amie avec les uns et pas avec les autres? Pourquoi étions-nous toujours accompagnés par un surveillant? Pour nous empêcher de choisir librement nos amis?

On m'autorisa à participer aux Internationaux de France; en principe je devais rester avec les Tchécoslovaques, mais les têtes de série avaient le droit de loger dans un grand hôtel. Comme j'étais classée deuxième et que je jouais en double avec Chris, j'aurais trouvé tout naturel d'aller dans le même hôtel qu'elle. J'ai vite déchanté : il était si cher que ç'aurait été ridicule, mais je trouvais que j'avais gagné le droit d'y aller. Je me souviens que Chris a payé deux cents dollars de teinturerie!

Après avoir été battue par Chris en finale, je repartis dans mon pays où on m'en fit voir de toutes les couleurs; je me demandais si on me laisserait aller jouer à Wimbledon. On insinua que je souffrais parce que j'avais une liaison aux États-Unis et que j'avais peur de ne jamais revoir l'homme que j'avais laissé là-bas. C'était faux. Je n'avais aucune liaison, je voulais seulement jouer au tennis.

On m'accorda finalement la permission, mais j'en avais plein le dos. « Il faut que je parte », répétais-je à mon père. Il n'y a pas beaucoup de gens qui le savent, mais nous avions prévu de nous enfuir tous ensemble en famille, pendant Wimbledon. Fred Barman entreprit les formalités pour que mes parents, Jana et moi-même allions à l'ambassade américaine juste après le tournoi. Nous en avons discuté pendant toute la durée de Wimbledon. Un jour mes parents étaient d'accord : « Oui, nous partons », le lendemain c'était non.

Mon père hésitait parce qu'il craignait d'être à ma charge. Qu'arriverait-il si, par suite d'une blessure, je ne pouvais plus jouer ? Comment trouverions-nous de l'argent ? C'était très curieux ; il avait toujours été convaincu que je deviendrais une grande joueuse et maintenant que j'étais sur ma lancée, il craignait que je n'y arrive pas. D'ailleurs, lui et ma mère ayant toujours travaillé, il ne leur était jamais venu à l'idée d'être à la charge de leur fille.

Nous eûmes quelques soirées tendues en Angleterre, et en quart de finale je perdis tous les sets face à Margaret Court. Sans ce complot qui marchait mal, j'aurais probablement dû m'incliner devant son expérience, mais je n'aurais pas été battue à plate couture.

Le comble, c'est que nous nous sommes tous dégonflés. Nous avons pris quelques jours de vacances en France, sur la Côte d'Azur, puis nous sommes retournés en Tchécoslovaquie où les championnats nationaux avaient lieu à Pilsen, au club où je devais jouer quand les Russes arrivèrent en 1968.

Dès que les gens nous virent, ils réagirent comme s'ils avaient vu des fantômes. Ils nous montraient du doigt et chuchotaient derrière notre dos. Bolardt avait en effet déjà répandu le bruit que nous nous étions enfuis. Malgré notre retour, les autres se méfiaient encore plus de nous qu'auparavant.

Je devais jouer dans un tournoi junior en France la semaine suivante. Un jour Vera Sukova me téléphona : « Tu ne vas pas en France ! »

– Et pourquoi ?

– Nous voulons donner à de plus jeunes que toi la possibilité de jouer dans une compétition internationale.

Je compris immédiatement que c'était un coup monté. Ils me trouvaient toujours trop américanisée et me faisaient comprendre qu'ils pourraient m'empêcher d'aller à l'U.S. Open. C'était un raisonnement typiquement communiste. Le gouvernement tchécoslovaque m'avait consacré beaucoup de temps, d'argent et d'énergie, et il manifestait une certaine nervosité maintenant que j'arrivais au but. Il ne s'agissait pas seulement d'empêcher ma fuite. Leurs brimades prouvaient qu'ils n'admettaient pas qu'une Tchécoslovaque soit devenue un personnage dans le circuit féminin et commence à avoir ses propres idées sur son entraînement, sa façon de jouer, sa participation à des tournois. Ils voulaient me contrôler totalement; or, plus je gagnais d'argent, moins ils le pouvaient. Ils empêchaient le talent de s'épanouir par crainte que cet épanouissement ne les dépasse et ne leur échappe. Je n'allais pas rester sans réagir.

Trois semaines avant l'U.S. Open, je tentais toujours de prendre une décision lorsque je dus aller aux Championnats d'Europe Amateurs à Vienne. On me considérait toujours comme amateur alors que, grâce à Fred Barman, je gardais quatre-vingts pour cent de mes gains.

Quelle folie de me pousser à bout! Avec tout l'argent que je gagnais, j'aurais constitué un atout pour leur économie, et avec celui que je gagne maintenant, j'aurais fait faire un bond à leur produit national brut. Mais ils sont prisonniers de leur propre système.

A mon retour je demandai la permission d'aller à New York. Mon ancien camarade de Sparta, Jan Kodes, en parla avec certains gros manitous de la Fédération qui étaient totalement pour moi. Stanislas Chvatal, un homme très sympathique et très droit, ami de mes parents qui plus est, était aussi de mon côté. Toutefois il appartenait à Antonin Himl, président de la Fédération, de prendre la décision finale.

Himl était sympathique; mais il avait eu vent des

bruits répandus par Bolardt sur ma volonté de m'enfuir; il convoqua une réunion dans son bureau au ministère des Sports. La réunion se déroula dans la courtoisie. J'expliquai que je ne voyais pas pourquoi on m'empêchait de jouer, que je n'avais pas l'intention de m'enfuir ce qui, alors, était vrai. Je n'étais pas entièrement décidée à le faire.

Kodes et quelques autres insistèrent auprès de Himl pour qu'il me laisse partir, en précisant que je serai très bien classée à Forest Hills et qu'une bonne démonstration de ma part serait excellente pour l'image de marque du pays. Finalement Himl décida que je pourrais jouer à l'Open et dans le tournoi qui le précédait, dans le comté de Westchester, à condition que je revienne immédiatement après.

Je sentais le contrôle se renforcer : j'étais déjà une professionnelle, et on me traitait comme une petite fille, on me parlait de terminer mes études. Je me demandais si on me laisserait encore sortir de nos frontières, après l'U.S. Open.

Je pouvais voir que le peuple tchèque n'était pas heureux. On sentait chez les gens une grande tristesse, une profonde mélancolie, ce sentiment de « litost » si bien décrit par l'écrivain Milan Kundera. Dans ce système, je n'entrevoyais pas de possibilité d'être bien dans ma peau, de décider moi-même de ma vie. Si je restais, je leur appartenais. Ma vie ne serait jamais la mienne.

La veille de mon départ pour l'Open, mon père m'emmène le soir faire une promenade le long de la rivière. « Si tu es prête à t'enfuir, reste là-bas. Ne nous écoute pas si nous te demandons de revenir. Reste. Mais rappelle-toi bien : ta décision sera irréversible, sans appel », me dit-il.

Je n'en dis pas un mot à ma mère; mais elle était suffisamment perspicace pour deviner ce que je lui taisais. A sa façon de se frotter nerveusement les mains et de fumer trop de cigarettes, je comprenais; elle savait que je pourrais ne jamais revenir. Elle m'avait demandé de ne pas la prévenir si, un jour, j'étais prête à m'enfuir. Je ne l'ai donc pas avertie – creusant ainsi un fossé de plus entre les deux temporisatrices que nous sommes, qui s'aiment trop pour oser s'en parler!

Je ne veux pas avoir l'air de pleurnicher sur mon départ. Simplement, je l'évoque comme un moment douloureux, une déchirure, une souffrance avant ma renaissance dans le pays de la liberté. Je quittai ma patrie à dix-huit ans, à l'âge où on fonce, tête baissée, pressé de montrer au monde sa nouvelle maturité encore intacte. Plus âgée, j'aurais davantage hésité, mais à dix-huit ans, l'optimisme triomphe. Pourquoi être inquiète? Je connaissais le pays et sa langue.

Sans dire adieu à ma sœur, ni à ma grand-mère, ni à mes amis, je fis mes valises. Après une nuit agitée, je me retrouvai à l'aéroport.

Je savais que je risquais de ne jamais revoir ma famille, ni mon pays natal.

21

LE GRAND PAS

Ma décision définitive fut prise sur un court de tennis. Troublée et apeurée, je participais à un tournoi d'entraînement dans le comté de Westchester, près de New York. Je fus écrasée en quart de finale par Diane Fromholtz, par 6-4, 6-2. J'étais la proie d'une anxiété folle, dans un état de nerfs et de dépression tel que je ne savais plus où j'en étais.

« Cela ne peut plus durer! Chaque fois que je rentre dans mon pays, je me demande si on me donnera l'autorisation d'en ressortir. Il est temps de réagir », me disais-je.

J'appelai donc Fred Barman. Pauvre Fred! Jusqu'à présent, il n'avait fait que s'occuper des intérêts de quelques célébrités du showbiz, et voilà qu'il allait être impliqué dans une intrigue internationale!

« Fred, je veux rester ici, je ne veux pas repartir. Pouvez-vous vous en occuper? »

Il m'a répondu que si c'était vraiment ce que je voulais, il m'aiderait de toutes ses forces. Il n'a essayé ni de m'encourager, ni de me faire reculer. Il m'a traitée comme une adulte, pas comme une gamine de dix-huit ans en plein désarroi. Devant ma détermination, il m'a mise en contact avec un de ses amis, avocat à Washington, qui avait l'expérience des affaires compliquées, mais qui n'avait encore jamais défendu la cause d'un ressortissant des pays de l'Est désirant passer à l'Ouest. Il a donc communiqué le dossier au F.B.I., où il connaissait des gens.

Pendant ce temps, Fred m'obtint un rendez-vous au bureau new-yorkais du Service de l'Immigration et de la Naturalisation, pour que je commence à remplir les papiers administratifs nécessaires à ma nouvelle situation.

Ces événements se déroulaient pendant l'U.S. Open. A l'hôtel, j'espérais que personne ne remarquerait que je passais plus de temps avec des hommes en complet veston portant des attachés-cases qu'avec des gens en short munis de raquettes de tennis.

J'avais peur que les représentants de la Fédération tchécoslovaque ne découvrent ce qui se tramait. Leur contrôle s'était quelque peu relâché; cependant, ils venaient sans cesse me demander de mes nouvelles. Fred et son avocat m'annoncèrent que j'avais la protection du F.B.I. Mais pourquoi? Je commençais à m'étonner. Sur le court, j'observais des hommes en imperméables qui me semblaient mutuellement s'espionner. Lequel était l'agent tchécoslovaque, lequel l'américain?

En dépit de toutes ces angoisses, je me débrouillais bien à l'Open. Sur le court, j'oubliais tout, et dans une robe éclatante et fleurie de Ted Tinling, que j'aimais « parce qu'elle me ressemblait », je virevoltais, j'explosais. Je battis Margaret Court en quart de finale, et m'inclinai devant Chris 6-4, 6-4, après une belle demi-finale.

Les journalistes prétendirent que Chris me faisait perdre mes moyens et que, face à elle, j'étais incapable de me concentrer. En fait, ce qu'ils ignoraient, c'était que j'avais rendez-vous, le soir même, au Service de l'Immigration et de la Naturalisation, à l'ouest de Manhattan.

167

Fred m'accompagna. On aurait dit un film, et que nous étions les acteurs de « La Gauchère qui venait du froid ». Quand nous sommes sortis de l'ascenseur, Fred et moi, nous sommes tombés sur des bureaux complètement vides. Rien ne peut être aussi désert que l'était, ce vendredi soir, cet immeuble officiel de Manhattan.

Fred avait l'habitude de traiter avec des acteurs et des chanteurs de Hollywood, à Beverly Hills, mais pas avec des services secrets dans des bureaux abandonnés. Moi, ça ne me faisait pas peur : j'avais traversé si souvent le Rideau de Fer!

Finalement, l'agent de l'Immigration arrive, se présente, retire son blouson et le pose sur une table. Fred me jette un coup d'œil inquiet : il porte sous le bras, fixé par une courroie, un énorme revolver. Pourquoi diable a-t-il besoin de cet engin?

– Puis-je voir votre passeport?

Je le lui tends. Il le prend et sort de la pièce. L'angoisse de Fred est à son comble.

– Qu'allons-nous faire s'il ne revient pas? murmure-t-il. J'affirme :

– Il reviendra!

J'aurais bien voulu en être sûre.

Il est revenu : il était simplement allé en faire une photocopie.

Puis il demande à rester seul avec moi. Fred est persuadé que l'on va m'enfourner dans un taxi, me faire une piqûre et m'embarquer dans le premier avion pour Prague. J'avais moins peur que lui, pourtant je savais bien que certains candidats à l'immigration avaient bizarrement disparu sans laisser de traces.

J'avais raison d'avoir confiance. L'homme au gros revolver voulait seulement que je réponde à quelques questions essentielles : pour quelle raison voulais-je quitter mon pays? Quels étaient mes projets aux États-Unis? J'avais l'impression que mes affaires étaient en bonne voie.

Pendant ce temps, Fred se rongeait les sangs dans le hall. Quand je ressors, il me raconte que deux hommes l'ont approché et se sont présentés comme des agents du F.B.I. chargés de l'affaire; l'un d'eux lui a dit être né en Tchécoslovaquie et pouvoir servir d'interprète.

Fred, méfiant, ne les croit pas. Il leur demande une pièce d'identité; ils lui tendent poliment leur carte.

– Je ne suis pas convaincu, leur dit-il. N'importe qui peut fabriquer une carte ou voler un insigne.

Finalement, Fred téléphone avec leur accord à l'un de ses copains qui connaît parfaitement le fonctionnement du F.B.I. Celui-ci lui confirme qu'ils sont bien des agents du F.B.I., il se calme.

A l'intérieur, l'agent m'explique: « Nous allons essayer de garder le silence aussi longtemps que nous le pourrons. » Puis, il me conseille de me tenir tranquille jusqu'à ce que tout soit arrangé.

Nous sommes sortis de l'immeuble à 22 h 30 le vendredi, et Fred m'a raccompagnée directement à l'hôtel Roosevelt. Le lendemain matin, samedi, le C.B.S. News m'appelle au téléphone. Ils m'envoient un reporter à l'hôtel pour une interview. Persuadée que c'est pour le tennis, je suis très polie : « Pourquoi pas sur les courts? D'accord? » Ils ont l'air très pressés, mais acceptent.

Cinq minutes plus tard, je reçois un appel de Vera Sukova.

– Pourquoi as-tu fait ça? hurle-t-elle.

– Fait quoi?

– Pourquoi as-tu fait ça?

Je comprends qu'elle sait que j'ai demandé l'asile politique. Elle me dit qu'elle va venir à l'hôtel pour m'en dissuader. Elle ne réussira pas, je le sais; ma décision est définitive. Mais je ne veux pas de drame. Ce n'est pas le moment. Je dois d'abord savoir qui est au courant. J'avais confiance en Vera, mais je devais redouter un éventuel ravisseur, muni d'une seringue.

– Ils savent, dis-je à Fred au téléphone.

169

– Fais tes valises et sors aussi vite que possible, me répond-il.

Je m'habille et fais ma valise en un quart d'heure, tandis que Fred prend des dispositions pour me cacher dans l'appartement de Jeanie Brinkman à Greenwich Village. A cette époque, Jeanie était chef de publicité du circuit Virginia Slims.

Nous prenons un taxi, Fred et moi, en emportant les raquettes et ma valise. Tandis que nous roulons dans la Deuxième Avenue à soixante à l'heure comme tous les taxis new-yorkais, le chauffeur se retourne :

– Vous avez entendu parler de la joueuse de tennis tchécoslovaque qui s'est enfuie ? demande-t-il.

Fred lui confirme qu'il est au courant et le prie de regarder devant lui. Enfin, nous arrivons chez Jeanie.

Après m'y être installée, j'allai à Forest Hills et constatai que le Washington Post publiait tout un article en première page annonçant la grande nouvelle de ma fuite. J'étais ébahie. La colère montait en moi. J'avais quitté le Bureau de l'Immigration le vendredi soir à 22 h 30; quelqu'un avait dû travailler comme un fou sur ce scoop pendant la nuit. J'essayais de comprendre comment la nouvelle avait pu filtrer. En vain. Le mystère reste d'ailleurs entier.

Tous les journalistes voulaient une interview. Jeanie décida alors d'organiser une conférence de presse au cours de laquelle je raconterais tout. Jamais je n'aurais imaginé que je serais l'objet d'une telle curiosité. J'étais devenue une attraction, une bête de foire. Je donnai quelques brèves interviews aux principales chaînes de télévision, une à la radio, et enfin une grande conférence de presse.

– Je voulais ma liberté, répétai-je inlassablement.

Les journalistes américains insistaient pour savoir si j'avais un amant dans leur pays ou si je voulais gagner plus d'argent. Ils ne comprenaient donc rien. Il faut avoir vécu en Europe de l'Est pour connaître le prix de la liberté. J'insistais bien sur le fait que je ne partais pas pour des raisons politiques, mais je ne pus m'empêcher d'ajouter :

– Ceux qui se plaignent ici devraient aller dans les pays communistes ou même dans les états socialistes, ils comprendraient! Ils ne gémiraient plus que tout est cher aux États-Unis. Qu'ils aillent en France, ils verront. Il faut être fou pour manifester ici!

– Ferez-vous des études? me demandèrent-ils.

– Pour quoi faire? rétorquai-je.

Désormais, mon école était le tennis féminin.

– Je veux seulement faire les championnats et jouer quand je veux et où je veux, déclarai-je.

Fred continuait à craindre que les Tchécoslovaques ne me kidnappent; il me convainquit de rester cachée quelques jours dans l'appartement de Jeanie. Le premier soir, elle m'emmena dîner dans un restaurant du quartier qu'elle connaissait et dans lequel se trouvait une arrière-salle avec seulement deux tables. Nous avons vite été nous y réfugier, poussant un profond soupir de soulagement en nous asseyant. Le dîner fut très gai; à la fin, Jeanie leva son verre : «A la tienne, Martina», me dit-elle.

A l'autre table, quatre hommes nous regardèrent et aussitôt se levèrent : «Nous portons un toast à votre santé, Martina. »

– Vos papiers, s'il vous plaît, demanda Jeanie.

Le Département d'État assura ma protection jusqu'à ce que mes papiers soient en règle. Il veilla sur moi pendant les quelques jours où Svatka m'emmena chez des amis à elle au nord de l'état de New York.

Selon un rapport officiel, mon père, apprenant mon immigration, aurait déclaré : «Nous sommes atterrés» et mon grand-père : «Quelle petite idiote, pourquoi a-t-elle fait ça?» Je n'en ai rien cru. Tout ça sentait l'exagération. Je savais que mes parents respecteraient ma décision.

171

Un jour ou deux après, cependant, ils me téléphonèrent pour me demander de revenir avant d'avoir des ennuis avec le gouvernement tchécoslovaque. Ils essayaient, j'en suis sûre, de se comporter en bons citoyens; malgré tout, je leur confirmai que ma décision était définitive; j'ajoutai que j'espérais les revoir dès que possible. Je savais tout au fond de moi qu'ils me comprenaient.

Deux semaines plus tard, la Fédération publia cette déclaration : « Martina Navratilova a subi une défaite aux yeux de la société tchécoslovaque. Navratilova avait toutes les possibilités de développer son talent en Tchécoslovaquie, mais elle a préféré une carrière professionnelle et un gros compte en banque. Elle n'a pas compris qu'elle avait encore besoin de formation. »

Au cours de ces deux semaines, je jouai à Atlanta et à Charlotte en Caroline du Nord. Quelle ne fut pas ma surprise d'entendre les ovations de la foule! Dans le Sud, on m'approuvait beaucoup d'avoir demandé l'asile politique. En une nuit, j'étais devenue une célébrité, et ce n'était pas seulement à cause de mon tennis. Je souhaitais maintenant, de tout mon cœur, la carte verte qui me permettait de rester définitivement aux États-Unis.

Le tournoi suivant avait lieu à Denver; toujours anxieux, Fred m'accompagna, avec l'agent du F.B.I. qui parlait tchèque.

Soudain, dans ma chambre d'hôtel, le téléphone sonna. C'était Vera Sukova. J'ignorais sa présence à Denver et le seul fait d'entendre sa voix me bouleversa. Dans mon âme, la peur se mêlait à la tristesse en l'écoutant me parler. Elle voulait me rencontrer, et tenter de me convaincre de ne pas quitter notre pays.

Fred, fermement, s'opposait à cette entrevue, mais je pensais lui devoir une explication, car elle avait toujours été très correcte avec moi, et elle n'était pour rien dans cette affaire. Je sentais bien qu'elle agissait sur ordre et que les autorités l'avaient chargée de me dissuader de partir.

172

– Quelqu'un de l'ambassade voudrait te voir, me dit-elle.

– D'accord, répondis-je. Au fond de moi-même, je savais parfaitement qu'ils ne me feraient pas revenir sur ma décision, et je n'ignorais certes pas les dangers que je courais. Fred devenait fou.

Je devais retrouver cet agent de l'ambassade au bar de l'hôtel, en terrain neutre, en quelque sorte! Fred et l'agent du F.B.I. m'accompagnèrent en bas, puis allèrent se planter dans le hall. Vera arriva, accompagnée d'un membre de l'Ambassade tchécoslovaque que je n'avais jamais rencontré.

Nous allâmes nous asseoir dans un coin et cet homme commença à me raconter qu'il comprenait, qu'il avait un fils du même âge que moi, qu'on devait beaucoup pardonner à la jeunesse. Au début, je ne comprenais pas ce que ce discours avait à voir avec ma situation. Puis, il ajouta que si je rentrais, il ne m'arriverait rien, que tout serait oublié. Il arrangerait les choses.

On me laisserait faire ce que je voudrais, m'expliqua-t-il, à condition que je rentre avant le 30 octobre, date d'expiration de mon visa. Passé ce délai, si je revenais, on commencerait par me mettre en prison pour deux ans.

Au mot « prison », je compris à quelles difficultés je serais confrontée si je remettais les pieds dans mon pays. J'entendais encore mon père me dire : « Ne reviens jamais quoi que nous te disions. Ils pourraient nous pousser à te demander de revenir et nous serions tellement bouleversés que nous le ferions, mais ne te laisse pas faire. Le temps passera et nous viendrons te voir, mais surtout ne reviens pas. »

Pendant cet entretien, les paroles de mon père hantaient mon esprit. Je tins bon. Au bout de deux heures de discussion, je m'impatientais. Ils devaient se rendre à l'évidence : je ne rentrerais pas.

Je me sentais déjà complètement détachée. Même si j'étais navrée de pousser Vera dans une sale situation, je savais que je le ferais. Cette affaire la faisait souffrir. Elle m'aimait bien, elle voulait que je reste dans l'équipe et pensait qu'elle pouvait tout arranger. Moi, déjà, j'étais loin...

Par la suite, jusqu'à ce qu'elle meure d'un cancer en 1982, nous avons continué à nous saluer, mais nous n'avons jamais parlé du passé. Elle-même, Jan Kodes et quelques autres officiels ont été accusés, à tort, de m'avoir laissée partir; en fait, ils ignoraient totalement que je ne reviendrais pas. J'ai toujours éprouvé une certaine tristesse à l'idée qu'ils avaient dû souffrir à cause de mes actes.

Je ne pense pas que l'envoyé de l'Ambassade, lui, ait eu à en souffrir. Il a vraiment fait tout son possible pour jouer sur mes sentiments patriotiques, et pour m'inspirer une crainte salutaire des autorités tchèques. Toute cette scène finit par me donner envie de rire. L'homme de l'Ambassade se plaignait d'avoir été suivi depuis Washington. Vera, elle aussi, prétendait avoir été suivie. Je les croyais paranoïaques. En réalité, c'était vrai : lui avait été suivi par un agent du F.B.I. et quant à Vera, c'était Fred qui s'était chargé d'elle. J'avais beaucoup plus peur, pour moi, des Tchèques que des Américains. Mais Vera raisonnait encore, elle, en Tchécoslovaquie et essayait de me communiquer sa propre peur.

L'entretien a tout de même été très cordial. Je me sentais tranquille, sûre de moi. Je sentais que dès que je lui demanderais de s'en aller, Vera le ferait. Au bout de deux heures, nous nous sommes serrés la main, et ils sont vraiment partis.

Je n'étais pas au bout de mes peines.

Je suis restée à Denver jusqu'à la fin de la semaine et, finalement, j'ai gagné le tournoi. Un après-midi, Fred sortit de ma chambre d'hôtel et descendit un étage pour aller jusqu'à la sienne. Dans la cage d'escalier, il aperçut près d'une fenêtre seize mégots de cigarettes entassés. Quelqu'un avait dû rester en faction à cet endroit.

Il se précipita à la réception pour le signaler : apparemment, personne n'était au courant. Après, nous nous demandions sans cesse : « Les nôtres ou les leurs ? » Jamais je n'ai eu la moindre preuve que les Tchécoslovaques me suivaient. Pendant un certain temps, je fus escortée par des agents du F.B.I., dont l'un était Indien. J'avais joué si souvent aux cow-boys et aux Indiens quand j'étais enfant qu'il me semblait que la fiction et la réalité, désormais, se confondaient. J'étais devenue l'héroïne de mes romans enfantins.

En fait, toutes nos craintes furent sans fondement. Après la visite au bar de l'hôtel, personne n'essaya de m'obliger à rentrer. Une semaine plus tard, alors que je jouais à Mission Viejo, en Californie, on m'avisa par téléphone que ma carte verte m'attendait au Service de l'Immigration. Après une nuit blanche, les yeux brillants d'émotion, nous avons sauté dans l'avion, à l'aube, Fred et moi. Nous avons bu au moins six tasses de café en attendant l'ouverture du bureau. A huit heures, nous sommes entrés, et on m'a donné ma carte. Je l'avais attendue trente jours. Personne ne l'avait jamais eue plus vite que moi, sauf deux immigrants à qui Ronald Reagan, à l'époque où il était gouverneur de Californie, l'avait fait obtenir en trois jours.

Jamais je n'ai pensé que je trahissais mon pays. Je n'avais aucun remords. Je savais depuis longtemps que je resterais aux États-Unis pour y vivre. Il me fallait désormais attendre cinq ans pour être citoyenne américaine, cinq ans pendant lesquels je devais éviter de survoler un territoire communiste : on aurait pu m'obliger à sortir de l'avion s'il avait dû faire une escale forcée. Je n'allai prendre aucun risque.

La seule façon de devenir américaine plus rapidement aurait été d'épouser un Américain; ma situation serait aussitôt devenue légale et j'aurais même pu retourner en Tchécoslovaquie. Pourtant, je ne me suis pas mariée. La solution, en fait, aurait été mauvaise : la presse aurait commencé à me questionner sur mon mari, à me demander pourquoi nous n'étions pas toujours ensemble.

En réalité, c'est pour une autre raison que ce n'était pas une bonne idée.

22

UNE NOUVELLE VIE

Il devait y avoir un autre bouleversement dans ma vie, cette année de mes dix-neuf ans. Je découvris que mes coups de cœur pour certains de mes professeurs étaient bien autre chose qu'une phase de mon enfance.

Dès mes premiers séjours aux États-Unis, je m'étais sentie plus à l'aise avec les femmes qu'avec les hommes. L'échec de ma première histoire d'amour n'y était pour rien; je n'en avais gardé aucun ressentiment envers la gent masculine. J'aurais peut-être été plus à l'aise avec eux si j'avais été plus jolie; pourtant, toute mon enfance, j'avais joué avec des garçons, j'avais été leur compagne de jeux. J'aimais bien les hommes. Simplement, je préférais la compagnie des femmes. Au départ, il y avait eu mon amour pour la liberté; et j'avais découvert qu'aux États-Unis les femmes pouvaient être libres, faire de leur vie ce qu'elles voulaient. Dans le monde du tennis professionnel, je voyais les femmes prendre leurs décisions toutes seules, des plus simples : choisir les films qu'elles allaient voir, s'habiller comme il leur plaisait, manger ce qu'elles voulaient – aux plus importantes : celles qui concernaient leur carrière, leurs affaires. Elles ne laissaient pas les hommes décider de leur vie. Je n'étais pas en train de devenir une militante féministe, non, j'ai horreur de tous les dogmes. Simplement, je me sentais bien au milieu de ces femmes qui faisaient ce qu'elles voulaient, et je les admirais. Bien entendu, certaines d'entres elles étaient homosexuelles, mais ce n'était pas cela qui me plaisait. Mes sentiments étaient beaucoup plus complexes. Mais peu à peu je me rendais compte que j'étais attirée par les femmes aussi bien sexuellement et sentimentalement que socialement et intellectuellement.

Au fond, je n'avais pas changé : depuis mon enfance, les hommes éveillaient beaucoup moins ma curiosité que les femmes. Je me rappelais certaines de mes professeurs, le besoin que j'avais de rester près d'elles, de scruter leurs gestes, la façon dont je buvais leurs paroles et essayais de découvrir tous leurs secrets.

Adolescente, j'avais été une jeune fille comme les autres : j'avais ma famille, j'avais mon tennis, et j'avais un petit ami. Je n'avais jamais eu de relation amoureuse avec une femme, et personne ne m'avait jamais trouvée « différente ».

Mais, surtout depuis que je voyageais, que je lisais les magazines, j'avais pris conscience de l'existence de l'homosexualité. J'avais rencontré des homosexuels, il y avait même, dans les grandes villes, des couples d'homosexuels qui ne se cachaient pas.

L'homosexualité ne me paraissait ni étrange ni choquante. Je ne comprenais pas qu'on en fasse des plaisanteries, ou qu'on traite les homosexuels de malades.

En Tchécoslovaquie, les homosexuels sont considérés comme fous, et soignés comme tels : on les envoie dans les hôpitaux psychiatriques. Quand on en parle dans les journaux, c'est pour les traiter d'invertis, de malades.

Aux États-Unis, en revanche, l'homosexualité était mieux tolérée, je le savais. Je n'avais donc pas de raison d'avoir peur. Je ne me suis pas dit non plus : « Je suis bizarre, anormale, que vais-je devenir? » Mais j'avais besoin de temps, il y avait d'autres choses dans ma vie que je voulais mettre en ordre. Et puis, je n'avais pas gardé un si bon souvenir de ma première expérience sexuelle, et je n'étais pas très pressée d'en tenter une seconde.

J'ai attendu. En fait, à dix-huit ans j'avais déjà compris ce que signifiaient les petits coups de cœur que j'avais eus pour certaines joueuses américaines depuis mes premiers voyages. Et finalement, la première fois que j'ai fait l'amour avec une femme, tout m'a paru très naturel. C'était une américaine, elle était plus âgée que moi. Sans expérience et timide comme je l'étais, je n'osais pas, au début, répondre à ses gestes tendres. Elle m'a prise dans ses bras, je me suis blottie contre elle, et tout est devenu simple. Elle savait ce qu'elle faisait. Il n'y eut ni fleurs, ni souper aux chandelles. Mais je me sentais détendue, heureuse d'être dans ses bras, de me laisser guider. Et le lendemain matin, j'étais follement amoureuse. Quand allons-nous nous revoir? Qu'allons-nous faire ensemble? Je l'aimais, comme dans les romans, et tout était merveilleux.

Peu de gens étaient au courant, et de toute façon je n'imaginais même pas qu'il pouvait y avoir le moindre problème. J'avais beau être un des espoirs du tennis féminin international, je ne pensais pas que ma vie sexuelle pouvait intéresser qui que ce soit. C'était MON affaire, ça ne regardait personne.

Je ne savais pas encore qu'on ne peut plus avoir de vie privée quand on est quelqu'un de connu. Je ne voulais pas voir mes photos étalées dans les journaux, que ce soit avec un homme ou avec une femme. Je voulais, au restaurant, pouvoir prendre ma compagne par l'épaule si j'en avais envie. J'ai essayé de protéger ma vie privée. C'est impossible. On sait ce que Chris a enduré pendant l'époque où elle s'était séparée de son mari. Les journalistes prétendent toujours qu'ils ne parleront que de tennis, mais tout ce qui les intéresse, c'est vos histoires d'amour. Ils sont capables de faire le guet devant chez vous, de sonner à votre porte à trois heures du matin, pour avoir ce qu'ils veulent.

Une année, Rita Mae Brown et moi, nous avions loué un appartement ensemble pour le tournoi de Wimbledon; l'un de ces journaux anglais à gros tirage avait posté un photographe juste en face de notre immeuble. La seule photo qu'il ait pu prendre, était Rita Mae sortant d'une épicerie. Elle est parue avec le titre suivant : « Un écrivain fait les courses pour le nid d'amour de Martina ». Ça m'a bien fait rire : en général, c'était moi qui faisais les courses. Dès ma première aventure aux États-Unis, j'ai essayé de protéger ma vie privée. Par ailleurs, je n'avais pas envie de me faire passer pour ce que je n'étais pas.

Les homosexuels font partie de la société. C'est ce que j'ai répondu à quelqu'un qui m'a dit un jour : « la société n'est pas prête à accepter l'homosexualité. »

Ma première aventure dura environ six mois puis mon amie me laissa tomber. J'étais très éprise, et j'ai eu beaucoup de mal à m'en remettre. Mon rêve, quand nous étions encore ensemble, était de partir vivre notre bonheur pour toujours sur une île. Je finis par guérir, après un bon nombre de tournois joués les larmes aux yeux. Ma vie était très agréable. J'habitais la maison de Fred Barman à Beverly Hills. Je ne me préoccupais absolument pas des questions financières, ne sachant même pas où était placé mon argent. Ma seule passion était le tennis et je voulais passer du bon temps. Pourquoi me préoccuper d'argent alors que j'avais tant d'années devant moi et tant d'aventures à vivre? Fred me donnait tout ce que je voulais et il créa une société pour gérer le reste.

Il possédait une maison splendide, au toit recouvert de tuiles à l'espagnole, dans une rue calme au nord de Beverly Hills. Elle était dotée d'une piscine à un seul couloir, de vingt mètres de long, idéale pour l'exercice. J'avais libre accès à toute la demeure, qui comprenait une salle de jeu tapissée des photos des voyages d'affaires de Fred au Japon et équipée d'une table de billard.

Tandis que je conduisais la vieille Toyota extrêmement dangereuse de Fred, avec ses freins usés et ses pneus lamentables, je calculais que j'avais largement assez d'argent pour m'offrir une voiture. J'aurais pu en choisir une extravagante, mais je décidai que la première serait sobre et sportive, à mon image. Ce fut une 450 SL argent. Fièrement, à son volant, je fis le tour de Beverly Hills, avec mes plaques personnalisées portant l'inscription : X-CZECH.

Puis j'entrepris plusieurs raids dans les boutiques de Beverly Hills. Shari Barman me servait de guide, après tout, c'était elle qui m'avait accompagnée la première fois dans une boutique américaine, à Sausalito, quelques mois plus tôt. Elle me répétait que j'étais comme « un enfant dans une confiserie ». Elle développa mon goût pour Gucci, Pucci, Nieman Marcus, les bijoux, les sacs à main et mêmes les voitures de sport étrangères un peu voyantes.

Il existait aussi quelques « confiseries » sur l'Avenue Rodeo Drive. J'allais traîner de leur côté avec mes amies, Mimi et Janet, chez lesquelles je pouvais jouer au billard ou au tennis. Elles avaient une employée de maison qui me faisait cuire des saucisses polonaises et se décarcassait pour me faire des petits plats. Après avoir déjeuné chez elles, j'allais encore grignoter ailleurs. J'étais insatiable. Aussi, au bout de peu de temps, mes vêtements coûteux de Rodeo Drive étaient-ils devenus trop petits.

Il n'y avait rien à faire : je n'arrêtais pas de grossir, même pendant les tournois. En fait, je me dépensais beaucoup moins, physiquement et nerveusement, qu'à Prague où je n'arrêtais pas de courir entre la maison, le lycée et le tennis, sans oublier l'entraînement.

Qui plus est, la nourriture s'offrait partout, à tous

moments. A Prague, il n'existait pas de boutiques aux vitrines regorgeant de mets appétissants. Depuis la présence communiste, les produits alimentaires étaient devenus insipides. Tandis qu'aux États-Unis les tentations m'attendaient à chaque coin de rue : crêpes, hamburgers, glaces. A Forest Hills, où avait lieu l'U.S. Open, il y avait un Mc Donald dans la rue Austin, sur la droite; je ne pouvais jamais passer devant sans entrer y prendre un big mac-frites. Même avec un bandeau sur les yeux, j'aurais trouvé la porte.

Je voudrais bien revivre ce temps-là en sachant tout ce que je sais maintenant sur le régime et l'entraînement d'une sportive. Mais la vie me paraissait simple alors : j'étais jeune, j'étais en Amérique, et j'étais une tenniswoman professionnelle!

23

LES DAMES DU SOIR

De ma chambre d'hôtel s'échappent les mélodies du Lac des Cygnes de Tchaïkovsky. Une ballerine y travaille avec fougue (mieux qu'elle n'a jamais travaillé son revers) les pirouettes et les arabesques; c'est une ballerine de soixante-quinze kilos : moi-même.

En Amérique, tout est possible même un ballet où voguent des cygnes inattendus, pour le moins surprenants. Je veux parler de Billie Jean King, Rosemary Casals et moi. Je suis même promue au rang d'étoile dans cette nouvelle troupe, les « Dames du Soir ».

En fait, nous travaillons à l'occasion du troisième spectacle annuel des professionnelles; nous sommes en 1977. Nous avons même une chorégraphe : Dina Makarova, photographe et traductrice.

A cette époque, nous nous amusions beaucoup. La camaraderie régnait. Nous avions l'impression excitante d'être des pionnières et notre enthousiasme commun nous rapprochait.

Cette bonne entente culmina lors de l'épisode des « Dames du Soir »; mais le rite d'un spectacle annuel était plus ancien.

Tout avait commencé spontanément en 1975, à

Amelia Island, en Floride, pendant le tournoi du Family Circle. La plupart des spectateurs étaient partis, Rosie Casals a fait disputer un match de championnat à Peachy Kellmeyer et à Vickie Berner, surnommé Bird Legs (Pattes d'Oiseau).

Elle a imposé quelques règles assez spéciales : Peachy doit boire une bière et Vickie un scotch à chaque changement de côté. Le délire ! Toutes les autres ont suivi le mouvement. Nous nous étions attifées de vêtements ridicules aux couleurs flamboyantes que seuls des touristes auraient osé porter.

Chris et moi étions les entraîneurs. Je ne suis pas près d'oublier son accoutrement : un T-shirt avec l'inscription « Entraîneur de Pattes d'Oiseau », des boucles d'oreille grandes comme des cerceaux, des socquettes à rayures horizontales et une casquette orange de joueur de base-ball qu'elle avait mise à l'envers. La classe, non ?

Billie Jean était l'arbitre, elle portait ses plus grosses lunettes et annonçait des décisions aussi scandaleuses que celles qu'elle pensait avoir entendues contre elle au cours de l'année. Betty Stove et Françoise Durr étaient les deux ramasseuses de balles les plus étonnantes que l'on ait jamais vues.

Et Pattes d'Oiseau s'était affublée d'un caleçon taille quarante-huit, qui donnait une touche de dignité à l'ensemble.

La tradition était née. Pendant un an nous avons organisé le prochain match-spectacle. Nous y avons réfléchi pendant des semaines et des mois sur le circuit, dès que nous avions du temps libre ; comme m'avait fait remarquer Shari Barman : « Quand vous perdez au premier tour, vous n'avez plus rien à faire » et elle fit confectionner des T-shirts avec l'inscription « Les Dames du Soir ». Les officiels du circuit hésitaient à faire de la publicité pour notre groupe, sans doute à cause de son nom, mais nous n'avions aucun complexe.

En 1976, notre spectacle eut lieu après la finale d'un

tournoi du Virginia Slims à Los Angeles. Red Tinling, maître de cérémonie, portait sa plus belle boucle d'oreille. Il annonça à la foule de spectateurs qu'ils pouvaient rester s'ils voulaient. C'est ainsi qu'une grande partie des dix-mille spectateurs restèrent pour regarder Chris jouer contre Olga Morazova.

Les gâteaux au chocolat que Rosie Casals nous avait préparés pour l'occasion nous avaient toutes mises d'excellente humeur. Billie Jean et Evonne jouaient les entraîneurs, et Virginia Wade l'arbitre. Jamais on n'avait vu un arbitre faire ce qu'elle a fait : une culbute au beau milieu du court.

Le soir un banquet eut lieu à l'hôtel Beverly Hills et Bill Cosby distribua les prix. La compétition des « Dames du Soir » a fait plus de bruit que notre tournoi.

La troisième version eut lieu à Philadelphie en 1977, dans une discothèque de l'hôtel Hilton. Nous étions des professionnelles et nous voulions donner un véritable spectacle. Olga Morazova chanta une chanson russe, Chris imita Groucho Marx, Betty Stove était déguisée en djinn, Jeannie Brinkman fit des claquettes, Jerry Diamond imita différents joueurs, Françoise Durr dansa le french cancan et celles qui avaient le pied le plus léger dansèrent le Lac des Cygnes.

Dina Makarova avait simplifié certains pas du célébrissime ballet pour Rosie, Vicky, Connie Spooner, notre entraîneur, et pour moi. Billie Jean avait répété avec nous mais, le moment venu, elle se dégonfla. J'étais arrivée au point où je connaissais tellement bien les pas qu'elles me laissèrent le solo. Au grand désespoir de mes voisins, j'avais répété à des heures impossibles dans la chambre d'hôtel les jours précédents. Dum da dum, da, da-da-da-da-dum... Je me vois toujours tournoyer. Si j'essayais maintenant, je crois que je me casserais une jambe.

A mes débuts dans le circuit, il y avait donc une bonne ambiance : nous n'hésitions pas à faire les pitres.

Aujourd'hui les joueuses vont chacune de leur côté, moi comme les autres. Les jeunes sont accompagnées de leurs parents, de leurs entraîneurs ou de leurs agents et elles ne se mêlent pas aux autres, comme nous le faisions. Nous pouvions être adversaires acharnées sur le court, au dehors nous nous sentions unies.

Nous aimions nous retrouver après les matches. Un jour à Phoenix, peu après mon arrivée, par une belle journée de printemps, ensoleillée, et délicieuse, nous avons loué des motos, Raquel Giscafre, Shari Barman, Fiorella Bonacelli et moi, et pas des petits engins de rien du tout, mais des 250 et des 350!

Je devais jouer contre Fiorella à huit heures du soir. Nous avons pensé que nous serions autant brûlées par le soleil et épuisées l'une que l'autre, et que cette escapade ne pouvait avoir d'incidence sur les résultats du match. La meilleure gagnerait. Nous avons donc démarré à onze heures, vêtues seulement de maillots de bain et coiffées de casques, fonçant à 140 à l'heure sur l'autoroute. Je ne le referais pas maintenant, mais à dix-huit ans, j'étais insouciante, inconsciente même. Nous sommes allées jusqu'à un lac, nous avons regardé les gens faire du ski nautique et avons failli en faire à notre tour, avant de rentrer. Nous sommes arrivées à 18 heures et je battis Fiorella sans perdre un seul set, exactement comme si nous n'avions pas bougé.

A cette époque, tout me faisait rire. Pendant le circuit, j'écrasais Rosie à chaque tournoi. Billie Jean étant venue au vestiaire et m'ayant trouvée en soutien-gorge et en slip, elle avait dit à Rosie que j'étais tellement costaude que je pourrais l'attraper et la lancer en l'air. Elles prétendaient qu'elles avaient peur de moi; c'était peut-être vrai, bien que je sois la douceur même. Rosie fit faire des T-shirts avec l'inscription « Navra la sale gosse ». Le surnom m'a poursuivie pendant des années. Je me sentais membre de l'équipe à part entière, c'était encore mieux qu'autrefois à Sparta.

Depuis quelques années, on parle beaucoup de l'homosexualité des sportives; on a été jusqu'à écrire que les mères feraient bien d'accompagner leurs filles dans les vestiaires, ce lieu de perdition. Rien que ça! La seule mère que j'aie jamais vue dans un vestiaire, c'est Mme Austin. Et Tracy était si timide qu'elle n'osait même pas se montrer en sous-vêtements.

En fait, ce n'est pas dans les vestiaires qu'une jeune femme risque de devenir homosexuelle. C'est vrai, les portes des cabines sont presque toujours grandes ouvertes, et, pour la plupart, nous n'hésitons pas à nous changer en public, ou à nous faire masser devant tout le monde. Certaines sont plus pudiques, mais cela n'a rien à voir avec leurs préférences sexuelles. Au début, je n'aurais jamais osé me déshabiller devant les autres. J'avais honte de mon corps, si enfantin d'abord, et ensuite trop lourd. Pas même question de me montrer en sous-vêtements. J'aurais préféré mourir que de me montrer nue. Plus tard, j'ai commencé à trouver bien compliqué d'avoir à trimbaler un peignoir pour aller me doucher. Il n'y a là aucun exhibitionnisme; simplement, on vit avec son corps, et on l'accepte tout naturellement. Il m'arrive, maintenant, de rester nue chez moi. Je me demande si Renée Lieberman se remettra un jour du choc de m'avoir vue, à Far Rockaway, franchir ma porte dans le plus simple appareil, pour aller chercher mes chiens au retour de leur promenade. Oh, pardon, Renée! Je me croyais au vestiaire.

Ce n'est sûrement pas dans les vestiaires d'un stade que les tendances sexuelles d'une femme risquent de se modifier. D'ailleurs, le pourcentage d'homosexuels parmi les sportifs – hommes ou femmes – n'est guère éloigné de la moyenne nationale : environ 10 %. Les hommes, il est vrai, se font davantage remarquer que les femmes : il y a des bars d'homosexuels, des établissements de bain où les homosexuels vont chercher leurs partenaires. Les femmes sont plus discrètes et ont des liaisons plus stables.

Pendant que nous y sommes, parlons un peu de la drogue. Je n'ai jamais vu une seule joueuse de tennis donner l'impression d'être droguée. J'ai vu des basketteurs perdre la forme peu à peu, nuit après nuit, à tel point que je les soupçonnais d'être drogués, puis tout d'un coup ils remontaient la pente. J'ai entendu, comme tout le monde, des bruits courir sur l'usage de la cocaïne dans les équipes masculines de tennis, mais je n'ai guère eu l'occasion de les vérifier : nous vivons dans deux mondes séparés, et nous ne nous rencontrons qu'aux grands tournois. En tout cas je n'ai jamais vu aucun joueur de tennis lâcher la rampe comme certains basketteurs. On prenait bien un peu de marihuana, à une époque, dans les équipes féminines de tennis, mais même ça, maintenant, c'est fini. Les femmes sont si saines. Nos pires débauches, c'est un verre de bière ou un cocktail de temps en temps.

Il y a des joueuses, bien sûr, qui ont du mal à s'adapter, à leurs débuts, aux contraintes de notre vie, et qui ont des problèmes émotionnels. Mais les problèmes de quelques jeunes joueuses viennent de leurs difficultés avec leur famille, pas de la drogue.

Au risque de désappointer, je peux dire que la vie des joueuses, surtout dans les années 70, n'était pas très différente de celle d'un groupe de pensionnaires! Nous jouions ensemble, nous voyagions ensemble, nous sortions ensemble, nous avions toutes les mêmes problèmes d'argent. Mais en même temps, sur le court, nous étions des adversaires de nos compagnes. C'est un drôle de truc, un match. Vous êtes là, toute seule, ne comptant que sur vous pour gagner. Mais vous dépendez de votre adversaire. Vous ne pouvez pas vous passer d'elle. Sans elle, vous n'existez pas.

Jouer contre Chris, pour moi, c'était mener contre moi-même un combat qu'il n'était pas question de perdre. Ce n'était pas la meilleure athète du monde, elle n'était pas une pure athlète comme Candy Reynolds ou

Betsy Nagelsen ou Hana Mandlikova, mais elle *voulait* gagner. Je voyais le regard torve qu'elle me lançait, et j'avais beau me dire « Oh non!» je savais qu'elle ne flancherait pas, qu'elle ne ferait pas une seule faute. Si j'arrivais à retourner le premier revers à deux mains qu'elle m'assénait, elle serrerait les dents et m'en enverrait un second, encore plus difficile. Elle a fait cela si bien, pendant si longtemps.

Son service n'était pas très redoutable. Elle n'est jamais arrivée à l'améliorer. Je me demande pourquoi, alors que son jeu a par ailleurs tellement progressé au fil des années. Mais elle avait une puissance fantastique, son revers était imbattable, elle courait après toutes les balles, elle ne se laissait jamais décourager, et on était obligé de faire comme elle. Il fallait sans cesse que je me dise : « Attention, c'est Chris! Ne flanche pas!»

Il y avait une autre adversaire qui me terrifiait aussi : Margaret Court, que j'avais tant admirée, petite fille. Je n'ai joué que rarement contre elle, et elle arrivait à la fin de sa carrière. Son service n'était plus aussi bon, mais c'était encore une merveilleuse joueuse. Je suis arrivée à la battre à l'Open d'Australie en 1975, à Kooyong, par 6-4, 6-3. Elle a perdu, mais combien a-t-elle envoyé sur mon service de ses retours foudroyants que je devais me contenter de regarder passer! Sa stature et sa force étaient encore impressionnantes. Elle me fascinait, exactement comme je fascine maintenant des gens qui pensent que je suis un phénomène.

Avec Billie Jean, c'était différent. Elle, c'était son revers qui me faisait peur, quand j'étais plus jeune, et sa façon imparable de renvoyer mes meilleurs services droit sur mon revers qui n'était pas fameux à l'époque. Je ne l'ai jamais connue au sommet de sa carrière, mais elle était encore redoutable. On se demandait toujours ce qu'elle préparait derrière ses grosses lunettes.

C'était elle qui menait le groupe. C'était une merveilleuse championne et pour elle, la réussite des femmes au tennis, dont elle était si fière, était quelque chose qui dépassait la simple réussite sportive. A mes débuts, elle a donné d'excellents conseils à cette gamine tchécoslovaque qui avait bien du mal à améliorer son revers. Elle donnait de bons conseils à tout le monde, même à ses adversaires. L'important pour elle, c'était que le tennis féminin soit le meilleur possible. Elle voulait faire de nous de vraies professionnelles, et sur le court elle ne laissait passer aucune faute. Je l'admirais tellement que contre elle, je perdais tous mes moyens. Elle avait une intelligence du jeu telle que, même quand mes coups valaient les siens, je ne pouvais jamais prévoir ce qu'elle allait faire.

Elle était capable de modifier complètement son jeu en cours de partie, et me faisait facilement perdre pied. Comme le faisait Tracy Austin, dont les lobs imprévus, les volées auxquelles je ne m'attendais pas, les montées au filet sur mes balles longues, me paniquaient. Je crois que c'est en me voyant jouer contre Billie Jean que certaines joueuses avaient compris à quel point je me démontais facilement.

Billie Jean savait aussi employer, contre d'autres joueuses, une tactique typiquement masculine : arrêter le jeu pour discuter une décision d'arbitre, renouer lentement le nœud de ses lacets, tout faire pour déconcentrer l'adversaire. Elle ne l'a, je crois, jamais employée contre moi.

J'ai joué souvent contre elle, et j'ai joué aussi avec elle, en double, à une époque. Je connaissais bien son jeu. Mais je ne suis arrivée à la battre qu'en 1978, en trois sets, à la finale du tournoi de Houston. J'étais contente, mais je me disais que j'aurais dû y arriver plus tôt. J'avais tellement observé ce qui lui réussissait que j'ai même essayé de discuter avec les arbitres comme elle le faisait. Après tout, si Billie Jean pouvait jouer les râleuses, pourquoi pas moi? Mais on ne le prenait pas aussi bien de ma part que de la sienne.

190

Il faut dire qu'elle était spéciale; elle créait le tennis féminin moderne, par la force de sa personnalité. Elle établissait les normes. Elle nous faisait sentir que nous étions toutes concernées, que nous construisions quelque chose.

Cette époque dorée est hélas révolue. Je sais que Billie Jean s'est plainte que Chris et moi n'étions plus assez coopératives. Elle pense que nous devrions, à son exemple, consacrer chaque instant à la promotion du tennis. Mais où fixer les limites? Il faut aussi vivre sa vie. Cependant, c'est elle qui a élevé le tennis à son niveau actuel et je comprends donc sa déception. Je suis sûre que Billie Jean souhaiterait être plus jeune de dix ans. Quand ses plus belles années furent derrière elle, d'autres ont cueilli les fruits de ses efforts. Je le regrette pour elle, mais que dire alors d'Althea Gibson et de Maria Bueno, deux des meilleures joueuses de l'histoire qui n'ont jamais tiré un sou du tennis.

Billie Jean voyait grand, au point de prendre, parfois, des décisions déraisonnables. Elle a engagé beaucoup d'argent dans le World Team Tennis, dans le softball (sorte de base-ball), dans un magazine, et rien de tout cela n'a jamais été très rentable. Je ne crois pas qu'elle ait un jour à craindre de mourir de faim, mais elle a été une des grandes championnes de tous les temps, et ce n'est que tard qu'elle a commencé à bien gagner sa vie; quand elle a lutté pour que les gains des femmes soient égaux à ceux des hommes.

Un joueur comme Ivan Lendl, par exemple, gagnait déjà des millions avant sa victoire à Roland Garros en 1984, et pourtant il n'avait jamais remporté un seul des tournois du Grand Chelem. Tony Trabert par contre, qui a gagné à une autre époque tous les grands tournois, n'a probablement jamais gagné un centime. Autres temps, autres mœurs.

Maintenant, l'argent afflue. J'en gagne tellement que je n'y pense même plus. Le plus drôle, c'est que je

191

pourrais en gagner encore plus. Je pourrais, comme Borg, renoncer à la compétition et faire des exhibitions. Mais cela ne m'intéresse pas : je préfère continuer les tournois, je m'y sens intégrée dans une communauté, ou dans quelque chose qui y ressemble.

Chris et moi, nous ne sommes plus aussi proches l'une de l'autre; depuis que j'ai travaillé avec Nancy Lieberman nous sommes un peu en froid. Tracy Austin, c'est vrai, reste toujours un peu à l'écart, et Andrea Jagger a des problèmes : son moral passe facilement du beau fixe à l'orage. Mais l'amitié est toujours là, on le voit bien dans les petits championnats, où il y a moins de foule, moins de tractations avec les agents. Certaines de mes adversaires comptent parmi mes meilleures amies.

Au début, je mélangeais l'amitié et le métier. Cela me jouait des tours. J'ai perdu, de cette façon, des matches que je n'aurais pas dû perdre. Par exemple, je me souviens d'un match contre Françoise Durr en 1975, un jour où j'avais mal à l'épaule. Il y avait une espèce de système radar qui mesurait la vitesse de nos services. Mes balles atteignaient 146 km/h., et les siens n'étaient même pas enregistrées (l'appareil ne se mettait en marche qu'au-dessus de 112 km/h.). Mais j'étais si décontractée, si contente de faire une belle partie avec elle, qu'elle m'a battue. Et la même chose m'est arrivée dans d'autres matches.

Le plus souvent, pourtant, mon envie de gagner était la plus forte. Je me souviens de Kerry Melville Reid clamant que j'étais « odieuse » sur le court quand je me mettais à contester les décisions d'arbitrage. Il paraît qu'elle disait : « Elle fait comme son idole, Billie Jean King. Je suis sûre qu'elle croit que si Billie Jean peut intimider les officiels, elle est capable de le faire aussi. Elle l'imite tout le temps. » Mais Kerry avait ajouté que, de toute façon, elle m'aimait bien, et c'était vrai. Il est rare que les joueuses s'entendent mal.

Il y avait bien quelques joueuses qui, comme Nancy Richey, ne disaient pas bonjour avant un match.

Pour ma part, je pense qu'on peut rester amies sans perdre cet « instinct de tuer » nécessaire pour gagner. J'étais capable de faire n'importe quoi avec Sharon Walsh juste avant un match, elle est la gentillesse même, ou avec Wendy Turnbull, Betsy Nagelson ou Pam Shriver. Récemment, j'ai passé l'après-midi à jouer au bridge avec Marcella Mesker et je l'ai battue au tennis le soir-même.

Nous mettons un point d'honneur à être correctes les unes envers les autres, car nous savons que les officiels sont souvent recrutés au club local et n'ont ni les réflexes ni l'entraînement nécessaires pour annoncer toujours les bonnes décisions. Au début, la presse écrivait que je me plaignais des arbitres sans préciser que je contestais tout aussi vigoureusement quand j'estimais mon adversaire lésée. Il m'est même arrivé de faire une double faute exprès lorsque les officiels ne voulaient pas modifier leur décision. Et un certain nombre de joueuses pensaient que j'étais la plus correcte de nous toutes. Le public admirait beaucoup Evonne, et pensait qu'elle était merveilleuse parce qu'elle était belle et sereine; mais elle n'a jamais contesté une décision d'arbitrage. Borg, lui non plus, n'ouvrait jamais la bouche, même quand son adversaire subissait une injustice évidente. Il n'a jamais sourcillé. Moi, je voulais que le match soit parfait, tant du côté des joueuses que du côté des arbitres.

Jamais je n'ai pu considérer mon adversaire comme une ennemie, en particulier Pam Shriver, ma partenaire de double et l'une de mes meilleures amies. Une fois seulement, j'ai été furieuse contre elle, il n'y a pas très longtemps, à Tampa, au cours d'une finale que j'étais prête à jouer comme j'aurais joué une partie amicale par un beau dimanche après-midi. A trois partout dans le premier set, j'ai réclamé une balle let sur son service, et elle n'a pas été d'accord. Elle a commencé à m'engueuler, tant et si bien que j'ai fini par me dire : « Ah, c'est comme ça ! eh bien, à nous deux, espèce d'idiote ! », et fini le jeu décontracté pour le reste du match. Je suis sûre que j'aurais de toute façon accéléré le rythme, mais elle m'a bien aidée ! Après, nous en avons parlé, et nous avons mis les choses au point. « Tu me connais, nous jouons en double ensemble. Tu sais que quand je vois une balle let, je le dis ! » Je lui ai même dit qu'elle aurait plus de chance de me battre en étant toute gentillesse et tout sourire ! En réalité, elle m'a infligé certaines de mes plus cuisantes défaites, et elle s'est toujours sortie à son honneur de nos matches les plus durs.

C'était difficile, au début, d'être presque toujours sur les routes, entre deux avions. J'étais cependant heureuse de revoir des amis comme les Hoschls à Chicago, ou Aja et Paul Steindler à New York. Une fois, pendant le Super Bowl Sunday à Washington, nous ne jouions pas. J'appelai mon amie Jane Leavy du « Washington Post » pour lui demander ce qu'elle faisait. Elle me répondit qu'elle regardait la télévision avec son mari et des amies et elle m'invita. J'ai passé toute la journée avec eux, nous avons parlé football et non pas tennis ; cette journée m'a fait du bien.

Même depuis que je suis « pro », j'ai essayé de me ménager des plages libres pour le repos et les amis. J'en ai aux quatre coins des U.S.A. et même du monde. C'est parfois frustrant car je voudrais passer plus de temps avec eux ; et c'est impossible. Pendant mes déplacements, j'aimerais parfois visiter un musée ou aller au cinéma ; mais la période de ma vie où j'ai vécu avec Rita Mae Brown m'a suffi pour savoir que les émotions et l'activité physique juste avant un match ne me valent rien. Je ne donne pas non plus d'interviews avant un match. Je ne peux pas entrer sur le court en me disant : « Zut, pourquoi ai-je dit ça ? »

Il y a une chose que cette vie de voyage m'a appris à apprécier, c'est de pouvoir dormir d'une traite jusqu'au

194

petit déjeuner. Et j'ai des rites pour le réveil : je commande mon petit déjeuner, je prends une douche en attendant qu'il soit servi, je mange en regardant des navets à la télévision, pendant que mes cheveux sèchent, puis je pars me promener. J'adore me promener dans des villes comme Paris, New York ou San Francisco : elles ont un centre. On peut aller dans une librairie ou une boutique de cadeaux sans prendre sa voiture. Dans une vraie ville, il y a des tas de choses que je peux faire à pied. S'il fallait que je conduise, je gaspillerais l'énergie dont j'ai besoin pour le tennis. Avant le match, je lis ou je regarde la télévision; depuis quelque temps, il m'arrive de jouer au bridge avec Barbara Hunter Estep, la femme de mon entraîneur.

Dès que j'ai fait partie du circuit, l'une de mes meilleurs amies a été Lee Jackson, la principale officielle. De toute façon, Lee est l'une de nos meilleures amies à toutes. Bien sûr, c'est curieux, mais ce n'est pas comme si un joueur de base-ball prétendait être ami avec un arbitre, ce qui ne s'est jamais vu. Il est difficile d'imaginer John MacEnroe ou Jimmy Connors rencontrer quelqu'un qu'ils ont vilipendé sur le court, mais dans le tennis féminin c'est différent, l'ambiance est plus sereine.

La première année que j'ai passée entièrement sur le circuit, je me trouvais un jour complètement désœuvrée à New York, et j'appelai Lee chez elle en banlieue. Elle m'invita à son club pour la première fois de ma vie, je jouai au squash, en disputant un assez beau match avec le professeur du club. Après une partie de scrabble avec Lee, je suis restée au club à discuter de l'histoire de l'Amérique et de l'Europe avec un avocat. Ce fut une belle journée.

Depuis que j'ai commencé mon programme d'entraînement physique et de régime avec Nancy, je suis très occupée, et je n'ai pas fait assez de choses de ce genre. Mais je ne veux pas abandonner mes amis, ni cesser de m'instruire.

195

En 1976, Lee Jackson a perdu son fils, tué dans un accident d'auto. Elle s'est mise à venir plus souvent avec nous pour les tournois; elle organisait des excursions à Disneyland, des soirées au restaurant. A cette époque, ma mère me manquait beaucoup; j'avais besoin de tendresse, d'un soutien moral. C'est Lee qui me les a donnés. J'espère que nous lui avons rendu au centuple l'aide qu'elle a prodiguée à toute une génération de joueuses.

Je crois sincèrement que notre amitié n'a jamais gêné notre travail, au contraire. Quand Lee arbitre un de mes matches, si je pense qu'une balle est out, et que le juge de ligne ne dit rien, je tape du pied en criant : « Allons, Lee, regardez ce qu'ils font! ». Et Lee sait très bien répondre au micro : « Ça suffit, Martina! ». Et j'arrête; je ne tiens pas à la mettre dans l'embarras, ni ses aides; nous respectons Lee, et ce respect améliore notre comportement sur le court. Si c'est cela la différence entre le tennis féminin et le tennis masculin, alors, *Vive la différence!*. Mais je continuerai à faire appel aux décisions injustes, tant pis si le public n'aime pas ça. Le tennis est notre gagne-pain. Nous ne jouons plus uniquement pour le plaisir, comme autrefois. Nous n'avons pourtant nulle envie d'humilier qui que ce soit. A Oakland, en 1984, une défaite contre Hana Mandlikova a interrompu ma lancée vers le record que détenait Chris : encore deux matches et j'arrivais à égalité, avec cinquante-six victoires consécutives en simple. Il n'y a pas de surprises sur le circuit féminin. Je sais qu'Hana est une grande athlète, mais elle se démonte facilement; quand elle est menée, elle perd confiance. Je n'avais pas beaucoup joué avant d'aller à Oakland, et Nancy me poussait à annuler mes matches, parce qu'elle voulait que je l'aide à se préparer pour le championnat de basketball des Superstars. Mais je n'ai pas pu me dégager, et je n'étais pas dans un très bon jour quand j'ai joué contre Hana.

Le tournant du match fut une décision d'arbitrage

de Lee Jackson. Nous en étions à 4 partout dans le troisième set, 15 partout sur mon service. Hana retourne mon service, et je lui réponds par une demi-volée de coup droit qui semble vouloir sortir du terrain, mais qui, à la dernière seconde, dévie et retombe dans les limites. La balle ne touche même pas la ligne, le juge ne fait même pas un geste pour signifier qu'elle est bonne, mais Lee le devance et compte la balle « out ».

Je lui ai demandé pourquoi elle rejetait une décision qui n'avait même pas été annoncée. Je veux dire que, même si elle pensait que la balle était « out », elle n'avait pas à l'annoncer; elle n'a pas à compter une balle « out » avant l'annonce du juge de ligne, sauf quand la balle est largement en dehors des lignes. Je n'attendais pas d'Hana qu'elle refuse le point, mais j'étais furieuse de cette décision de Lee. Je sais que c'est un bon arbitre et qu'elle est impartiale, mais cette fois-là, elle avait fait une erreur inadmissible.

Je ne revis pas Lee pendant quelques semaines; puis un jour, dans le New Jersey où nous étions à l'entraînement, j'ai entendu le cliquetis caractéristique de ses clefs; elle passait derrière nous. Sans la regarder, je commence à raconter toute l'histoire de ce match et de la faute d'arbitrage. Puis je me retourne : « Tiens, Lee! Je ne savais pas que tu étais là! » – « Oh! j'en suis sûr! » m'a-t-elle répondu. Et notre amitié a continué, comme avant.

24

LA TONNE DE BRIQUES

Je m'étais imaginé que ce serait facile de vivre seule en Amérique. C'était si facile qu'au bout d'un an j'étais grosse, surmenée et au bord de la dépression nerveuse.

C'est à Wimbledon, en jouant les quarts de finale contre Sue Barker que j'ai commencé à me sentir mal. Pourtant, j'avais toujours aimé jouer à Wimbledon; c'est le plus grand tournoi, celui que l'Europe reconnaît comme le championnat du monde. C'était réaliser mon rêve et celui de mes parents. J'avais donc toutes les raisons d'être enthousiaste; mais j'étais une âme perdue, à la dérive.

Barker était la favorite, et les journaux anglais l'encourageaient à battre le « Gros espoir ». Je pouvais m'en sortir, pensais-je, grâce à ma « brutalité » américaine toute neuve. J'étais Jimmy Connors, sans le doigté! J'arrive à gagner le premier set; et les fautes de lignes se mettent à me tomber dessus; une, deux, trois, quatre, cinq... jusqu'à trente-cinq. On aurait cru que je les accumulais à plaisir; je perds le second set et me retrouve menée 1-4 dans le troisième.

J'ai crié : « Je me demande si c'est parce qu'elle est anglaise que vous comptez comme cela! » Les journalistes

198

et les juges de ligne m'ont entendue. Après avoir finalement remporté le set, je me suis glissée dehors, mais il a fallu que je m'explique, que je dise si je croyais vraiment que les juges anglais étaient prévenus contre moi. Je n'avais jamais eu d'idée pareille auparavant, mais en cet été 1976, j'étais convaincue que le monde entier était mon ennemi.

Jamais je ne me suis sentie plus seule, plus abandonnée. J'avais passé une partie de mon enfance vivant dans une seule pièce avec ma famille; j'avais été très entourée lors de mes premiers voyages hors de Tchécoslovaquie. Et, à dix-neuf ans, je me retrouvais seule : dans ma chambre d'hôtel, seule dans l'avion, je me sentais seule partout. Mes deux premières histoires d'amour avaient mal fini! Mais je n'étais pas du genre à me réfugier dans ma tanière pour lécher mes plaies et réfléchir.

Avant cette période noire, je ne m'étais jamais vraiment demandé qui j'étais. J'agissais par instinct, et j'ai quitté mon pays comme je me précipite au filet. J'ai toujours foncé. Or, pendant l'été 1976, ce comportement commença à me retomber sur le nez. Il aggrava ma solitude en me coupant des autres. J'étais irritable, triste, seule, sans ami ni philosophie, désemparée.

Après avoir été battue par Chris en demi-finale, je suis repartie directement aux États-Unis rejoindre le World Team Tennis, la nouvelle folie du moment, où l'argent affluait, et où se pressaient tous les bons joueurs américains en 1975 et 1976. En 1975, Joe Zingale, le propriétaire du Cleveland Nest, m'avait signé un contrat de trois ans pour soi-disant trois cent mille dollars, qui se sont transformés en cent cinquante mille dollars et en pendentif en or qui portait l'inscription « Number 1 ». Mais le sport ne marchait pas fort dans le coin, et en 1976 j'avais quitté le Cleveland Nest pour les Boston Lobsters. J'y ai joué les doubles dames en 1977 avec Greer Stevens : nous n'avons perdu que 4 sets sur 44; nous accumulions les victoires en double, je gagnais tous mes matches de simple, et après les matches nous faisions la claque pour nos coéquipiers. J'aimais ça; j'aimais faire partie d'une équipe. Ça me rappelait les bons souvenirs de Sparta.

Nous étions une bande de joyeux copains, garçons et filles ensemble. C'était agréable d'avoir des hommes avec nous. Ils savaient choisir les meilleures tables dans les bars, n'avaient peur de rien, savaient ce qu'ils voulaient et l'obtenaient. Pour eux, tout était simple.

On se couchait tard chez les Lobsters. On riait aux plaisanteries de Roy Emerson, notre entraîneur. Chaque fois que nous rencontrions les Australiens : Ross Case, Rod Laver, Kerry Keid, c'était la fête. Et si les restaurants étaient fermés, nous vidions nos réfrigérateurs. Mon coéquipier Mike Estep organisait des « parties » dans son appartement. Il est devenu mon entraîneur, quelques années plus tard.

J'étais immergée dans cette joyeuse bande – et pourtant je me sentais seule.

Nous avions parcouru les États-Unis en tous sens pendant tout le printemps, d'une ville à l'autre, d'un match à l'autre : quelques matches à Boston, puis des tournois en Californie et dans le Sud-Ouest.

C'est alors que je suis allée à Wimbledon et que quelques signes ont semblé montrer que je commençais à perdre les pédales. Puis, après ma défaite en demi-finale devant Chris, ç'a été le retour en avion pour un match des Lobsters à San Francisco, le lundi soir. Nous avons disputé alors quelque chose comme douze matches en quatorze jours, avec un tour à Hawaii; et il ne me restait plus que quinze jours pour me préparer à l'U.S. Open, et reprendre l'habitude de la terre battue! Mais j'en avais tellement marre du tennis que je n'ai pas touché une raquette. Je m'imaginais que la forme reviendrait pendant le tournoi, et je m'étais contentée de jouer un jour sur terre battue. Ce n'était pas un très bon raisonnement, mais je n'avais personne pour me conseiller. Les amitiés du World Team Tennis s'arrêtaient à la porte des grands tournois : tout le monde essayait de les gagner.

C'était il y a moins de dix ans, mais les choses ont tellement changé. Borg, lui, avait déjà Lennart Bergelin, et beaucoup se moquaient de cette dépendance, comme si cela avait retiré quoi que ce soit à ses performances. Nous faisions cavalier seul sur le court, nous devions continuer en dehors.

Aujourd'hui, presque chaque joueur voyage avec son entraîneur ou un conseiller pendant la majeure partie du programme des tournois. En 1976, personne autour de moi ne pouvait me dire : « Tu ferais mieux de t'entraîner une semaine sur un court en terre battue pour t'habituer à cette surface-là. » L'Open comptait beaucoup pour moi, mais pas assez pour que je sache m'y préparer.

Arrivée à Forrest Hills, tout ce que j'avais vécu en 1975 me revint à l'esprit. Je me revoyais aller au Service de l'Immigration, je revivais ma peur d'être kidnappée par les communistes, je repensais à mes problèmes d'installation. Pendant un an, j'avais refoulé les émotions que ma fuite avait déchaînées dans mon cœur. Quand j'ouvris la housse de ma raquette, à Forest Hills, elles grouillèrent comme des termites au printemps et me dévorèrent toute crue.

Nous sortions du vestiaire du West Side Tennis Club, minuscule et archiplein, et tout le monde parlait du premier anniversaire de mon exil ; subitement, j'éprouve une affreuse impression de claustrophobie, compliquée par la pluie battante qui risque d'annuler tout le programme.

A l'U.S. Open, on ne rembourse pas les billets du moment que quelques matches ont été joués ; je savais que la foule insisterait pour avoir son compte de spectacle, pluie ou pas pluie. Je devais jouer au stade vers 15 h 30, mais tous les matches furent retardés à cause du temps.

Mon adversaire au premier tour était Janet Newberry, une excellente professionnelle. Elle ne faisait pas de cadeaux mais c'était vraiment l'adversaire qu'il me fallait pour commencer le tournoi. Nous attendions, assises, pendant qu'il pleuvait et je demandai à Janet si elle accepterait un ajournement au lendemain ; elle me répondit qu'à son avis, les officiels ne nous l'accorderaient pas.

Comme certains courts étaient en Har-tru, ils ont séché assez vite et, après une brève interruption à cause de la pluie, on me poussa sur le court à 18 h 55. Les fans, qui attendaient en vain depuis 11 heures du matin, se mirent à hurler à Janet de m'écraser, ce que je comprenais parfaitement, puisque j'étais classée et elle pas, et que le public est presque toujours contre le favori.

Je gagne le premier set, je me sens sûre de mon triomphe. Subitement je me mets à faire tout de travers, allongeant tout juste le bras vers la balle, et le match commence à m'échapper. Je perds le second set 4-6, puis mon corps se bloque, incapable de réagir. Janet joue le match de sa vie, je perds le troisième set 3-6. Avant même d'avoir pu « me mettre en forme », je suis éliminée.

Tout ce dont je me souviens, c'est de mes sanglots et de la fraîcheur humide d'une serviette sur ma tête. Newberry est une excellente amie, elle a été très gentille, elle me consolait presque lorsque je suis sortie du court. Il paraît que j'avais l'air en état de choc, les larmes coulaient le long de mes joues, sans trêve. Les vannes étaient ouvertes.

« Elle était accablée, misérable, et semblait incapable de se ressaisir », raconta ensuite Janet à Bud Collins. J'allai m'asseoir dans la tribune, mis la serviette sur ma tête, et me balançai d'avant en arrière, en gémissant et en pleurant. On avait tellement exigé de moi, j'avais tellement encaissé que je sentais le monde s'écrouler sur moi.

Plus tard, je me suis excusée auprès de Bud Collins :

202

« J'ai honte de ce qui est arrivé. Je n'ai pas bien agi. J'ai enlevé quelque chose à Janet par mon attitude. » Mais sur le moment, je ne me maîtrisais plus du tout.

Fred Barman assistait au match; il vint près de moi et posa ses mains sur mes épaules. Je ne savais même pas que c'était lui car j'avais la serviette sur la tête. Je ne voulais pas de flashes sur mon visage, ni que l'on me voit pleurer. Fred réussit à m'emmener au club, à travers les allées pleines de monde; ce fut une longue marche sous la pluie. Pluie du ciel et de mes yeux. Je restai longtemps sous la douche.

Nous devions rencontrer la presse, je savais que Neil Amdur du « New York Times » et d'autres journalistes sportifs attendaient à la porte du vestiaire.

– Pourquoi ne sortirais-tu pas par la porte de derrière? suggéra Fred.

Fred alla parler aux journalistes qui voulaient savoir si ma nouvelle vie aux États-Unis avait eu des répercussions sur mon jeu. Fred leur déclara : « C'est une gosse qui était emprisonnée il y a un an. Elle est comme un enfant qui vient à Disneyland pour la première fois et qui s'aperçoit qu'elle a perdu ses parents. Avant tout, il faut que j'aie une conversation avec elle. »

Ainsi, pour la première fois de ma carrière, j'évitai la presse et allai m'enfermer à l'hôtel. Il fallait que j'annule, dès mon arrivée, mes doubles prévus le lendemain car j'étais incapable d'affronter qui que ce soit. Ma partenaire habituelle, Chris, ayant décidé de ne plus jouer en double à cause d'une tendinite à un doigt, je devais jouer avec Julie Anthony. Celle-ci serait déçue, je le savais, mais je l'appelai : « Je ne peux vraiment pas », lui dis-je. Elle a été très compréhensive.

C'est la seule fois où, sans être blessée, j'ai déclaré forfait pour un double et je me sens encore coupable.

Cette défaite est, dans mon souvenir, la plus cruelle de ma carrière : je touchais le fond du désespoir. Pourtant, d'autres échecs auraient pu me faire plus de peine encore; je pense à la victoire de Tracy Austin à l'U.S. Open de 1981, que j'aurais dû remporter, ou encore au match perdu contre Pam Shriver, toujours à l'U.S. Open, mais en 1982; seulement ce jour-là j'avais une toxoplasmose et je savais que, malade comme je l'étais, je risquais de perdre.

Dans ces deux cas, cependant, j'avais vécu mes défaites comme une professionnelle doit les vivre : au bout d'une heure, j'étais remise. Ce fut loin d'être le cas en 1976. J'étais démolie et je continuai à pleurer toute la nuit à l'hôtel.

C'est alors que quelqu'un de compétent est venu, et m'a tendu la main.

25

HAYNIE

J'avais rencontré Sandra Haynie pendant la compétition des Superstars en Floride, en avril 1976. Comme le
circuit de golf féminin se déroulait dans la même région,
elle était venue en spectatrice. Nous avons commencé à
parler et quelques semaines plus tard je suis allée la voir
disputer un tournoi de golf.

J'étais fascinée en la regardant. Alors que le golf est
une épreuve pour les nerfs, elle restait parfaitement
calme, décontractée. Toujours imperturbable, méthodi-
que, elle puttait avec un si joli mouvement!

Haynie était pro depuis 1961, elle avait gagné l'U.S.
Open et les championnats de la Ladies'Professional Golf
Association en 1974. Douce, réservée, discrète, elle me
paraissait différente de la plupart des joueuses de tennis
que je connaissais. Ces qualités semblent aller de pair
avec le golf, avec l'habitude de se pencher pour un putt
de trois mètres sans adversaire, sans balle en mouvement, sans dépense d'énergie visible. Une grande
maîtrise était nécessaire pour devenir une championne
comme Haynie (j'ai pris l'habitude de l'appeler « Haynie » plutôt que par son prénom, mais c'est par affection).

Nous avons commencé à parler de tennis et de mon comportement sur le court. J'ai immédiatement compris qu'elle pourrait m'aider à surmonter mon manque de maturité, mais cet été-là, j'étais trop occupée pour avoir la possibilité de la connaître mieux.

Pendant cette fameuse soirée pluvieuse à Forest Hills, j'aurais eu besoin de son équilibre, mais elle n'était pas encore là au moment du match. Janet Newbury prit soin de moi. Après le match, je me sentais tellement seule que j'appelai l'hôtel où elle devait descendre; elle venait d'arriver : « J'ai perdu », lui dis-je; c'était la seule phrase que j'étais capable de prononcer au milieu de mes sanglots.

Elle vint nous retrouver, Fred Barman et moi, un peu plus tard et commença à me raconter les tournois qu'elle avait perdus. Je restai emmurée dans mon chagrin, sans l'écouter vraiment.

– Comment est-ce possible? Je pensais que j'étais préparée, répétai-je.

Quand je retrouvai Haynie, le désespoir continuait à m'assiéger. Elle me consola : « Cela s'arrangera, il y aura d'autres tournois. » Malgré tout, j'avais l'impression que c'était la fin du monde. Elle m'expliqua : « Tu as du mal à accepter ta défaite parce que tu as réussi trop vite, tu n'as jamais su ce que lutter voulait dire. Tu n'as encore jamais eu une mauvaise année. Tout le monde en a, tôt ou tard. Tu es jeune, tu t'en remettras. Tout le monde a des échecs. Sans exception. » Je l'écoutais; ses paroles, prononcées avec pondération, étaient pleines de bon sens.

Après cette discussion, je savais qu'elle était l'amie qu'il me fallait. Elle était plus âgée que moi, plus avisée, et une véritable championne. Elle existait à part entière, sans le secours de ma propre célébrité, ou de mon portefeuille. Elle avait à ce moment-là quelques problèmes de santé et jouait peu de tournois de golf; elle me proposa alors de me conseiller pendant un certain temps.

Un seul problème : j'habitais toujours chez les Barman à Beverly Hills, or Haynie est très attachée à sa ville, Dallas; pour rien au monde elle n'en serait partie.

Je pris la seule décision logique. J'allai à Dallas et achetai une maison le lendemain de ma défaite. Depuis ma fuite, je n'avais vécu qu'à Los Angeles, je voulais changer car c'était trop grand. La vie y était trop insouciante, un peu artificielle. Un changement de climat me ferait le plus grand bien.

Acheter une maison en un jour, cela me ressemble bien! J'ai recommencé en 1982 après avoir été battue par Pam à l'Open. J'apprends qu'une maison est à vendre à Virginia Beach, j'y vais, je l'achète. Idem pour les chiens : je pars pour en acheter un, et reviens avec trois. Récemment, j'ai succombé devant un perroquet, un ara. Je l'ai appelé KJ parce qu'il danse et se balance en levant et abaissant la tête comme Kathy Jordan lorsqu'elle attend un service. C'est vrai, je suis une acheteuse impulsive.

Dallas m'avait déjà séduite : j'y avais séjourné pendant le circuit. Je connaissais cette ville, j'y avais désormais une amie, c'était donc normal que j'aille m'y installer. Pour environ 125 000 dollars, j'achetai une maison toute de plain-pied, avec trois chambres à coucher; sans attendre, je fis planter des arbres, et installer une piscine et un immense bain bouillonnant Jacuzzi. J'ai vite fait la connaissance des enfants du voisinage qui jouent au football à côté de chez moi. Je recommençais à me sentir un peu chez moi. Les habitants de Dallas apprécieront-ils que leur ville soit comparée à Revnice, en Tchécoslovaquie? Quoi qu'il en soit, c'était ce que je ressentais.

Haynie partagea la maison avec moi; elle nous servait de bureau pour nos affaires et de centre stratégique. C'était la première fois que quelqu'un contrôlait ma nourriture et mon entraînement. Lorsque Nancy Liebermann travailla avec moi quelques années plus tard, tout le monde pensa que je n'avais jamais été conseillée; en fait, Haynie m'avait donné beaucoup de bonnes idées.

J'allais au club m'exercer sur les appareils et elle me faisait courir. J'avais toujours détesté les exercices, depuis les cours de gymnastique à Revnice; mais Haynie m'expliqua qu'ils étaient indispensables. Je m'exécutai. Elle entreprit de me débarrasser de mes mauvaises habitudes alimentaires; elle me préparait, par exemple, du poulet aux légumes en m'expliquant que c'était beaucoup plus sain que les sauces lourdes et les desserts que je mangeais dans les restaurants. En un an mon poids passa de quatre-vingt-six à soixante-douze kilos.

Haynie avait tellement bon caractère que c'était facile de lui demander des conseils. Elle n'a jamais prétendu s'y connaître en tennis, mais n'ignorait rien de la compétition. Quand j'allais mal, elle m'incitait à écouter Chris et Billie Jean qui étaient de bonnes amies. Néanmoins, elle contesta ma stratégie face à Chris. Elle ne comprenait pas pourquoi je restais en fond de court et jouais son jeu, tournoi après tournoi. Je restais convaincue que ce serait un honneur que de battre Chris à son propre jeu, mais Haynie me conseilla de jouer le mien, de recommencer à monter au filet.

Elle insista aussi sur le timing. Elle savait fort bien que, mal placé, on ne peut frapper correctement une balle, qu'elle soit immobile ou en mouvement. Même après que j'aie perdu du poids, mon jeu ne s'améliora que lorsque Haynie m'eût expliqué que je me précipitais sur la balle trop vite, et que ma raquette n'était pas en place.

Haynie m'apprit aussi à ne pas répercuter mes états d'âme sur mon jeu. « Que tu rages contre toi-même, d'accord, mais garde-le pour toi, ne l'extériorise pas. Tu dois apprendre à diriger ton énergie. Ne rouspète pas auprès des officiels. Tu peux t'en prendre à toi, pas à eux », m'expliquait-elle. Bien que le tennis soit différent du golf, Haynie savait que la force intérieure est indispensable pour n'importe quel sport.

« Concentre-toi sur un seul point à la fois », précisait-elle. Même si c'est simple en apparence, il a fallu qu'on me le dise.

« Si nous pouvons nous concentrer cinq heures sur le terrain de golf, tu peux te concentrer une heure ou deux sur le court. »

Haynie assistait parfois à mes matches. Je savais où elle se trouvait et à la moindre difficulté, je l'implorais du regard. Elle ne s'apitoyait pas sur mon sort. Si les officiels annonçaient une décision juste, Haynie me faisait un signe pour que je continue à jouer. Si la décision semblait injuste, elle ne réagissait pas. Il fallait continuer à jouer. J'avais besoin de cet encouragement, de cette discipline.

Par ailleurs, Haynie insista pour que je joue presque toutes les semaines. Elle m'encouragea à participer à de nombreux tournois, parce que j'en avais besoin. « Entre les données dans ton ordinateur », me disait-elle.

Grâce à ses conseils judicieux, je fis très vite des progrès. Alors que, en partie à cause de blessures, je n'avais gagné que deux tournois en 1976, j'entamai 1977 en battant Chris en finale à Washington 6-2, 6-3. Combien de mes amis ont remercié Haynie de m'avoir aidée à me ressaisir! Bien que j'aie encore été éliminée à Wimbledon et à l'U.S. Open, je gagnai six tournois au total cette année-là.

Puis en 1978 je gagnai trente-sept matches d'affilée dont sept finales, contre Betty Stove, Billie Jean, Evonne, à nouveau Stove, Diane Fromholtz et à nouveau Billie Jean. J'atteignais le niveau que l'on m'avait prédit.

Nous étions souvent très éloignées l'une de l'autre, mais Haynie essayait toujours d'assister à mes principaux tournois. Quand nous pouvions être à Dallas en même temps, nous restions à la maison, regardions les jeux à la télévision, ou tapions dans le ballon de football.

Une fois, avec une tendinite au poignet gauche, je m'étais échinée à couper mes coups droits, lifter mes revers, renvoyer toutes mes balles en leur donnant le maximum d'effet, jusqu'à n'en plus pouvoir. De retour à la maison je commence, en guise de récréation, une partie de football et, en courant pour rattraper une passe longue, je me cogne le genou contre la calandre d'une voiture. Convaincue que je ne me suis fait qu'une simple contusion, je n'y prête pas attention; puis, un moment après, le ballon fait un rebond curieux et, en me baissant pour le ramasser, je pose le pied dessus et me foule la cheville.

Haynie, qui était partie au supermarché, croisa en revenant la voiture des amis qui me transportaient à l'hôpital. On me fit des radios. J'étais là, allongée, bourrée d'analgésiques, l'air hébété. On me mit de la glace sur la cheville, sur le genou et sur le poignet. Après, j'ai marché avec des béquilles pendant une semaine. Et c'est ainsi que j'ai soigné ma tendinite. Quelle gourde!

Haynie me calmait sur le court et apporta temporairement un peu d'ordre dans ma vie. J'avais déjà essayé de faire oublier la réputation de panier percé que m'avaient value certaines de mes extravagances à Beverly Hills et Neiman Marcus. Elle avait fait elle-même de mauvais investissements aussi bien que des bons par le passé, et elle voulut savoir comment était géré mon argent. C'était Marvin Demoff, l'agent de Rosie, qui m'aidait, et Fred Barnam se chargeait d'investir pour mon compte. Il avait créé une société, Brat Inc., et m'assurait que j'étais à l'abri du besoin pour la vie. Dès que je fus installée à Dallas, Haynie commença à gérer mes affaires. Il n'y eut aucun heurt entre Fred et moi. Je continuai à jouer dans les tournois qu'il organisait au Japon et je les voyais de temps à autre, lui et sa famille. Chaque fois que je le rencontrais, je lui sautais au cou. Je continue d'ailleurs. Mais il était temps, alors, de changer – c'est un sentiment que je connais bien.

Je me plaisais à Dallas, malgré la réputation qu'avait la ville dans le reste du pays à cause du célèbre feuilleton « Dallas » et de l'assassinat du Président Kennedy. J'y ai vécu près de dix ans, en m'y sentant parfaitement chez moi.

J'aime la côte Est, sa vie trépidante, ses traditions européennes, la douceur des printemps et des automnes à Virginia Beach. Mais Dallas me donnait un sentiment de sécurité, l'impression d'être chez moi. J'ai été immédiatement adoptée, je suis devenue membre de la société The Yellow Rose et citoyenne honoraire du Texas avant d'être citoyenne américaine. Dès que je gagnais un tournoi, le gouverneur et les sénateurs faisaient des déclarations, m'envoyaient des télégrammes; jamais je n'ai eu l'impression que je n'étais qu'un moyen publicitaire pour eux. Ils étaient fiers que j'aie élu leur ville, et le sont toujours.

Les gens du Texas sont particulièrement ouverts; ce qui s'explique peut-être par la géographie : ils habitent une région immense aux paysages variés, une région qui semble d'ouvrir vers toutes les autres.

Quitter Los Angeles pour Dallas, quel changement! Au Texas, les gens prennent leur temps. En Californie, malgré la façade, ils ne pensent qu'à leur travail, même s'ils lui donnent l'apparence d'un jeu. A New York, les gens font des choses, à Dallas ils laissent les choses se faire. Ils sont amicaux, mais ils prennent leur temps. Ils ne vous racontent pas leurs plus noirs secrets la première fois qu'ils déjeunent avec vous. J'aimais voir Dallas avec les yeux de Haynie, et j'aimais savoir qu'elle n'était pas loin de moi.

Quand elle n'était pas là, je me sentais moins bien.

211

J'ai eu très longtemps horreur de la solitude. Si je ne sentais pas une présence proche, quelqu'un dans la maison au moins, je devenais triste et nerveuse.

Je ne pratique guère l'instropection et j'ignore donc la cause de cette anxiété. Peur de l'inconnu? Paranoïa? Peut-être. La première fois que je me suis retrouvée seule dans la maison de Dallas, pendant un voyage d'Haybie, je suis allée acheter un revolver que j'ai mis sous mon oreiller.

Mon caniche Racquet ne cessait de grogner, sans raison apparente. Dehors, le vent du nord mugissait. Les fenêtres tremblaient. Je percevais des bruits que je n'avais jamais remarqués, des craquements inquiétants, des grincements lugubres. Dans mon lit, je serrais mon oreiller qui recouvrait mon revolver. Depuis, j'ai même acheté un fusil, et en cas d'effraction, je n'hésiterai pas.

En plein jour, je ne m'en servirais probablement pas, mais sait-on jamais? Je sais le charger, et je le mets toujours à côté de mon lit la nuit. Ce n'est pas parce que j'ai peur de J.R. Je ne me promène pas partout avec mon fusil, je ne tire pas sur la télévision quand le programme me déplaît, comme le faisait Elvis Presley, mais je me sens beaucoup plus tranquille depuis que j'en ai un.

J'ai mis longtemps à apprivoiser ma peur de la solitude. Aujourd'hui, j'aime bien me retrouver seule quelques heures. J'organise mon temps comme bon me semble. Il me faut quand même la présence rassurante de mes chiens. Ils ne parlent pas, et j'aime de plus en plus leur silence. C'est peut-être un début de réponse à la grande question : « Qui suis-je? »

J'évolue de jour en jour. Je suis assoiffée de découvertes, de changement, et c'est pour cela que nous avons commencé à moins bien nous entendre, Haynie et moi. Pendant plusieurs années, elle m'a calmée, stabilisée. Son influence m'a fait beaucoup de bien. Mais autant j'aime aller à la découverte du monde, autant Haynie aime le calme des soirées devant la télévision. Elle était d'un naturel tranquille et n'aimait pas sortir. Ce n'est pas que je sois une noctambule, mais j'avais tout de même envie d'une soirée dehors de temps en temps.

Elle a été, pour moi, quelque chose comme un gourou. Mais j'étais jeune. J'avais besoin d'air. Le monde m'attendait.

26

WIMBLEDON 1978

A neuf ans je voyais à la télévision Billie Jean King gagner Wimbledon, et je faisais le vœu de remporter ce titre. Que l'on vienne de n'importe quel pays européen, Wimbledon est le championnat des championnats. Les Tchécoslovaques n'avaient pas oublié la victoire remportée par Jaroslav Drobny à Wimbledon en 1948, même s'ils ne parlaient plus de lui depuis qu'il s'était enfui et avait ouvert un magasin de sports en Angleterre. Pour ma part j'avais été ravie de travailler avec Vera Sukova, sachant qu'elle avait été finaliste en 1962. Elle faisait mon admiration pour avoir un jour salué sur le gazon sacré de Wimbledon.

A vingt et un ans il était temps que j'en fasse autant. C'est ce que me dit mon père, en me téléphonant de Revnice : « Il faut que tu gagnes cette année, sinon Jana prendra ta place, elle a fait des progrès. »

Ma sœur Jana avait quatorze ans.

J'arrivai en force en 1978, remportant trente-sept victoires d'affilée avant d'être battue par Tracy Austin à Dallas. Le bon sens et le programme d'entraînement d'Haynie m'avaient mis du plomb dans la cervelle et je devenais enfin la joueuse que je rêvais d'être. J'étais fin prête pour remporter le plus grand championnat de tennis du monde.

L'année précédente j'avais été éliminée en quart de finale par Betty Stove; malgré ma déception, j'avais moi aussi ressenti l'enthousiasme qui régnait pour le centenaire de Wimbledon. 1977 fut une grande année pour Wimbledon, d'autant plus belle que Virgina Wade – « Notre Ginny » pour les journaux anglais – remporta le titre. Ses compatriotes laissèrent déborder leur joie : l'Angleterre n'est plus une grande puissance du tennis, les pays de l'Europe de l'Est la dépassent de loin, mais Virginia et son jeu brillant, inspiré, étaient ce jour-là l'Angleterre tout entière.

J'ai moi-même remporté les chamiponnats de mes deux pays, la Tchécoslovaquie et les États-Unis; j'imagine donc sans peine quel a été le bonheur de Virginia quand elle a triomphé à Wimbledon devant un public en liesse. Je ne le dirais pas de beaucoup de tournois, mais je serais prête à payer pour assister à Wimbledon tous les ans, alors en 1977...

J'ai connu Wimbledon à différentes époques : la première fois en 1973; j'avais tout juste été qualifiée, mais j'étais follement heureuse de côtoyer Billie Jean et les grands joueurs, heureuse d'être au Gloucester Hotel à South Kensington, et de circuler en Austin Healey avec les autres participants.

Rien qu'à travers les vitres d'une voiture, on pouvait sentir l'excitation de la foule, même contenue par le traditionnel sang-froid britannique. On voyait les gens faire la queue pour les fameux bus rouges à deux étages, acheter aux éventaires de plein air leurs pommes et leurs petits sandwiches, marcher dans les rues et les parcs si calmes au milieu de toute cette agitation; il y avait toujours la queue, je m'en souviens, devant les éventaires qui vendaient des fraises à la crème Chantilly; mais je pouvais commander les miennes au bar-salon réservé aux joueurs. C'est fini pour moi maintenant, la crème et le sucre, je mange les fraises nature, mais celles qu'on trouve à Wimbledon sont toujours un régal.

C'est à Wimbledon que j'ai vraiment pris conscience des différences de classes sociales, si vivaces en Angleterre. Les longues limousines étincelantes emmènent leurs passagers en costumes sobres et robes froufroutantes jusqu'à leur loges, réservées à la famille depuis des dizaines d'années, pendant que de l'autre côté des barricades, des passionnés venus de toute l'Europe, de l'Amérique du Nord et de bien d'autres pays, parlant toutes les langues, avec tous les accents possibles, font patiemment la queue pour obtenir des places debout.

La réserve britannique domine, elle donne une agréable impression de sérénité, elle favorise la courtoisie. Mais lorsqu'elle vous empêche d'entrer sur le stade parce qu'il est midi moins deux, elle devient insupportable.

Avant l'ouverture de la porte principale, on ne laissait entrer que les membres, pas les employés, et pas les joueurs. Autrement dit, un joueur qui se laissait prendre dans la foule à l'ouverture de la porte perdait cinq minutes au moins du quart d'heure d'échauffement avant le match. Une fois, j'ai été entraînée par la ruée des spectateurs qui se précipitaient pour avoir une place debout sur le court central, et je me disais : « C'est trop bête! ils se bousculent pour me voir et je suis là, coincée au milieu d'eux. »

Ces dernières années, la direction s'est montrée plus sensible aux besoins des joueurs, mais il y a encore des contretemps comiques . En 1983, déjà trois fois championne et préparant ma quatrième victoire, j'avais loué une maison à proximité des courts. En habitant près du club, je pouvais facilement rentrer chez moi à pied ou à bicyclette entre les matches. Les voisins étaient agréables, et respectaient ma tranquillité. Un jour, je partis à bicyclette vers le terrain d'entraînement par un chemin différent de celui que je prenais d'habitude. Je n'avais aucun papier d'identité, mais je pensais qu'on me reconnaissait, et d'ailleurs la veille le garde m'avait laissée entrer sans difficultés. Ce jour-là, c'était un homme de soixante-quinze ans qui gardait la grille. Il m'arrêta et me dit :

– Désolé, Mademoiselle, vous ne pouvez pas entrer sans ticket.

– Mais je suis joueuse. Je m'appelle...

– Désolé, Mademoiselle.

– Mais j'ai gagné le tournoi l'année dernière.

– Désolé, Mademoiselle.

Heureusement, quelqu'un m'a reconnue et le garde m'a très poliment fait entrer. A New York, on n'aurait pas été aussi courtois, et je me serais certainement mise en colère. Mais c'était à Wimbledon. Désolé, Mademoiselle...

Un reporter avait réussi à me photographier sur ma bicyclette. Une heure plus tard, la photo était sur son journal, avec ce titre : Martina fait de la bicyclette pour se mettre en forme. C'était grotesque!

Je détestais cette façon qu'avaient les journaux anglais d'être à l'affût des intrigues et des scandales. Une fois, j'ai déclaré à Wimbledon : « Je crois que la presse a le droit d'être libre. Mais quand la presse nous laissera-t-elle, à nous, notre liberté ? » C'est incroyable : ils racontent n'importe quoi, des rumeurs, et même des histoires complètement inventées. Une anodine déclaration d'un joueur au cours d'une rapide conférence de presse peut très bien se retrouver, moins d'une heure plus tard, considérablement amplifiée, en gros titre sur un panneau à l'entrée du métro.

Les journalistes de la télévision étaient corrects. En tout cas ils ne m'ont pas poursuivie tout autour des courts : il est vrai que je n'étais pas obligée de sauter des pots de fleurs pour échapper à des hordes d'adolescents enthousiastes, comme Borg à l'époque de son adolescence, quand on l'appelait le « teen angel » (l'ange adolescent). Mais la presse britannique m'a franchement agacée où j'avais pris un appartement avec Rita Mae Brown près de Sloane Square; il y avait un journaliste qui n'arrêtait pas de frapper à notre porte; il a même soudoyé une domestique pour arriver à ses fins.

Ce qui nous a sauvées, finalement, ç'a été les problèmes de Nastase avec sa femme, Dominique. C'était beaucoup plus croustillant, et la presse anglaise s'est jetée sur l'histoire. J'ai remercié Nastase pour son aide. « Quand tu voudras, je suis à ta disposition », m'a-t-il répondu.

Heureusement, les journalistes sportifs sont, eux, irréprochables. Ils ressemblent beaucoup plus à des critiques de théâtre que les journalistes sportifs américains. Ils rédigent leurs six paragraphes de commentaires sur le match sur place, et les transmettent par téléphone à leur journal pour la prochaine édition.

C'est en 1984 que les journaux à scandale m'ont véritablement harcelée vingt-quatre heures sur vingt-quatre, au point que j'ai menacé de ne plus remettre les pieds en Angleterre, sauf, bien sûr, pour Winbledon.

Je crois que nulle part ailleurs un athlète ne se sent davantage « en scène » qu'en entrant sur le court central de Wimbledon, au milieu de la rumeur, face aux gens huppés dans leurs loges privées, entendant les bavardages de la foule, et conscient de l'importance du tournoi. Et cette ambiance aide à extérioriser toute l'agressivité, tout l'égocentrisme dont un joueur a besoin pour gagner un championnat. En 1978, j'étais prête pour cela.

L'influence d'Haynie avait été excellente : j'étais prête physiquement et spirituellement. Je n'ai tiré que des adversaires coriaces : Julie Anthony au premier tour, Pam Whytcross au second, Barbara Jordan au troisième (elle a gagné le premier set), Tracy Austin au quatrième, et Marise Krugger en quarts de finale. En demi-finale, Evonne remporta le premier set, avant que je ne contre-attaque et remporte les deux sets suivants 6-4, 6-4, ce qui me fit arriver en demi-finale contre Chris. Il m'avait fallu trois sets difficiles pour la battre la semaine précédente à Eastbourne, et je savais qu'elle serait en pleine forme.

Nerveuse au début, j'ai perdu le premier set 2-6. J'étais encore un peu dans les nuages quand je me suis trouvée en plein sur la trajectoire d'un passing-shot croisé de Chris. Ce n'était pas un de ces sales coups en pleine figure qu'envoient parfois les hommes. Chris avait visé un angle, et la balle a frappé ma tempe. Aucun mal, au contraire, elle m'a réveillée. Après cela, j'ai commencé à anticiper ses coups, et Chris a cessé de m'imposer son jeu.

J'ai gagné les deux sets suivants : 6-4, 7-5. Victoire, j'étais championne de Wimbledon. Le rêve de mon père se réalisait. D'émotion, incapable d'y croire, je porte la main à mon front, et je sens Chris me donner une petite tape dans le dos. Souriante, elle me félicitait chaleureusement.

Quatre jours plus tard, l'ordinateur de la Women Tennis Association me classait première joueuse mondiale, et mettait fin aux quatre années de règne incontesté de Chris. Je me sentais au sommet du monde, et j'étais sûre que j'allais y rester, pour toujours.

27

RITA MAE

Pendant mon adolescence, une partie de moi-même n'avait jamais été touchée : le point de rencontre entre mon esprit et mon âme. Mes parents m'aimaient comme on aime sa fille, les autres s'intéressaient à moi à cause de mes capacités d'athlète, de mes pommettes ou de mon sens de l'humour. Mais certains côtés de ma personnalité avaient été ignorés et s'étaient étiolés peu à peu.

Quelques-uns de mes professeurs avaient essayé, je crois, de me découvrir pleinement. Ce fut le cas de ce professeur de lycée qui pleurait en expliquant les grands textes de la littérature tchèque. A mon arrivée aux États-Unis, des amies comme Lee Jackson, Aja Zanova et Svatka Hoschl ont essayé de réveiller cette partie de moi-même, obscure et cachée, qui se posait des questions, qui s'intéressait aux autres, qui voulait connaître le monde, et sortir de ce cocon qui s'appelait tennis.

Il est vrai que je ne faisais pas beaucoup d'efforts pour la découvrir : le tennis m'absorbait. Puis, je rencontrai Rita Mae Brown et la petite fille curieuse que j'avais été se réveilla.

J'avais lu par hasard son roman « Rubyfruit Jungle » (La Jungle des fruits vermeils). Je l'avais aimé sans m'être sentie concernée par ses considérations philosophiques sur l'homosexualité féminine (j'avais pourtant déjà eu quelques aventures). A mes yeux, j'étais une athlète n'ayant rien à voir avec le monde des intellectuels. La lecture du livre avait été intéressante. C'est tout.

Pendant un tournoi, l'une des joueuses du circuit, Wendy Overton, me dit qu'une romancière de sa connaissance écrivait un livre mettant en scène un Tchécoslovaque pour lesquel elle aurait aimé avoir recours à ma matière grise. J'acceptai. Quand j'appris qu'il s'agissait de Rita Mae Brown, je devins un peu plus intéressée. Pas beaucoup plus : je devais penser à mon match. Peu de temps après, nous nous sommes donc rencontrées pour parler de la Tchécoslovaquie, puis nous avons parlé de ma vie, à bâtons rompus, mais intensément, profondément.

Dès notre première rencontre, j'ai compris que Rita Mae voulait tout connaître de moi. C'était excitant. Elle était capable de parler de tout. Et, plus excitant encore, elle me demandait ce que je pensais. Personne ne l'avait jamais fait sérieusement avant elle. Comment s'est passé l'invasion ? Comment étaient les professeurs communistes ? Quels droits avaient les femmes en Tchécoslovaquie ? Qu'est-ce que je pensais de tout cela ?

Avais-je eu, jusqu'alors, des œillères ? Je ne crois pas ; jamais, tout simplement, on ne m'avait incitée à réfléchir comme elle le faisait. Quand on interroge les célébrités, c'est souvent sur des problèmes qui n'ont rien à voir avec leur profession, le genre « Que pensez-vous du Moyen Orient ? Des essais d'armes ? De la politique, et cela reste trop superficiel. On dirait que les journalistes ne cherchent qu'une phrase qui fera un bon titre.

Rita Mae, qui ne s'attendait certainement pas à ce que je montre une brillante intelligence, a été surprise. Et par la suite, elle déclarait que j'étais une des personnes les plus intelligentes de sa connaissance. « Dès que tu fais travailler tes méninges », me disait-elle.

221

Je me suis demandée si elle se servait de son roman « Southern Discomfort » (Le Malaise du Sud) pour mieux me connaître, mais je ne pense pas. Elle se consacrait entièrement à sa préparation, et me mettait à contribution. Le plus drôle, c'est que finalement, dans le livre, le Tchécoslovaque n'a été qu'un personnage tout à fait insignifiant.

On a dit qu'elle avait écrit : notre rencontre fut « un festin qui n'en finissait pas »; c'est très romantique, mais c'est un mot d'écrivain, ce n'est pas la réalité.

Il est vrai que nous avons déjeuné ensemble, que le repas a duré deux bonnes heures et demie, qu'elle était follement drôle, mais rien de plus. Je voudrais bien que « Southern Discomfort » soit aussi drôle que cette conversation avec Rita Mae, mais je crois que les meilleurs passages ont été coupés. Le dialogue, c'est son point fort. Elle m'a fait rire dès la première fois, et la vie, c'est comme cela : on a envie de ne jamais quitter les gens qui nous font rire, on se sent bien avec eux.

Mais « un festin qui n'en finissait pas »? C'est parce que les plats se faisaient attendre, alors. En nous quittant, nous nous sommes promis de rester en relation. Je ne l'ai revue qu'en coup de vent à Phoenix, en automne, sans même avoir le temps de lui parler. Finalement, je l'ai appelée après le nouvel an, et nous avons commencé à bavarder de temps à autre au téléphone, jusqu'à ce que nous nous revoyions à Chicago au début de février. C'est peut-être de ce déjeuner-là qu'elle parlait.

D'emblée, Rita Mae mit les choses au point : peu lui importait que je sois ou non une grande joueuse de tennis. Pour elle, le tennis n'avait aucune importance : ce n'était qu'un sport. Elle disait que les sports ne faisaient que détourner l'esprit de l'essentiel, et ne développaient ni la culture ni l'intelligence.

C'était la première fois qu'on me disait cela. J'avais toujours été entourée de gens qui prenaient le sport très au sérieux. Rita Mae, le tenait en tel mépris que je finissais par penser qu'en travaillant si dur mon tennis, je faisais quelque chose de mal. Elle me disait que j'avais mieux à faire et à une époque, je l'ai crue, j'ai suivi ses conseils, et ça n'a pas été un bien pour moi. Aujourd'hui, je me demande comment j'ai pu faire cela.

Elle était cynique quand elle parlait des valeurs reconnues par le sport : « Tant que tu es la meilleure, on t'admire, disait-elle, mais on te jette au panier dès que tu ne l'es plus ». J'en convenais, j'en conviens toujours, mais je sais maintenant que c'est la même chose partout. Même un écrivain ne vaut que ce que vaut son dernier roman, pour beaucoup de gens.

Rita Mae avait l'esprit très direct, empreint d'agressivité, ce que je n'avais jamais observé chez une femme auparavant. Elle prétendait être un homme piégé dans un corps de femme. Son côté tourmenté, spirituel, me séduisait. C'était la première personne à qui je pouvais me confier totalement. Au début, nos rapports n'étaient pas physiques. C'était sa sensibilité, son intelligence qui me séduisaient.

C'est pour cela que je suis toujours circonspecte devant les étiquettes sexuelles qu'on colle sur les gens. Je déteste les idées toutes faites. Quoi que vous fassiez, pour certaines gens, vous êtes classé d'avance dans une catégorie. Moi, j'avais des liens romantiques avec un écrivain qui racontait des histoires drôles et qui appelait son chat l'Enfant Jésus, et il se trouvait par hasard que c'était une femme. Mais ce qui m'attirait le plus en elle, ce qu'elle avait de remarquable, c'était ce qu'elle disait, ce qu'elle pensait, sa façon de vivre, son intelligence et sa sensibilité.

Si elle avait été un homme, je serais peut-être en train d'élever un enfant gaucher, doué pour le tennis et la dactylographie ? Je serais probablement divorcée, étant donné la façon dont les choses ont tourné. Quoiqu'il en soit, c'était avec cette personne-là que je vivais une histoire d'amour. Je ne voyais rien de remarquable, ni en bien ni en mal, dans sa sexualité. Les deux sexes cohabitent en moi, mais je déteste le mot *bisexuelle*. C'est un mot pour les escargots. Je ne suis pas un escargot. Je serais même plutôt romantique.

Les mois que j'ai vécus avec Rita Mae ont été romantiques. Nous avons commencé à voyager ensemble : longs dîners, bons vins, dentelles et soie, au lieu des vêtements chauds et du régime. Petit à petit, je la connaissais mieux.

Une grande partie de « Rubyfruit Jungle » était autobiographique : enfant illégitime, élevée en Floride, renvoyée de l'école à cause de ses opinions politiques, elle avait étudié le cinéma et la poésie à New York.

En trente-deux ans, avant de me rencontrer, Rita Mae avait beaucoup vécu. Elle avait été membre de la National Organization for Women à sa création, fondatrice d'un groupe féministe radical, les Redstockings, puis de 1971 à 1973, elle avait fait partie d'un groupe nommé les Furies, dont le siège était à Washington, D.C. Elle avait enseigné à temps partiel au Centre des Femmes Écrivains à Cazenovia, N.Y. et en plus de « Rubyfruit Jungle », elle avait écrit « In her day » (En son jour) et « Six of one, half dozen of another » (Six de l'un, une demi-douzaine de l'autre).

Dans toutes ses interviews elle précisait qu'elle ne voulait pas être « Rita Mae Brown, auteur lesbienne ». Elle voulait tout simplement être appelée « Rita May Brown, auteur » « J'espère qu'ils diront : elle était drôle, ajoutait-elle ensuite.

Je ne me suis pas engagée dans notre relation avec un bandeau sur les yeux. Dès notre premier contact téléphonique, je savais que sa réputation d'homosexuelle était notoire et qu'elle l'arborait. Moi qui n'avais encore jamais été associée publiquement à une homosexuelle, je pouvais difficilement tomber sur quelqu'un de plus en vue. Mais j'étais amoureuse. Impossible d'endiguer mes sentiments et d'admettre que je pouvais gâcher ma carrière par cette liaison.

Je l'aimais, et je voulais être avec elle, tout simplement. Je n'agitais pas de drapeaux, je ne menais aucun combat. J'avais envie qu'on nous laisse tranquilles. Pendant des mois, nos voyages ensemble n'intéressèrent personne. La tolérance est en fait plus grande qu'il n'y paraît aux États-Unis, au Canada et en Europe. Les gens étaient au courant, mais il n'y avait pas d'articles sur nous dans la presse. Ou rarement, et ils n'étaient pas bien méchants, sauf dans certains journaux homosexuels confidentiels, qui se sont montrés plus pervers.

Rita Mae m'a aidée à développer mon intelligence, mais je ne pense pas qu'elle m'ait rendue plus libérale que je ne l'étais déjà. J'étais le contraire d'une conservatrice, que vous appeliez cela être tolérante ou libérale, bien avant de la connaître. Je ne l'avais pas attendue pour me faire une opinion sur les droits des femmes, sur l'avortement ou la majorité légale des femmes. J'étais révoltée de voir que c'était à leur force physique que les hommes devaient leurs places. Je ne conteste pas qu'au tennis, où la force physique est importante, les hommes sont supérieurs aux femmes. Mais il n'y a aucune raison que les hommes s'emparent de l'autorité dans les affaires, dans la politique, à la maison. Et là aussi, c'est leur force physique qui leur permet de dominer les femmes, et pas une intelligence ou une force d'âme supérieure.

J'ai toujours proclamé le droit à l'avortement, le droit à un salaire égal pour un travail égal, les droits de toutes les minorités, y compris ceux des homosexuels. Je n'admets pas qu'on puisse juger des gens sur leurs préférences sexuelles. J'ai toujours été contre tous les préjugés, et Rita Mae ne m'a rien appris dans ce domaine. Mais nous avions les mêmes convictions, et c'est pour cela que nous nous entendions bien. Toutefois, je n'étais pas comme elle du genre à manifester et à brandir des bannières, même pour défendre les droits des minorités quand ils étaient bafoués.

J'étais trop occupée par ma carrière pour pouvoir

assister à beaucoup des congrès et des conférences où elle allait, mais je l'ai tout de même entendue parler une fois à Chapel Hill, en Caroline du Nord, et une autre fois à Los Angeles. C'était un extraordinaire orateur, douée d'une force de persuasion peu commune. Puis ses activités publiques ont diminué, quand elle a commencé à écrire « Southern Discomfort ».

Chaque fois que Rita Mae m'accompagnait en voyage, elle me sortait de l'hôtel pour explorer la ville. A San Francisco, il fallait aller voir les sculptures de Rodin au musée en haut de la colline; en Europe nous ne pouvions manquer la visite d'une cathédrale. A Londres, comment éviter le shopping? Quel plaisir de voir tous ces lieux que je ne connaissais que par les livres ou mes études au lycée. Pendant toutes les années où j'avais voyagé pour le circuit, je n'avais presque jamais entendu de bons joueurs proposer d'aller par exemple à un Musée d'Art Moderne. Les joueuses de second rang le faisaient plus volontiers. Comme elles perdaient habituellement au premier ou au second tour, elles avaient du temps libre; ce n'était pas leur curiosité qui nuisait à leur réussite sportive. Alors que celles qui, presque toujours, arrivaient jusqu'aux quarts de finales ou aux demi-finales vivaient dans un monde fermé, elles n'avaient de temps pour rien d'autre que s'entraîner, manger, dormir, jouer, et repartir faire la même chose ailleurs. En fait, nous passions presque tout notre temps près des cours. Arrivées tôt, nous restions là à jouer aux cartes ou à feuilleter de vieux journaux. Et dès son premier regard sur la vie que nous menions, Rita Mae me dit : « Fiche-moi tout ça en l'air! ».

Elle commença par me faire des réfexions du genre : « Tu ne veux vraiment rien apprendre? Comment peux-tu supporter de ne faire que jouer au tennis? » Puis elle organisa nos journées. Levées tôt, nous sortions de l'hôtel pour entreprendre chaque jour une activité nouvelle. Je lui en étais reconnaissante, je brisais enfin le moule coulé sur moi par ma profession.

Dans ces conditions, j'arrivais parfois sur le court juste à temps pour le match. Pendant le circuit d'hiver, j'ai même parfois téléphoné pour demander : « A quelle heure est le match ? Qui gagne ? Quel est le score ? » Parfois, en arrivant, j'avais mal aux pieds d'avoir visité un musée ou marché dans les rues, l'esprit encore occupé par le film que nous venions de voir ou notre dernière conversation.

Il m'arrivait d'oublier l'heure au cours d'une discussion passionnante à propos d'un livre, et de dire tout d'un coup : « Oh, il faut que j'aille travailler ! ». Tous les amoureux connaissent ce sentiment de s'arracher à quelqu'un pour aller travailler. Mon travail à moi, c'était un match contre Chris Evert ou Billie Jean.

Pour passer plus de temps ensemble, nous avions décidé de vivre sous le même toit. Rita Mae avait toujours aimé Charlottesville en Virginie, pays de Jefferson, ville universitaire. Après avoir vu la vieille université, les antiques demeures et la campagne, j'eus un coup de foudre pour le Blue Ridge. Le paysage me rappelait les montagnes surplombant Revnice. Après une petite prospection, nous avons acheté un manoir à la sortie de Charlottesville, sur un terrain de cinq hectares. La perspective d'emménager avec Rita Mae et de retrouver mes racines rurales me réjouissait.

Or, pendant le même temps, mes vraies racines s'étendaient vers moi. Le gouvernement tchécoslovaque étant devenu plus coulant pour les voyages à l'étranger, mes parents songeaient sérieusement à émigrer pour vivre avec moi à Dallas. Leur arrivée me posait juste un petit problème. Ils ne *savaient* pas.

28

VISITE
DE MA FAMILLE

Lors de mon départ j'avais dû accepter l'idée de ne pas revoir mes parents pendant longtemps, ou même de ne plus jamais les revoir, si le gouvernement en décidait ainsi. Rien de semblable n'arriva. Quelques jours après ma fuite, nous avons pu parler au téléphone et par la suite je n'ai jamais eu la moindre difficulté pour les appeler. Le fait de les entendre rendait la séparation plus supportable. Qui plus est, ma grand-mère avait été autorisée à venir au début de l'année 1979.

En juin ma mère avait pu me rejoindre à Wimbledon, mais seule, sans mon père; la tactique était toujours la même : on s'assurait ainsi qu'elle reviendrait. J'allai l'attendre à l'aéroport d'Heathrow, pour la retrouver enfin, après quatre ans. Personne ne le savait, je n'avais pas voulu que les médias britanniques s'emparent de ces retrouvailles. Ainsi, nous avons pu nous embrasser hors des objectifs des caméras. Ma mère avait apporté des gâteaux qu'elle avait fait pour moi. Nous avons bavardé en nous étreignant pendant tout le trajet jusqu'à Londres.

Le lendemain, ayant pris place dans la loge des joueurs, elle me regarda défendre mon titre. Pendant les matches, j'aime savoir où se trouvent ma famille et mes amis; de temps à autre, je jetais un coup d'œil vers elle, et constatais sa nervosité. Une cigarette à la main, tenant son sac bien serré, elle regardait de tous côtés pour être sûre qu'elle applaudissait au bon moment. J'étais nerveuse, moi aussi, et j'ai perdu la première manche contre Tanya Hartford avant de la battre. Quelques jours après, elle a assisté à ma victoire contre Chris en finale, par 6-4, 6-4.

Pendant le séjour de ma mère en Angleterre, nous avions parlé de la possibilité que toute la famille vienne s'installer aux États-Unis. Le gouvernement tchèque avait plus ou moins laissé entendre qu'il ne s'opposerait pas à leur départ. Convaincue que ce serait très bien pour mes parents, et surtout pour Jana qui était alors au lycée, j'avais dit qu'ils devaient faire l'impossible pour venir, et que je prendrais tous les frais à ma charge.

Un peu plus tard, mes parents m'ont avertie qu'ils arriveraient en décembre. Nous avons fait toutes les formalités nécessaires. Je pensais les installer à Dallas. J'y vivais seule alors, mais je ne trouvais pas ma maison assez grande pour nous loger tous. Je leur ai donc dit que j'allais leur acheter une maison; malgré leur refus : « Non, non, nous voulons vivre avec toi! », j'étais sûre qu'il valait mieux être chacun chez soi.

J'étais désormais suffisamment américaine pour vouloir que chacun ait sa propre cuisine et sa propre salle de bain. Je voyageais beaucoup, j'avais vingt-trois ans, et je voulais pouvoir recevoir qui je voulais, faire la cuisine quand je le voulais. Une maison fut mise en vente à deux cents mètres de chez moi, dans la même rue, et je l'achetai immédiatement.

J'allai les chercher à l'aéroport. Quelle émotion de revoir mon père, de retrouver Jana si changée : elle n'était qu'une enfant quand je l'avais quittée, c'était maintenant presque une adulte, et elle était aussi grande que moi!

Mon père, lui, n'avait pas changé. Toujours plein

d'idées, prêt à donner des conseils. Pendant le trajet de l'aéroport à la maison, il me questionna sur l'état de mes finances, me donna des tuyaux pour le tennis, m'expliquant par exemple comment attaquer le revers de Chris, plier les genoux et tourner les épaules davantage en frappant la balle. Il avait dû me voir à la télévision Ouest-allemande à Pilsen.

La situation était à la fois comique et familière. Je me retrouvais comme un enfant rentrant du lycée, après avoir été indépendante pendant quatre ans. Comme tous les parents, ils pensaient qu'ils devaient encore s'occuper de moi. Malgré mon âge, j'étais encore leur petite fille. Deux fois championne à Wimbledon, je redevenais une gamine.

A la maison, ils examinèrent tous mes gadgets. Ils n'imaginaient certainement pas que j'étais aussi riche.

– Je vais vous montrer quelque chose, leur dis-je au bout d'une heure, et je les emmenai jusqu'à l'autre maison.

– Qu'est-ce que c'est?

– C'est votre maison, répondis-je.

– C'est formidable, mais nous préférons rester avec toi.

– Je ne suis pas là souvent, mais je veux être chez moi, rétorquai-je.

Ils acceptèrent, bien que cette idée ne leur ait jamais vraiment plu. J'avais gagné une Peugeot à Washington et racheté une Cadillac Seville à Haynie, de sorte qu'ils avaient deux voitures. Et je payais toutes les factures. Je leur donnai une partie de mes meubles. J'achetais un piano pour Jana.

Au début, tout se passa bien. Pour Noël, mon père prépara la carpe traditionnelle. J'étais souvent chez eux, et ma mère était aux petits soins pour moi. « Ne bois pas si froid! » me disait-elle si j'avais un rhume et, quand je devais quitter la ville pour un tournoi : « Comment se fait-il que tu repars déjà? » Ils n'arrivaient pas à comprendre ce qu'était la vie d'une joueuse de tennis. Ils m'y avaient préparée, surtout mon père, mais rien ne les avait préparés, eux, à mes voyages, aux longues distances que je devais franchir pour aller d'un tournoi à l'autre. Ils venaient d'un petit pays d'Europe. Quand je repris la route au début de 1980, je m'assurai qu'ils pouvaient se débrouiller seuls.

Jana allait à une école privée, très snob, qui ne ressemblait en rien à ce qu'elle avait connu en Tchécoslovaquie. A mon avis, elle aurait mieux fait d'aller dans une école publique. Finalement, elle s'est très bien adaptée et au bout de quelques mois elle connaissait bien l'anglais parlé, presque aussi bien que moi. Douée aussi pour les langues, ma mère noua rapidement des relations. Des enfants catholiques venaient les voir jusqu'au jour où mes parents refusèrent de les suivre à l'église. Ils n'étaient pas préparés à cette forme de religion agressive, tournée vers le prosélytisme, qui existe aux États-Unis, d'autant plus qu'ils avaient toujours été athées en Tchécoslovaquie.

La vie à Dallas les changeait complètement. A Revnice, ils connaissaient tout le monde, allaient partout à pied et, le jour où ils décidaient d'aller à Prague, il leur suffisait de prendre la voiture ou le train pour arriver dans une vieille ville familière. Les Européens sont habitués à arpenter les centres villes, lieux d'échanges, de commerce, de rencontres.

A Dallas, tout est dispersé. La voiture est indispensable, pour aller au centre commercial ou n'importe où ailleurs. Or, le fait de toujours rouler en voiture, sans jamais rencontrer de visages familiers, donne un peu l'impression d'être déraciné. Personnellement, dès que j'arrive à Londres, à Paris ou à New York, j'aime retrouver le rythme de la rue en Europe.

Ma mère s'est habituée immédiatement. Il y avait à proximité une épicerie pleine à craquer de toutes sortes de produits alimentaires et d'articles ménagers qu'elle n'aurait jamais imaginés auparavant. Pour une personne venant de derrière le rideau de fer, c'était un vrai conte de fées, même si la Tchécoslovaquie ne connaissait pas la pauvreté avant la prise du pouvoir par les Russes. Elle aimait parcourir les rayons des grandes surfaces ouvertes vingt-quatre heures sur vingt-quatre, inconnues en Tchécoslovaquie, où elle trouvait tout ce dont elle avait besoin, de la viande jusqu'aux condiments.

Mon père a eu plus de mal. Il n'osait pas demander ce qu'il voulait dans les boutiques; ce n'était pas un problème de vocabulaire : ils avaient des livres illustrés, des dictionnaires; il aurait pu suivre des cours. Il connaissait un peu d'anglais, d'allemand et de russe, et était très capable de se débrouiller; quand il était à l'aise, il pouvait même soutenir une conversation en anglais. Mais il se sentait frustré : en Tchécoslovaquie, il était un grand personnage parce qu'il était mon père, mais à Dallas il dépendait de moi et de ma mère.

Il n'avait pas de travail, et trouvait qu'à cinquante ans, il était trop jeune pour prendre sa retraite. Il annonça qu'il voulait être mon entraîneur et mon conseiller. Je n'en avais pas à ce moment-là, et quelques conseils m'auraient certainement aidée. Mais je ne pensais pas que cela pourrait marcher : il avait un coude abîmé, aurait du mal à renvoyer mes balles, et par ailleurs mon jeu n'était plus le même que quand j'étais une petite fille!

Je comprenais très bien ses réactions. Il était orgueilleux et ne voulait pas dépendre de moi.

Je lui expliquai que je me débrouillais très bien seule et que, techniquement, il ne pouvait pas m'apporter beaucoup. Ses conseils étaient simples : attaque le revers de Chris, par exemple. Il ne se rendait pas compte du niveau de mon jeu. C'est normal de penser que le revers d'un joueur est moins bon que son coup droit, puisque c'est le cas pour la plupart des amateurs. Mais ce n'est plus vrai au niveau de Chris Evert.

J'essayai de les mêler aussi rapidement que possible à ma vie professionnelle ; à la fin de l'année ils m'accompagnèrent au Japon puis, peu après, à Los Angeles. Néanmoins au bout de quelque temps, je leur expliquai qu'il valait mieux que je sois seule pendant les tournois.

Je me rendis compte que les choses allaient devenir vraiment difficiles le jour où mes parents me téléphonèrent parce que leur four était en panne. De ma chambre d'hôtel, je dus téléphoner à un service de dépannage à Dallas, en expliquant que les occupants de la maison ne parlait pas anglais. Ce n'était pas drôle pour moi, d'avoir à régler ce genre de détails domestiques, et ça tombait mal : ma forme n'était pas excellente. Mais ça n'était pas drôle pour eux non plus, d'être obligés de m'appeler à l'aide.

Si je restais une semaine à la maison, repartais et téléphonais tous les deux jours, c'était pour m'entendre dire : « Pourquoi n'as-tu pas appelé hier ? » Ils étaient possessifs ; c'était compréhensible puisqu'ils ne m'avaient pas vue pendant longtemps. Pour eux, j'étais leur fille, non une femme indépendante. Ils voulaient que je porte un pyjama pour dormir au lieu de dormir nue comme j'en avais pris l'habitude. Ils ne cessaient de me prodiguer des conseils. Il fallait s'accommoder de la situation de part et d'autre. Nous aurions pu parvenir à nous entendre s'ils avaient accepté... « mon style de vie », dirons-nous.

Je n'avais pas tellement réfléchi à ce qu'ils penseraient de ma vie privée. Ils ne posaient pas de question quand je partageais ma chambre avec quelqu'un, et il est probable qu'il n'y aurait pas eu de problème si je n'avais pas rencontré Rita Mae.

Je leur avais parlé de venir vivre à Dallas avec moi avant d'avoir rencontré Rita Mae, donc bien avant d'avoir l'idée d'acheter une maison à Charlottesville ; je ne savais même pas, alors, si le gouvernement les laisserait sortir de Tchécoslovaquie.

Je gagnais assez d'argent pour avoir deux maisons, plus une pour ma famille, et je ne pensais pas qu'ils feraient un drame si je vivais une partie du temps en Virginie. Mais quand je leur ai dit en avril que j'allais acheter une autre maison, ils n'ont pas aimé cela. Pour eux, c'était comme si j'avais eu une maison à Stuttgart et une autre à Lisbonne.

Puis un jour, à Dallas, mon père m'a dit : « Je crois que Rita Mae et toi, vous vivez comme mari et femme. »

Je ne voulais pas lui mentir, et je lui ai dit qu'il ne se trompait pas. Sur le moment, il est resté assez calme. Il s'est contenté de me conseiller un livre qui m'éclairerait sur ce qu'il appelait « ma maladie ». Je lui ai répondu qu'il pourrait peut-être, lui aussi, avoir des lectures instructives, et que ses idées sur l'homosexualité dataient un peu trop. Il s'est énervé, m'a traitée de tous les noms, jusqu'à me dire qu'il aurait préféré me voir prostituée plutôt qu'homosexuelle.

Cette réaction de la part d'un homme tchécoslovaque n'était pas totalement inattendue. Là-bas, on appelle les hommes homosexuels des « chauds », ce qui est loin d'être flatteur dans la langue du pays, et je ne crois pas qu'il existe de terme pour désigner les lesbiennes. Elles sont accablées d'un immense mépris; on pense qu'il s'agit de femmes tellement moches qu'elles ne peuvent pas trouver un homme. J'essayai d'expliquer à mes parents que c'était un peu plus complexe.

Ils vinrent me voir après mon installation à Charlottesville. Mon père était encore plus agité qu'avant. A son avis, Rita Mae étalait trop notre liaison, ce qui le gênait. Un jour, pendant une absence de Rita Mae, j'eus une violente discussion avec lui.

— J'aimerais mieux te voir coucher toutes les nuits avec un homme différent qu'avec cette femme-là, dit-il.

— Merci, c'est génial, rétorquai-je.

– Tu dois avoir une déficience physique quelconque.

– Une déficience, moi ? Non, tout va très bien, je te remercie.

Il voyait tout en noir et blanc ; j'essayai d'abord de bien lui expliquer que Rita Mae était suffisamment attirante pour intéresser beaucoup d'hommes et qu'il n'y avait rien de mal à ce qu'elle me plaise.

– J'aime faire l'amour avec des hommes, lui dis-je, mais pour le moment je suis avec une femme.

Il ne comprenait pas.

– Tu n'aimes pas le faire avec les hommes parce que tu as été déçue la première fois, me dit-il.

Il avait dû deviner ce qui s'était passé lors de ma première aventure à Prague. Je lui assurai que je n'étais pas dégoûtée des hommes, mais que pour le moment, je préférais une femme.

Il hurla que si j'avais aimé mon premier homme, j'aurais aimé faire l'amour normalement.

C'était un moment très pénible pour moi comme pour lui, mais j'ai essayé de me mettre à sa place. Je savais que son orgueil masculin souffrait de voir sa fille mener une vie qu'il ne pouvait pas accepter, que toutes ses idées de macho de cinquante ans l'en empêchaient, et qu'il disait n'importe quoi. Il était bouleversé, et il ne s'est certainement même pas rendu compte que j'étais malade, aussi bien que furieuse, de l'entendre me dire ce qu'il m'a dit. Je l'aimais pourtant comme s'il avait été mon véritable père, mais je ne pouvais pas supporter qu'il me parle de cette façon. Comment croire que c'était ce même homme qui m'avait tellement encouragée à être moi-même sur le court, qui maintenant ne supportait pas de me voir telle que j'étais.

J'essayai d'expliquer à mes parents que ce n'était pas seulement une question sexuelle, que j'aimais Rita Mae, que j'étais heureuse. Ils ne pouvaient pas comprendre. Ils étaient aussi raciste que les gens qui ne supportent pas les noirs. Mon père avait été élevé dans cette idée des homosexuels, il ne pouvait plus changer.

C'est au milieu de cette charmante conversation familiale que mes parents m'ont expliqué comment mon père s'était suicidé. Ma mère avait peur que je ne me laisse utiliser par les autres, comme lui, et elle me dit que j'étais trop confiante, trop ouverte : « Tu es comme lui, tu te lies avec n'importe qui en cinq minutes. »

Pendant les heures et les jours qui suivirent, l'incendie gagna. Ils téléphonaient à des amis tchécoslovaques en Amérique du Nord, répandant la nouvelle partout, entraînant les autres dans le conflit, les forçant à me donner des conseils et à prendre parti. C'était un véritable mélo à la sauce tchécoslovaque. Et rien n'est plus jamais redevenu comme avant.

Cette scène a été le début de la fin du séjour de ma famille aux États-Unis. Ma liaison leur rendait la vie encore plus pénible. En avril, mon père annonça qu'il voulait repartir. Il déclara qu'il ne voulait pas rester éternellement à ma charge, et qu'il se demandait d'ailleurs si je pourrais continuer à gagner autant d'argent. Mon cousin Martin, qu'il avait appelé au téléphone au Canada, eut beau lui assurer que mes gains resteraient longtemps aussi importants, il ne le crut pas suffisamment pour patienter et rester là quatre ou cinq ans. Mr Hoschl lui a offert un travail à Chicago. Ils auraient pu s'y installer, ils y auraient sympathisé avec Svatka et sa famille. Mais non, ils voulaient rester près de moi, et pourtant chaque fois que nous étions ensemble, il y avait une nouvelle discussion, une nouvelle scène.

C'était très triste. Mon père s'était donné tant de mal pour faire de moi une joueuse de tennis, et j'étais maintenant tout près d'avoir plus de succès et de gagner plus d'argent qu'aucune autre sportive avant moi. J'étais tout près d'une réussite exceptionnelle, je le savais et, à ce moment important de ma vie, mon père qui avait toujours eu une telle confiance en lui et en moi, perdait tout sang froid, parce qu'il était dans un pays étranger.

Je lui ai dit : « Fais ce que tu veux faire. » Je lui ai ouvert un compte en banque et j'y ai déposé cinq mille dollars. Tout ce qu'il m'a dit, c'est : « Cinq mille dollars seulement ? » Cela m'a choquée, mais je me demande si ce n'était pas une façon de dire qu'il aurait aimé que je lui en parle avant. Moi, cela m'avait semblé suffisant pour le début. C'était curieux de voir cet homme fier et intelligent se comporter comme un enfant. D'après tous les principes tchécoslovaques, le chef de famille, c'était lui. Mais dans la réalité, c'était moi qui avait l'autorité. Et en plus, j'étais « différente ».

Je savais bien que tout était devenu difficile pour lui : il avait beaucoup de mal à s'adapter, il était trop timide pour lier conversation facilement et d'ailleurs, s'il comprenait l'anglais, il ne le parlait pas bien ; il se débrouillait mal dans les boutiques, dans les restaurants.

En juin, ils m'accompagnèrent à Wimbledon et il fut inflexible : il voulait rentrer. Je devenais dingue, j'essayais de me concentrer sur le tennis (je me fis battre en trois manches par Chris en demi-finale). Ma mère repartirait avec lui, mais Jana voulait rester. Elle souhaitait poursuivre ses études aux États-Unis et voir ce qu'elle pourrait faire plus tard ; mais je me suis dit que je ne pouvais pas prendre cette responsabilité. Mes parents lui manqueraient. Elle ne pourrait pas me suivre dans mes déplacements professionnels. Et puis, ils ne voulaient pas qu'elle reste.

A entendre mon père, il avait fait un essai de venir vivre aux États-Unis, mais cela ne lui plaisait pas, et il était temps de rentrer. Heureusement, mes parents n'avaient pas coupé tous les ponts derrière eux. Ils ont eu l'autorisation de revenir, ils ont même retrouvé du travail dans leurs usines respectives, mais il était évident qu'ils ne retrouveraient jamais les mêmes responsabilités. On leur fit quelques difficultés pour réintégrer Jana en faculté, mais mon père intervint énergiquement pour qu'on ne fasse pas de son inscription un problème de politique, et elle put finalement entrer à l'école dentaire de Pilsen.

Je leur ai envoyé cinquante mille dollars; six mois plus tard, ils m'en ont demandé davantage. Ils avaient acheté une Renault, et avaient envisagé de s'installer dans une maison préfabriquée, mais finalement avaient jeté leur dévolu sur une belle maison avec un jardin, sur une colline. Évidemment c'était plus cher. Mais rien n'empêche d'avoir une belle maison en Tchécoslovaquie, quand on a les moyens.

Je n'ai jamais vu leur nouvelle maison; le gouvernement n'est pas près de me laisser rentrer sans de lourdes conditions. Mais j'ai vu des photos. Mon père a son jardin, avec quarante pommiers, de jolis buissons et une pelouse. J'aurais pu lui acheter plus de terrain aux États-Unis, mais dans son pays il retrouvait son rôle, sa place. Il aime aller au cabaret et chanter avec les autres, il est sociable. Je sais qu'ils ont la belle vie : ils connaissent tout le monde, jouent au tennis dès qu'il fait beau, profitent des joies de la montagne. Jamais ils n'auraient pu se sentir chez eux en Amérique. L'idéal aurait été qu'ils puissent organiser leur vie entre les deux pays.

J'aimerais faire un petit voyage là-bas de temps à autre, m'asseoir à leur table, boire leur cidre frais, déguster la cuisine de ma mère, faire des balades dans les bois avec mon père, revoir mon berger allemand Babeta, et passer du temps avec Jana pour mieux la connaître. Nous aurions pu nous réunir en 1980 mais nous avons raté notre chance. Je crois que nous garderons toujours, au fond de nos cœurs, cette question sans réponse : aurions-nous pu faire autrement?

29

LA VIRGINIE

La maison de Charlottesville fit la une des journaux à scandale : « Martina achète un manoir de cinq cent mille dollars pour y installer sa mystérieuse compagne. » Il n'y avait aucun mystère, Rita Mae et moi ne nous cachions pas pour vivre ensemble. Nous cherchions toutes les deux à nous faire des racines quelque part en Amérique, et, l'une comme l'autre, nous voulions vivre comme nous en avions envie.

Charlottesville me rappelait mon enfance en Tchécoslovaquie. La maison était entourée d'un domaine de cinq hectares. Elle avait deux corps de bâtiment construits à deux époques différentes (1850 et 1936) l'un en briques, l'autre en pierres. Du dehors, on aurait presque dit deux maisons différentes.

L'ensemble comptait plus de vingt pièces, avec six salles de bain, et une chambre au-dessus d'un garage assez vaste pour cinq voitures. Il y avait une piscine, flanquée d'une autre petite maison, un court de tennis abandonné depuis des années, et des fontaines dans les jardins d'agrément.

Certaines des pièces étaient assez superbes pour vous couper le souffle, comme la vaste bibliothèque avec ses boiseries de chêne sculpté, ou la patio orné de statues monumentales.

Bien sûr, elle avait les inconvénients des vieilles maisons : il y faisait froid l'hiver et chaud l'été; il n'y avait pas l'air conditionné, et le chauffage central ne marchait pas très bien partout. Ma chambre, ouverte au nord-est, était exposée au vent. J'y grelottais l'hiver et l'été, quand il faisait trop chaud, j'allais dormir dans la cave; il y avait deux caves immenses : l'une, sous la partie ancienne de la maison, servait de chaufferie. L'autre était assez grande pour contenir une table de ping-pong et tout l'équipement de gymnastique de Rita Mae. C'était là que je fuyais la chaleur.

J'ai commencé à décorer la maison. Je voulais que rien n'y évoque le tennis. Depuis mon départ de Revnice, j'avais toujours laissé traîner dans ma chambre mes raquettes, mes boîtes de balles, pêle-mêle avec mes chaussettes, mes chaussures et mes tenues de tennis. A Charlottesville, il s'est mis à y avoir mes livres. J'avais toujours été intéressée par la construction, particulièrement la construction des gratte-ciel, et j'étais positivement tombée amoureuse de certains immeubles de New York, de Melbourne ou de Tokyo. Il y avait eu une époque où je prétendais ne pas avoir de temps pour regarder autour de moi, mais avec Rita Mae, j'ai trouvé le temps. J'ai commencé à collectionner les livres d'architecture. C'est ce qui frappait Lee Jackson quand elle venait à la maison : la quantité de livres d'architecture qui traînaient partout.

Elle était très impressionnée, aussi, par la taille de la maison et le nombre de pièces. Il y en avait tellement qu'on pouvait se perdre. Lee parle encore de la longueur du couloir qui allait à la gigantesque cuisine flanquée d'un office. La première fois qu'elle a dormi à Charlottesville, elle a eu soif au beau milieu de la nuit, s'est levée et est partie chercher un verre d'eau dans la cuisine. Elle a soigneusement fermé la porte de sa chambre, pour empêché le chat de Rita Mae d'y entrer. Après avoir bu, elle a voulu revenir dans sa chambre. Impossible de reconnaître la sienne au milieu de toutes ces portes toutes peintes en blanc. Elle ne voulait pas risquer de réveiller quelqu'un. Elle a commencé à remonter le couloir sur la pointe des pieds, accompagnée par le chat qui la contemplait d'un air de se demander ce qu'elle fabriquait, et il a fallu qu'elle revienne plusieurs fois sur ses pas avant de retrouver sa chambre.

Comme nous nous absentions souvent, nous logions deux étudiantes de l'université, qui s'occupaient de la maison quand nous n'étions pas là. La maison était très isolée, au fond de ses cinq hectares, et on avait vraiment l'impression de traverser une forêt pour y arriver. Nous avions engagé un homme pour prendre soin des jardins.

L'année où j'y emménageai, je n'y vécus que cinq mois. La majeure partie de mon temps se passait à aller à l'épicerie qui était à six kilomètres et à préparer les repas. Je m'entraînais à plus de trois kilomètres de là avec Phil Rogers, professeur du Boar's Head Club. Sa femme, Rachel, et lui devinrent mes meilleurs amis à Charlottesville.

Nous avons essayé de nous intégrer autant que possible dans la communauté; Rita Mae, qui voulait enseigner l'anglais ou la littérature à l'université, ne put obtenir de poste. Elle se lia amitié avec un auteur qui avait écrit un livre sur Chaucer. Il venait parler littérature. Beaucoup d'autres venaient aussi. La plupart étaient plus âgés que moi. Ils étaient tous intéressants et cultivés.

J'assistais aux matches de basket et de crosse canadienne; nous allions aussi au cinéma qui passait presque chaque soir un film différent : c'était passionnant de vivre à proximité d'une grande université comme celle de Virginie. J'imaginais ce qu'aurait été ma vie si j'avais grandi aux États-Unis et y avais fait des études supérieures. Rita Mae me poussait à suivre des cours, mais mon programme de tennis ne m'en laissait pas le temps. Elle ne comprenait pas pourquoi je n'arrivais pas à réduire le nombre de mes tournois. Que pouvais-je répondre ? C'était mon gagne-pain.

Selon certaines rumeurs, les voisins n'étaient pas enchantés de notre présence ; toutefois je n'ai jamais senti d'animosité. J'avais l'impression de vivre en bon voisinage : on me laissait apparemment tranquille.

On me demandait souvent pourquoi j'habitais à Charlottesville. « Pourquoi pas ? C'est une très jolie ville ! », répondais-je. Pourtant, ce n'était pas commode pour une voyageuse invétérée, puisqu'il n'y avait que deux vols par jour pour Washington, et un seul pour New York. Je finissais souvent mon voyage en rentrant chez moi à partir de Dulles ou de Washington National, ce qui ajoutait encore deux heures à chaque trajet.

Après notre installation à Charlottesville, Rita Mae attaqua son livre « Southern Discomfort ». Quand elle se lançait dans la réalisation d'un projet, j'avais l'air d'une dilettante à côté d'elle. Elle s'enfermait dans son bureau et j'entendais le cliquetis de la machine à écrire, sans discontinuer.

Je faisais tout mon possible pour ne pas la déranger. Si quelqu'un sonnait, j'allais ouvrir pour protéger sa tranquillité. La moindre interruption aussi minime soit-elle, ne serait-ce que le passage du facteur, pouvait suffire à la déranger et même à lui gâcher sa journée, selon son humeur. Elle s'imposait d'écrire environ dix pages en quatre heures. Si elle était interrompue par quoi que ce soit, elle devenait furieuse.

Elle composait lentement. Elle faisait deux ans de recherches pour chaque roman. Pour « Southern Discomfort » elle avait passé un certain temps à Montgomery, Alabama, pour aller sur place à la gare même où les principaux personnages allaient et venaient. Elle était allée dans des cimetières pour relever des noms sur des pierres tombales.

Les noms insolites lui plaisaient. Beaucoup croient qu'elle a inventé ceux de ses personnages; en réalité, il s'agit souvent d'inscriptions tombales. Je ne l'accompagnais pas dans ses voyages d'étude; mais il m'arrivait de découper des noms dans la rubrique nécrologique des journaux, de les glisser dans une enveloppe et de les lui envoyer. Elle composait parfois des noms en prenant le prénom d'une personne et le nom de famille d'une autre. Son bureau était plein de petits morceaux de papier sur lesquels étaient inscrits des noms qui n'avaient, pour le moment, aucune existence romanesque mais restaient là, en attente.

Nous passions parfois des heures, assises ensemble, à essayer de bâtir une histoire autour de ses héros. Elle est douée pour composer la personnalité d'un personnage, pour écrire des dialogues, mais pas pour mettre sur pied une intrigue. Elle voulait avoir mon avis sur ce que les personnages allaient faire, et je lui faisais des suggestions. Quand j'étais à la maison, nous parlions beaucoup plus de ses romans que de mes matches. Question de préséance : je faisais du sport, elle était écrivain.

Quelques signes avant-coureurs de mésentente me firent réfléchir : par exemple, je devais, pendant la journée, aller m'entraîner. «Oh non! Tu vas encore me laisser?» disait Rita Mae. En fait, je ne la laissais pas, j'allais travailler. C'était drôle. Elle qui se consacrait tellement à son travail était vexée à l'idée que j'allais m'entraîner à frapper une balle, persuadée que je la délaissais pour un motif anodin : aller transpirer et faire de l'exercice. Je me sentais parfois coupable d'aller jouer un match ou de m'entraîner alors qu'elle voulait aller se promener avec moi.

Nous en sommes arrivées au point où il valait mieux qu'elle reste à la maison que continuer à m'accompagner sur les courts.

Comment jouer mes matches et m'efforcer en même temps de l'entourer de paix, de tranquillité? Il m'était difficile de prendre en compte nos deux carrières; et ces deux carrières avaient du mal à cohabiter, même dans une maison de vingt pièces. En fait, c'était la mienne qui souffrait. Je ne jouai pas les Internationaux de France et je fus écrasée par Chris en demi-finale à Wimbledon. Hana Mandlikova, l'une des grandes athlètes du circuit (très sympathique même si elle persiste à m'appeler « une Tchécoslovaque » et non « une Américaine ») m'écrasa sans me laisser un set à l'U.S. Open. Wendy Turnbull me battit à Las Vegas et à Melbourne, Pam Shriver à Sydney, Andrea Jaeger, toute jeune à cette époque, à Deerfield, Floride, et à Kansas City. Je commençai à ressembler à un ancien prodige et j'avais juste vingt-quatre ans. Quelque chose n'allait pas.

Mais quoi ? Je n'avais plus un but pour motiver mes efforts, comme à mon arrivée. J'étais devenue ambivalente au tennis, ambivalente en moi-même, ambivalente dans ma carrière. « Ce n'est qu'un jeu », me disait Rita Mae, ce qui était vrai en un sens; si je perdais un match : « Ce n'est pas une affaire de vie ou de mort », disais-je. C'était peut-être vrai, si ce n'est que pendant le jeu je devais avoir l'impression que c'en était une, pour gagner. J'étais devenue insouciante et si je perdais un match je me disais : « Ce n'est pas important. »

J'avais tort de lui laisser exercer une telle influence sur moi et je commençais à être excédée de m'entendre sans cesse rabaisser : « Tu es la meilleure, mais cela ne t'apporte rien. Tu devrais faire quelque chose de ta vie. »

Parfois, je lui demandais : « Tu voudrais faire quelque chose en plus de tes livres ? » Nous commencions à avoir de belles disputes.

Certains se sont demandé si elle avait vraiment voulu gâcher ma carrière. Je ne le pense pas. Je crois qu'elle voyait en moi une matière première, et qu'elle voulait la façonner. Je ne suis pas très calée en littérature ni en politique, et elle se voyait peut-être en Henry

Higgins et moi en Eliza Doolittle; elle se prenait pour Pygmalion. Dans son esprit, j'étais déjà une étoile du tennis, alors pourquoi ne pas essayer de développer d'autres talents en moi.

Bien que j'aie gagné quelques tournois au début de l'année 1981, je réalisais qu'il me fallait rompre si je voulais atteindre le niveau que je m'étais fixé. Chaque fois que je rentrais à la maison, je décidais de la quitter; mais je ne sais pas très bien maîtriser les conflits. Mon habitude de temporiser prit le dessus et je laissai les choses aller, ce qui n'arrangerait rien, au contraire. La situation empirait.

Je commençais aussi à faire des cauchemars. La panique de la journée ressortait quand j'étais endormie. Je racontais quelques-uns de ces rêves à Pete Axthelm de Newsweek.

Le rêve de la jungle : « Je me trouvais avec mes parents, nous étions perdus dans la jungle. Subitement nous tombions sur une Ferrari entourée de dinosaures et de monstres préhistoriques; ils n'étaient pas méchants et tout allait bien. Mais des serpents venimeux s'enroulaient autour de la clef de la Ferrari. Or il fallait que j'attrape cette clef. Finalement, j'y arrivais et nous partions. »

Le rêve du Boeing 747 : Je me trouvais avec mes parents près d'un hangar. Un avion décollait, et un éclair en sortait. Je croyais pouvoir courir, mais il me suivait. Je courais dans l'autre sens, il se retournait et arrivait sur moi. Finalement l'avion explosait avant de m'atteindre.

Ces rêves signifiaient probablement que j'essayais de maîtriser ma vie sans rien en abandonner. En parlant de l'avion, j'avais dit à Pete : « Ce n'est jamais *sur* moi qu'il tombe. » Mais au début de 1981, il n'en était pas loin.

30

NANCY

La première fois que je vis Nancy Liebermann, c'était en plein milieu d'un match contre Kathy Rinaldi à Amelia Island. Je la reconnus à sa chevelure rousse flamboyante qui se détachait au milieu de la foule. C'était l'époque où j'étais loin de faire tous les efforts de concentration nécessaires. Tout en jouant, je pensais au dîner qui suivrait ou à une conversation intéressante que j'avais eu trois jours auparavant.

J'aperçus Nancy dans la loge des joueurs. Je ne l'avais jamais vue sur un terrain de basket, mais je savais que c'était une athlète d'élite du Old Dominion qui jouait pour les Dallas Diamonds de la Women's Basketball League.

« Que fait-elle là ? » me demandai-je, en frappant un coup droit.

Puis, pendant une volée de revers : « Ce n'est pas la saison des éliminatoires de basket ? » « Qui peut-elle connaître sur le circuit ? » continuai-je en jouant un smash qui fut un coup gagnant.

Après avoir repris mes esprits, je battis Kathy, 7-6, 6-1, puis me rendis au club, où j'appris que Nancy connaissait Anne Smith pour l'avoir vue jouer à Dallas.

Nancy était fatiguée après sa saison de basket, et Smitty l'avait invitée en Floride où elle pourrait profiter du soleil et assister à quelques beaux matches de tennis.

A son arrivée, Smitty l'avait présentée à Bud Collins, journaliste du Boston Globe et reporter des matches de tennis pour la N.B.C., Monsieur Mondanité sur le circuit. Bud lui ayant demandé si elle était une fan du tennis, elle avait répondu « Non ». Puis il lui demanda si elle voulait rencontrer des joueuses et elle répondit à nouveau « Non ».

Finalement Anne lui avait demandé : « Tu ne veux pas rencontrer Martina ? » « Pas particulièrement. »

C'était typique de Nancy la basketteuse : ne se laisser impressionner par rien ni personne. Un peu plus tard, pendant les doubles, Bud Collins et le photographe Mel DiGiacomo nous présentèrent l'une à l'autre.

Nous avons bavardé dans la tribune. Je la regardais, et j'admirais sa sveltesse et sa grâce ; j'avais toujours cru que les basketteuses étaient corpulentes et musclées.

C'était la première fois que je rencontrais une femme qui en savait autant que moi dans le domaine sportif. « Cette défaite des Cowboys, je n'arrive pas à y croire », lui disais-je, et elle me répondait : « Ce qui est incroyable, c'est cette décision de l'arbitre ! » Elle se tenait au courant des classements, et même des scores. Elle se passionnait pour le football et le baseball, qui sont pourtant des sports typiquement masculins.

Nous avons sympathisé immédiatement. Je lui dis que j'avais toujours pensé que Carol Blazejowski était la meilleure basketteuse américaine (sans d'ailleurs l'avoir jamais vue jouer) et elle me confia que Chris Evert était sa joueuse favorite. Nous tâtions le terrain, et je prenais plaisir à cette partie de cache-cache. Les athlètes hommes aiment bien se toiser, se tester, mais les femmes n'osent pas. Elles veulent bien s'entendre, ne pas se faire remarquer, être gentilles. Même pendant ma période

247

Billie Jean, je n'avais pas pu sortir de ce cadre. J'étais sûre que Nancy Liebermann, elle, ne s'imposait aucune de ces contraintes.

Au fur et à mesure de notre conversation, j'ai compris d'où lui venait son « attitude ». C'était du Train A, comme dans la chanson de Duke Ellington, *Take the A train*. Nancy avait grandi à Far Rockaway dans la banlieue de Queens; elle devait faire un assez long trajet pour aller s'entraîner à Harlem. Elle sautait dans le « A Train » et pendant qu'il filait de Queens à Brooklyn et Manhattan, elle prenait son visage de match » :

A quatorze ou quinze ans cette fille menue, aux cheveux roux, prenait le métro pour aller jouer au basket contre des hommes, en majorité des noirs, dans la cour d'une école; elle se composait un visage qui signifiait : « N'essayez pas. Cette rousse est une furie. » Selon elle, ça marchait avec les maniaques du métro comme avec les joueurs sur le terrain. Elle avait appris à être dure, et elle a essayé de me l'apprendre à son tour, par la suite.

— Pourquoi ne viens-tu jamais nous regarder jouer? », lui demandais-je.

— Ça ne m'intéresse pas. Les joueuses de tennis sont des mauviettes. Au tennis, on ne se fait pas mal. Au basket, si.

— Je me suis souvent fait très mal à l'épaule. Il m'est arrivé de ne même pas pouvoir lever le bras pour me laver les dents!

— Peut-être, mais ce n'est pas la même chose : au tennis, tu n'as pas de contact physique avec tes adversaires, comme au basket.

Nancy était encore à Amelia Island quand j'ai battu Sylvia Hanicka, puis Mima Jausovec, et joué la finale contre Chris. Il n'y a peut-être pas eu de « contact physique » pendant ce match, mais ma défaite n'en a pas moins été douloureuse. Je n'étais pas contente de mon jeu, et il y avait des mois que cela durait. J'aurais raté une cible à bout portant, même si ma vie en avait dépendu.

Je recommençais à faire des cauchemars. La veille de la finale, j'ai rêvé que je jouais contre Chris. Nous étions sur le court. Il y avait une immense vallée de mon côté, et quand j'étais au fond, j'apercevais à peine le filet. Je servais et je courais pour remonter la pente, mais Chris m'envoyait une balle longue, et il fallait que je redescende au fond de cette vallée. Alors elle plaçait une amortie juste derrière le filet, et je recommençais à courir. C'était affreux : impossible de faire un seul point.

Le lendemain, le rêve devint réalité. J'avais mal dormi, mais je n'étais pas trop mal en point au réveil. Et puis, sur le court, tout alla de travers. Chris, elle, ne ratait rien; elle jouait au chat et à la souris avec moi. Je fis de mon mieux, mais je ne m'étais pas assez entraînée.

Je jouais tellement mal que je finis par tendre ma raquette à une ramasseuse de balles, en lui disant qu'elle s'en servirait sûrement mieux que moi. Chris m'écrasa 6-0, 6-0. C'était la première fois, depuis que je jouais dans le circuit que j'étais battue de cette façon; j'avais fait prendre les deux roues à sept de mes adversaires pendant les tours précédents, mais les prendre moi, quelle déroute! j'étais complètement démoralisée.

Pour arriver à vivre avec Rita Mae, j'avais négligé ma carrière, comme un conducteur de traîneau qui jette du lest pour échapper aux loups. J'avais abandonné une partie de moi qu'il me fallait retrouver.

Je gagnai tout de même un dernier tournoi aux États-Unis avant les Internationaux de France, fin mai. Mais j'étais au creux de la vague, et n'étais pas la seule.

Billie Jean était menacée d'un procès par Marilyn Barnett, ex-coiffeuse sur le circuit, qui lui réclamait une pension alimentaire. On disait que la société Avon, l'un des principaux sponsors, allait retirer ses billes : il n'était

249

pas question que son nom soit prononcé au cours d'un procès entre homosexuelles.

J'étais sûre que le moindre scandale m'affecterait financièrement. Pire! j'avais demandé la naturalisation américaine et mon audience finale était prévue pour la fin de l'été, or dans certains états, l'homosexualité est un délit. Cela pouvait m'empêcher de devenir américaine. Dans ce cas, où serais-je allée?

Certaines de mes amies, qui connaissaient Nancy, lui disaient : « Vous devriez parler à Martina, elle a confiance en vous, vous pouvez faire quelque chose pour elle. » Elles devaient penser que je n'étais pas capable de régler toute seule mes problèmes, tant affectifs que pratiques.

Un soir, Nancy me demanda : « Pourquoi ne viendrais-tu pas habiter Dallas? Je ne sais pas ce qu'il se passe à la ligue du basket, mais il est possible que j'aie beaucoup de temps à moi maintenant. Je pourrais t'aider à retrouver la forme. J'ai une grande maison que je partage avec une de mes coéquipières. Il y a toute la place. »

Je craignais que m'installer chez elle à Dallas ne nuise à sa réputation. Elle me rassura : elle n'avait pas peur des ragots. Et puis elle était prête à prendre le pari : elle me remettrait en selle. Elle me prévint qu'elle me ferait travailler dur. Cette conversation a soudé notre amitié : nous étions deux âmes sœurs, deux athlètes, l'une disciplinée, l'autre en plein cafouillage.

Quoi qu'il en fût, je n'avais pas encore quitté Rita Mae. J'avais toujours une maison à Charlottesville. Et j'avais peur de la rupture.

Rentrée à Charlottesville, je téléphonai très souvent à Nancy. Rita Mae entendit une de nos conversations, et les disputes commencèrent. J'avais déjà parlé de la quitter, mais ce fut un choc pour elle de voir que, cette fois, j'étais vraiment décidée. Jamais auparavant je n'avais montré une telle détermination.

Une rupture, aurait-on toute la sagesse, toute l'expérience du monde, c'est toujours pénible. J'ai simplement dit : « Je pars. J'ai besoin de me reprendre en main. » Et la scène a éclaté : nous nous sommes battues, nous avons crié, pleuré, je ne savais plus si c'était un cauchemar ou la réalité. Mais il fallait que j'en sorte.

Elle ne comprenait sans doute pas à quel point c'était important pour moi de reprendre le tennis sérieusement. Son point de vue était si différent. Elle m'avait beaucoup apporté, et elle était vraiment exceptionnelle. Il m'arrive encore de penser « Si Rita Mae était là », quand j'ai du mal à comprendre quelque chose. Mais ce n'était pas assez pour me faire rester.

Je sautai dans la voiture et démarrai dans un nuage de poussière et de gaz d'échappement; Rita Mae, debout dans l'allée, devant la maison, me faisait des signes désespérés.

J'allai directement téléphoner à Nancy, lui racontai la scène : je ne pouvais plus retourner chez moi, et je me déchargeais sur elle de mon problème, je le savais. Elle m'assura qu'elle allait m'aider, et me dit de quitter Charlottesville immédiatement.

Il a tout de même fallu, quelques jours après, que je retourne à la maison prendre mes affaires. Nous étions encore, Rita Mae et moi, sous le choc de notre scène, et nous sommes restées calmes. J'ai fait mon déménagement, et puis je suis partie directement pour Paris et Roland Garros.

J'y ai retrouvé Nancy. J'étais épuisée. Les mois que je venais de vivre me laissaient engourdie, comme morte intérieurement, sans aucune envie de retrouver le tennis. Il me fallait un traitement de choc pour affronter une nouvelle période de ma vie. Nancy semblait capable de me l'administrer.

Je ne m'attendais tout de même pas à sa rudesse. J'avais une habitude : quand j'étais déprimée, j'achetais un tas de choses inutiles et chères, des bijoux, des voitures, des gadgets pour la maison et la gymnastique.

Après ma défaite en quart de finale à Roland Garros contre Sylvia Manicka, je suis passée par une de ces périodes dépressives et j'ai dépensé quinze mille dollars pour me consoler. Nancy m'a regardée droit dans les yeux :

« Tu fais tout de travers », m'a-t-elle dit. « Tu n'as pas à te faire des cadeaux pour te consoler. Les cadeaux, ça se mérite. Tu ne mérites rien, tu as perdu le match. »

J'ai compris plus tard qu'elle avait raison. Ce genre de dépenses idiotes est une façon de se réconforter qui peut être aussi destructrice, à la longue, que l'alcool, la drogue ou les excès quels qu'ils soient : c'est une façon de fuir la réalité au lieu de l'affronter. Au fond, ce que je voulais, c'était remonter dans mon estime. Et je pensais que l'admiration des autres devant mes achats m'y aiderait.

Autre mauvaise habitude : j'achetais des cadeaux à mes amis, pour les remercier de m'aimer. Un jour que nous faisions du shopping, Nancy dit en passant qu'elle aimerait bien avoir un bracelet. – « Je te l'offre », lui dis-je. « C'est idiot, Martina », répliqua Nancy d'un ton mordant. « Tu as mon amitié, tu n'as pas besoin de l'acheter. »

Personne ne m'avait jamais parlé aussi brutalement. Mais Nancy avait bien l'intention de continuer. Elle avait déjà l'air aussi écœuré qu'un sergent instructeur au premier jour des manœuvres, et elle ne connaissait pas encore mes habitudes à l'entraînement.

31

DÉCOUVERTE
DE LA DOULEUR

– Relève-toi, nom d'un chien, relève-toi.
– Je ne peux pas. Je ne peux pas me relever.

Nancy Liebermann se tenait debout devant moi, les mains sur les hanches, furieuse. Je pleurais.

C'était notre première session d'entraînement ensemble et j'y faisais une importante découverte : la véritable douleur physique; de son côté, Nancy constatait que je n'aimais pas les exercices nécessaires à tout véritable entraînement sportif.

Je les déteste depuis l'école. Je ferais n'importe quoi pour les éviter. Je veux bien courir derrière une balle, faire une partie de hockey sur glace ou jouer au football. Cela m'amuse, parce que c'est après la victoire que je cours. Avec les exercices de mise en forme, il n'y a pas de victoire qui permette de s'arrêter, satisfaite.

Nancy m'avait présentée à un entraîneur, Ken Johnson. Ils avaient mis au point ensemble une série d'exercices pour développer ma résistance. Le premier était une succession de dix sprints, que je devais courir pendant qu'ils me tiraient en arrière par une corde attachée à ma ceinture. Au cinquième, je m'écroulai.

« Qu'est-ce que cela signifie ? Tu ne peux pas en faire

plus? » cria Nancy. « Martina, je ne partirai pas avant que tu aies fini. »

Penchée au-dessus de moi, elle hurlait. Personne ne m'avait jamais traitée comme cela : je me sentais affreusement vexée. Elle m'attrapa par le bras, me força à me relever, et me remit sur la piste. Puis elle courut auprès de moi. Face à ses sarcasmes, j'ai choisi le chemin le moins dur : j'ai couru. C'était plus facile que de subir le mépris de Nancy Liebermann. C'est ainsi que commença une association qui devait durer trois ans, une association fondée sur notre ambition commune de devenir la meilleure dans notre spécialité, et cimentée par notre passion pour le sport.

Au fur et à mesure que nous nous connaissions mieux, nous parlions de notre enfance, de nos succès sportifs. Tandis que j'avais été encouragée par mes parents et les programmes sportifs de mon pays, Nancy avait été découragée par l'attitude des Américains envers les athlètes féminines. Ses parents étaient divorcés, elle voyait rarement son père qui habite en Floride. Elle avait un frère, dentiste; quand ils étaient petits, il était l'enfant sage de la famille; elle était la sportive sans soin qui cachait son désordre sous son lit, la mauvaise élève.

On s'efforçait de la convaincre de moins jouer au ballon; on lui offrait de superbes poupées et des dînettes pour la ramener dans le droit chemin de la féminité. Elle ne rêvait que plaies et bosses et, malgré tous les efforts de ses proches, elle s'entêtait aux jeux de garçons. J'ai très bien connu la maman de Nancy, Reenie, durant les années qui suivirent. Elle me recevait avec une telle gentillesse que je l'appelais « maman ». Elle aurait préféré que Nancy soit institutrice ou femme au foyer plutôt que basketteuse. Nancy m'a raconté qu'elle allait jusqu'à crever ses ballons avec un tournevis.

Le développement du basketball féminin dans les années 70 aurait permis à Nancy d'entrer dans une université prestigieuse : beaucoup de grands collèges lui avaient fait des propositions. Elle a préféré l'équipe du Old Dominion, un petit collège de Viriginie, parce que, m'a-t-elle dit une fois : « Là je pouvais briller. J'avais un tel complexe d'infériorité ! »

C'est un côté du caractère de Nancy que j'ai eu du mal à comprendre. Nancy ne peut pas reconnaître simplement ses dons. Elle est persuadée que tout le monde cherche à lui nuire, et qu'elle doit se battre pour gagner malgré les autres. Moi aussi, je veux gagner mais je connais mes dons, et je trouve injuste que tout le monde n'ait pas les mêmes. C'est peut-être parce qu'elle a été une enfant sans père qu'elle est aussi amère.

Dès son enfance, Nancy aurait fait n'importe quoi pour gagner. Chaque fois que nous allions à Madison Square Gardens, son ami Mike Saunders, l'entraîneur des « New York Knickerbockers », évoquait leurs souvenirs du camp d'été dans les Catskills où, petits, ils passaient leurs vacances. Il racontait : « Nous organisions des compétitions. La moitié du camp jouait contre l'autre. Je me souviens d'une course avec une petite cuillère dans la bouche et une balle de ping-pong dans la cuillère. Nancy a mâché un chewing-gum, l'a collé dans la cuillère, et a collé la balle dessus. Naturellement, elle a gagné ! »

Elle a toujours voulu être la plus forte : avec son frère, ses amies d'enfance, et même ses co-équipières. Je l'ai entendue dire : « Moi, je plongeais sur des ballons, quand les autres ne pensaient qu'à se pomponner pour sortir ! »

Une fois, après mon retour à Dallas, Ira Berkow du « New York Times » vint faire un reportage sur nous, et il entra en lice. Comment c'était un bon basketteur, il « marquait » Nancy pour l'empêcher de reculer en direction du panier. De ses fesses, elle lui donna un coup rapide à l'endroit le plus sensible, se retourna et mit prestement le ballon dans le panier.

C'était un coup bas, dans tous les sens du terme. Mais elle avait atteint son but : il ne l'a plus approchée.

Peu à peu, je pris goût au basket, qui me changeait agréablement de mes exercices d'entraînement. Du reste, le basket m'a permis d'améliorer mon tennis : c'est un jeu d'enfant de réussir une volée haute, quand on peut sauter assez haut pour empêcher Nancy de réussir un panier.

Mais Nancy ne m'a jamais laissé négliger le tennis, au contraire. Quand je l'ai connue, je ne m'entraînais pas plus de quatre ou cinq fois par semaine.

– Au moins, tu ne te fatigues pas trop, me disait-elle ironiquement. « Regarde-moi ça, tu n'es même pas capable de travailler une heure par jour. »

Elle m'incita à courir plusieurs kilomètres chaque jour et elle m'apprit les méthodes qu'elle appliquait pour le basket, afin que je travaille mon jeu de jambe. Nous sautions à la corde et soulevions des haltères. Au bout d'une heure, épuisée, je n'avais plus le cœur à frapper une seule balle.

– Je te mets au défi de jouer au tennis trois heures par jour, me disait-elle. Elle prétendait que je n'étais pas plus capable de soutenir mon attention qu'un bébé; elle ne mâchait jamais ses mots, même si nous étions à la maison avec des visiteurs. J'espérais toujours qu'elle allait oublier ou que nous pourrions remettre une séance d'entraînement, mais les mots tombaient : « Martina tu ne crois pas que nous devrions partir au gymnase? »

Certains m'ont dit qu'ils étaient même gênés de voir comment Nancy me traitait. Il est vrai que si un observateur entendait pendant notre entraînement Nancy grogner : « Martina, c'est nul, c'est vraiment nul, remue-toi! » il pouvait se demander ce qui se passait. Mais j'en avais besoin. Je pouvais pleurer, jeter mes raquettes, quitter le court ou la maudire, je revenais toujours pour en avoir encore plus.

Je n'avais ni entraîneur, ni famille dans ce pays, ni

personne exerçant une véritable autorité sur moi; mon père et George Parma étaient loin. Certains joueurs de tennis commençaient à avoir avec leur entraîneur des relations de gourou à disciple. Pour ma part, j'avais de bons moniteurs mais je n'étais pas prête à avoir un entraîneur permanent.

Le fait que Nancy n'avait jamais joué au tennis avant notre rencontre a certainement été très utile. Nous n'étions pas en compétition dans ce domaine car il est impossible de devenir « pro » en commençant à l'âge adulte. Elle savait que ce qu'elle pouvait faire de mieux était de me mettre dans une condition physique et psychique telle que je sois en mesure de gagner, puis de me confier à un entraîneur qui pourrait perfectionner mon jeu.

Elle m'appliquait la seule méthode qu'elle connaissait : la méthode forte. J'avais beau lui dire : « Tu n'as pas besoin de crier aussi fort! », elle n'en démordait pas. Les entraîneurs de basket américains exercent constamment cette sorte de pression sur les joueurs, et Nancy était persuadée que c'était la seule façon d'obtenir des résultats. C'était peut-être, au fond, ce qu'il me fallait à cette époque.

Bien des efforts furent nécessaires pour que nous nous adaptions l'une à l'autre. Je sortais d'une liaison passionnelle avec une femme écrivain célèbre, et j'avais constaté à quel point il est difficile que deux « ego » s'harmonisent, et que deux carrières se déroulent sous le même toit. Notre installation ensemble nous obligea encore à d'autres adaptations. Comme j'avais vendu mes deux maisons de Dallas en partant à Charlottesville, je n'avais plus de point de chute. Nancy et Rhonda habitaient dans une résidence située dans un quartier calme, à l'ouest de la ville. Mais la maison elle-même était loin d'être paisible : il y avait le petit ami de Nancy, et une quantité de basketteurs allaient et venaient continuellement. Nous vivions dans une agitation perpétuelle.

Au bout d'un certain temps, j'ai constaté à quel point Nancy était célèbre dans sa spécialité. A l'aéroport, à Dallas ou Norfolk, des gens l'appelaient par son prénom, lui faisaient des signes ou lui disaient qu'ils la regardaient jouer pour les Dallas Diamonds ou le Old Dominion. Je réalisais qu'elle était une véritable vedette : nous pouvions donc avoir une amitié à égalité. Elle n'allait pas essayer de me détourner de mes projets, pas plus que moi des siens.

« J'a vécu vingt-deux ans sans toi et toi vingt-quatre sans moi, alors, si nous voulons être amies, nous devrons nous adapter l'une à l'autre.

Elle avait une force d'âme peu commune. Longtemps avant que je ne fasse sa connaissance, elle s'était convertie au christianisme, après un séjour dans une famille chrétienne en Virginie. Renée Liebermann avait eu beaucoup de mal à accepter la conversion de sa fille. Un journal de Dallas en avait parlé, et Nancy avait reçu un abondant courrier de reproches virulents, d'injures mêmes. Elle était intransigeante, refusait toutes les invitations à des repas juifs, tous les prix offerts par des organisations juives.

Elle a été parmi les athlètes américains l'une des premières à soutenir le boycott des Jeux olympiques de 1980 décidé par le président Carter parce que les Russes avaient envahi l'Afghanistan. Après avoir travaillé quatre ans pour les jeux olympiques, c'était un coup dur, mais elle était convaincue que le président Carter avait raison.

Elle disait toujours ce qu'elle pensait. Elle aimait bien me rappeler le jour où j'étais rentrée à la maison en lui demandant :

– Devine ce que j'ai!

– Je ne veux pas le savoir, grommela-t-elle.

– Une table de massage.

– Seigneur! Je me demandais *quand* tu te déciderais à en acheter une! »

A la vérité, nous en avions déjà une. Mais la nouvelle était mieux équipée, et puis il fallait bien prévoir le jour où nous aurions toutes les deux besoin d'un massage en même temps, non!

Mon parc de voitures lui donnait aussi l'occasion de me taquiner. J'avais une Toyota Supra, une Pontiac J., une B.M.W. 733, une Mercedes, une Porsche 928, une Rolls-Royce Silver Cloud de 1965, et une Rolls Royce Corniche blanche de 1976 (qui valait, neuve, la bagatelle de cent mille dollars).

– Nous allons emménager dans la Corniche, dit un jour Nancy à Sarah Pileggi de « Sports Illustrated ».

Grâce à elle, mes envies de jeter l'argent par les fenêtres diminuèrent en même temps que mon appétit. Elle commençait à étudier la diététique, mais, d'instinct, ne mangeait déjà ni viande rouge, ni sucre, ni sauces compliquées. Peu à peu, nous avons perfectionné notre régime.

Je passai de quatre-vingt-trois kilos début 1976 à soixante-douze kilos en automne 81. En décembre 1981, un test sanguin montra que sur mon poids total, il n'y avait que 8,8 % de graisse, alors que la moyenne est de 12 à 14 % chez les joueurs de tennis. Je me sentais transformée par ma nouvelle sveltesse.

32

LE BULLETIN
MÉTÉOROLOGIQUE

En 1981, cela faisait déjà six ans que j'avais demandé l'asile politique; allais-je enfin être naturalisée? J'avais peur qu'on ne m'accorde pas la nationalité américaine.

Chaque fois que j'apprenais par la presse qu'elle avait été refusée à un écrivain ou un musicien considérés comme « contestataires », je craignais d'entrer dans cette catégorie. Une fois citoyenne américaine, je n'aurais cure des médisances, des ragots de la presse. Mais tant que je ne l'étais pas, j'étais terrorisée à l'idée qu'on pouvait m'expulser.

Cet été-là, Marilyn Barnett intenta un procès à Billie Jean King en prétendant qu'elle avait droit, en quelque sorte, à une pension alimentaire pour avoir partagé sa vie pendant sept ans. Elle produisit un paquet de lettres de Billie Jean qui ne nia pas les faits mais déclara que cette liaison avait été une erreur regrettable. L'enfer se déchaîna. La marque Avon menaçait de supprimer les trois millions de dollars qu'elle consacrait annuellement au tennis féminin, et nous savions toutes que Billie Jean allait perdre un argent fou dans cette sombre affaire.

Au printemps, j'avais déclaré à un reporter de

« Inside Sports » : « Je ne comprends pas. Billie Jean a perdu un contrat de publicité pour des vitamines à la télévision, et ce serait à cause de sa liaison avec Marilyn Barnett. Et on dit que c'est parce qu'elle a publiquement pris parti contre les homosexuels qu'Anita Bryant a perdu ses contrats publicitaires. Vous pouvez m'expliquer? »

Mon ancienne liaison avec Rita Mae était notoire. Je le savais. De plus, il y avait cette conversation que j'avais eue un jour avec un journaliste qui avait pris des notes; je lui avais parlé de Rita Mae, et c'était une bombe qui pouvait exploser un jour ou l'autre.

A cette époque-là, ce n'était pas tellement de perdre des contrats publicitaires qui me préoccupait. Mais voyager sans passeport américain devenait une véritable épreuve.

Ma carte verte qui me permettait de séjourner et de travailler aux États-Unis me rappelait sans cesse que je n'étais pas américaine, et chaque fois que je partais, je devais avoir une autorisation pour rentrer.

« Qu'est-ce que c'est que ça? » me demandaient parfois les douaniers, quand je prenais l'avion, et je perdais un temps fou.

Le pire était le survol des pays communistes. Je ne devais absolument pas prendre le risque d'atterrir dans l'un d'eux et d'être ramenée au gouvernement tchécoslovaque. Il me fallait toujours vérifier les itinéraires des avions.

Il fallait donc absolument que je devienne citoyenne américaine. Sur le conseil de mes avocats, j'avais fait ma demande à Los Angeles : on y était moins rigide qu'à Dallas. En Virginie, une relation homosexuelle était un délit. J'étais terrifiée à l'idée que quelqu'un pouvait rappeler que j'y avais vécu avec Rita Mae.

Même en Californie, j'avais peur : j'avais appris que l'on pouvait me demander quelles étaient mes préférences sexuelles. On m'expliqua que le gouvernement se considérait en droit de poser pareille question parce que des gens pouvaient présenter leur candidature à des postes militaires par exemple, et être en butte à un chantage, s'ils étaient homosexuels. Moi, je me disais qu'il y a bien d'autres raisons de faire chanter les gens et qu'au moins, dans un monde où l'homosexualité ne serait plus considérée comme une tare, il n'y aurait pas de chantage possible pour celle-là.

J'étais sûre que j'aurais à répondre à quelques questions à ce propos parce qu'il y avait tout de même eu une certaine publicité, ne serait-ce qu'une photo de moi avec Rita Mae à une soirée ou à une conférence. Si je disais la vérité, on pourrait me refuser la naturalisation; mais je ne voulais pas être parjure. Mes avocats me conseillaient d'être tout simplement honnête, et m'assuraient que personne ne me créerait de difficultés.

Mon audience fut prévue pour la fin mai au bureau du Service d'Immigration et de Naturalisation de Los Angeles. Une avocate m'accompagnait. Elle commença à m'inquiéter en me brossant le portrait du magistrat chargé de mon cas, une femme qui avait avalé un manche à balai, plutôt revêche.

Nous entrons, et, tout de suite, celle que je considérais déjà comme un dragon, me sourit, amicalement même. Je me détends un peu. Elle me demande d'écrire une phrase simple en anglais. J'écris. « Il fait toujours beau en Californie du Sud. » Elle semble satisfaite. Puis, elle me pose quelques questions : quelle est la couleur du drapeau ? Le nom du premier président des États-Unis ? Celui de l'actuel président ?

Elle m'interroge encore : « Le président peut-il déclarer la guerre à lui seul ? » Après réflexion, je réponds « Oui. » C'est faux, il fait l'approbation du Congrès. Mais je m'étais dit que, si une bombe atomique était lancée contre les États-Unis, le président n'aurait guère le temps d'attendre le vote du Congrès. Mon raisonnement était logique.

Elle me demande ensuite si j'ai un casier judiciaire, si je me drogue. Puis elle en arrive au domaine épineux : la sexualité. J'avoue que je suis bisexuelle; elle ne lève pas les yeux, et passe à la question suivante.

A la fin de l'interrogatoire, elle prend congé de moi sans se départir de son amabilité, mais sans faire aucun commentaire.

Je n'aurai la réponse que dans trois ou quatre semaines, me dit mon avocat, et je reprends l'entraînement, mais je trouve le temps long.

Au début de juillet, enfin, mon avocat me téléphona : « Vous avez réussi. » J'étais Américaine. Je pouvais me sentir vraiment chez moi, délivrée de mes craintes.

Bien sûr, certains ne m'accepteront jamais comme telle, car je ne suis pas née dans leur pays. Mais moi, j'ai mérité d'y vivre, c'est beaucoup plus difficile!

C'est toujours pénible d'être un immigré. On se heurte souvent à l'hostilité de tous ceux (les plus nombreux hélas!) qui font des discriminations. C'est tellement rassurant d'ériger des barrières entre les gens! On a l'impression de se protéger ainsi. La tolérance, l'acceptation du droit à la différence, c'est autrement plus ardu!

Georges Parma me parlait un jour d'Ivan Lendl. Ce dernier a mauvaise presse aux États-Unis, ce qui l'étonnait, jusqu'à ce qu'il comprenne que ce phénomène était dû aux différences culturelles : Ivan traduisait en anglais des propos humoristiques typiquement tchèques. Et ce n'était pas drôle pour les Américains, mais sarcastique, amer.

Moi, ce sont mes formules à l'emporte-pièce, et mon accent, qui déplaisent parfois. Les Américains, à la différence des Européens, ne sont pas à l'aise devant les langues étrangères. Et aux États-Unis, vous pouvez dire la vérité, mais gentiment. Il faut toujours avoir l'air calme, il faut savoir attirer la sympathie. Comme Ronald Reagan.

263

La cérémonie du serment se déroula le 20 juillet à Los Angeles. Le juge était un noir assez âgé, et nous étions une cinquantaine de postulants : le mélange habituel à Los Angeles de noirs, d'orientaux, de sud-américains. Le juge lut la proclamation. Je la répétai après lui. Puis il prononça la formule rituelle : « Je vous déclare désormais citoyenne américaine ». J'avais envie de crier de joie, mais les autres quittaient déjà calmement la pièce. J'avais attendu si longtemps! Il y avait de quoi pousser quelques hourrahs.

Dehors, Larry King et Linda Dozoretz, de chez Roger Cowan, la société chargée de mes relations publiques, étaient là, avec Mimi et Janet, mes amies des premiers jours. Pas de fanfare, pas de foule, un seul photographe. Linda avait réussi à préserver ma vie privée. Ils m'étreignaient, m'embrassaient tous; je pleurais, j'aurais voulu que mes parents et Jana soient là. Mon passeport me fut remis le lendemain. Mais c'est quelques jours après seulement que j'ai pu le montrer fièrement à la douane, en prenant l'avion pour une exhibition en Australie. Fini la carte verte. J'avais un passeport américain. Et il faisait beau en Californie du Sud!

33

NOUVELLE IMAGE

En août 1981, j'avais un passeport tout neuf, une apparence et une forme physique nouvelles, mais je n'avais toujours pas gagné l'U.S. Open. C'était la seule victoire qui me manquait pour le Grand Chelem. Mon effondrement devant Hana Mandlikova, l'année précédente, avait été abondamment commenté par la presse. Et depuis, elle continuait à poser la même question : « Qu'est-ce qui ne va pas chez Martina ? » Je croyais avoir mis beaucoup d'ordre dans ma vie, mais les bonnes nouvelles circulent probablement moins vite que les mauvaises.

Dès que ma naturalisation fut officielle, nous avons demandé, Nancy et moi, une interview à un chroniqueur de Dallas, afin de combattre ma mauvaise image. Nous lui avons expliqué que j'étais venue là pour me mettre en forme et essayer de redevenir la N° 1. Nous avons bien précisé que Nancy m'aidait; nos relations ne devaient en aucun cas paraître suspectes, d'autant que Nancy avait justement un « boyfriend » à Dallas à ce moment-là.

Je lui dis que si j'étais bisexuelle, Nancy était hétérosexuelle, et j'ajoutai : « Je me moque de ce que l'on dit de moi, mais je ne veux pas que Nancy soit éclaboussée parce qu'elle est mon amie. »

Avec le recul, je crois que c'était une erreur, car, de toute façon, les gens croient ce qu'ils veulent. J'aurais mieux fait de ne pas attirer l'attention sur Nancy. Mais j'avais cru bien faire.

L'U.S. Open approchait, et tout le milieu du tennis était encore en émoi : l'affaire Marilyn Barnett contre Billie Jean King continuait. Et c'est dans cette atmosphère que le journaliste à qui j'avais fait mes confidences quelques mois plus tôt me téléphone : il voulait publier l'interview. Il avait attendu que je sois naturalisée, mais il trouvait qu'il n'y avait plus de raison d'attendre davantage. De toute façon, son rédacteur en chef était au courant, et exigeait son papier.

Je persiste à penser que la publication de cette conversation a été une trahison. Mais je ne peux m'en prendre qu'à moi. J'avais été trop crédule, et bien naïve de faire ces confidences. J'ai toujours été sincère avec la presse, et Jane Leavy du Washington Post, Steve Jacobson du Newday ou Sally Wilson du Dallas Morning News le savent bien. Mais cette mésaventure me fut salutaire. Depuis, je sais que c'est à moi de protéger ma vie privée.

L'article citait aussi Chris : « Le jeu de Martina ne se redressera pas tant qu'elle n'aura pas mis d'ordre dans sa vie privée. Elle dégringole en ce moment, alors qu'il y a deux ans elle jouait vraiment bien. Je crois qu'elle ne travaille pas assez, elle ne s'entraîne plus comme elle le faisait. J'imagine qu'elle est heureuse de vivre en Amérique, d'être enfin citoyenne américaine. Mais si elle veut vraiment devenir Numéro 1, il faut qu'elle change! »

Elle se préoccupait sincèrement de moi. Comment pouvait-elle savoir que j'avais si énergiquement intensifié mon entraînement et que, moins de deux ans plus tard, elle ne pourrait plus me battre, même sur terre battue?

Quand l'article a été publié, Rita Mae a déclaré à un autre journal : « Elle est tombée amoureuse de quelqu'un d'autre. Ce sont des choses qui arrivent! »

C'était comique de penser qu'il y avait des gens pour baver de plaisir en lisant ce genre de choses, et les juger piquantes. Mais cela m'a fait comprendre que jamais les hommes et les femmes ne sont traités comme des égaux, même quand il s'agit de quelque chose d'aussi intime que leur sexualité. Les journalistes n'hésitent pas à demander à une femme : « C'est vrai que vous couchez avec des femmes ? » mais ils ne demandent jamais à un homme s'il couche avec des hommes. Ils auraient trop peur de recevoir une châtaigne qui les laisseraient k.o. Et si jamais une femme s'avisait de faire la même chose, tout le monde penserait qu'elle est bel et bien homosexuelle.

Trahison ou pas, on ne peut pas ignorer totalement ce genre d'article. C'est toujours sur l'apparence, et d'après ce qu'il lit dans les journaux, que le public vous juge. Une « bonne image » a une grande importance dans le monde du sport. C'est sur elle que les publicitaires et les sponsors se basent très souvent pour délier les cordons de leur bourse. Avon a bien fini par supprimer tout budget pour le tennis féminin, après les « révélations » dans la presse sur la vie privée de Billie Jean King. Les dirigeants de la société ont hésité, mais finalement, ils l'ont fait : elles faisaient, paraît-il, une trop mauvaise publicité à leur marque.

Heureusement, il y avait beaucoup de sponsors plus courageux et plus perspicaces qu'Avon.

Si je reprenais ma forme, je savais que je pourrais gagner une fortune grâce aux contrats publicitaires pour des chaussures et des raquettes. A condition, toutefois, que mon image n'effraie pas les gnomes et les sorciers du monde des affaires. Ces « ils » inconnus décidaient de l'opinion publique.

Mark Spitz avait gagné toutes les médailles d'or de la natation aux Jeux Olympiques de 1972; néanmoins, dans une publicité télévisée, sa personnalité a déplu. C'est vrai. La malchance. Moi, ce qui m'inquiétait le plus, c'était l'image que l'on créerait de moi avant même que j'aie pu paraître dans une publicité télévisée.

De toute façon, l'utilisation publicitaire des sportifs est étrange, ambiguë. Comment expliquer que les sports soient sponsorisés par les marques de fast food, de bière et de cigarettes ? Quel peut être le message si un athlète qui s'efforce de rester en forme vante un produit alimentaire plein de sucre qui fait plus de mal que de bien ? Un décès sur deux dans les accidents de voitures est dû à l'alcool ; mais les gens regardent les matches de football, rient devant les spots publicitaires pour la bière, en boivent et bousillent leur voiture.

Il faut que je sois honnête. L'une des forces principales du tennis féminin aux États-Unis est Virginia Slims, la célèbre marque de cigarettes, une entreprise de premier ordre (dont les produits portent tout de même un avertissement indiquant qu'ils sont dangereux pour la santé). Toutefois, si on interdit le tabac à cause du cancer, il faudrait aussi empêcher de manger des œufs à cause du cholestérol. Si ceux qui l'ignorent encore savaient tout ce qu'il y a dans la viande rouge, ils arrêteraient d'en manger.

Je n'ai pas honte d'être sponsorisée par les cigarettes Virginia Slims, mais je ne fume que quelques cigarettes par an, généralement quand je me fais battre au bridge ou au jacquet. Et je n'accepterais jamais que l'on me photographie une cigarette à la bouche, à cause de... mon image.

J'ai créé une partie de cette image à l'époque de « Navrat sale gosse », lorsque j'imitais sur le court Billie Jean insultant les officiels, et que je portais cinq bracelets et trois colliers en dehors du court. Je me trouvais parfaite alors, maintenant je me dis que j'en rajoutais un peu trop.

C'est drôle, parfois, la façon dont les gens vous imaginent. Actuellement, je fais de la publicité à la télévision : il arrive que des gens me disent : « Je ne vous voyais pas du tout comme ça. » Récemment, à une réception à Wimbledon, j'ai rencontré la femme d'un journaliste sportif, qui me voyait pour la première fois. J'avais une robe, les cheveux longs, les yeux maquillés : « Mais vous êtes *jolie*!» me dit-elle. Nous avons éclaté de rire ensemble.

Au cours de l'été 1981, je commençai à accorder plus d'attention à mes cheveux. J'avais déjà fait des essais assez bizarres, dont ma première permanente confiée d'ailleurs à la fameuse Marilyn Barnett en 1975; c'était l'époque du « Gros Espoir ». Une tête toute frisée était exactement ce qui convenait à mon visage rond et à mon corps rebondi, j'en paraissais deux fois plus grosse!

Ce fut ma première et dernière permanente. Par la suite, j'ai essayé d'éclaircir mes cheveux, naturellement châtains, avec un produit qui les fait se décolorer au soleil. Nouveau désastre. Mes cheveux se desséchaient au point de ressembler à de l'étoupe. En 1981, Al Frohman, le manager de Nancy, qui a été le mien pendant un certain temps, insista pour que je fasse un nouvel essai. Cette fois, je choisis le meilleur coiffeur de New York, Vidal Sassoon, qui arriva enfin à faire de moi une blonde, et me donna en prime d'excellents conseils de maquillage.

Il arrive à ma mère de se faire les ongles, mais les femmes, en Tchécoslovaquie, se maquillent peu. Moi, maintenant, je sais mettre en valeur mes pommettes slaves, avec un peu d'eye-liner et une touche de blush.

C'est à cette époque, aussi, que j'ai appris à ne pas me laisser photographier n'importe comment. Bien entendu, pendant un match, je ne pouvais rien faire, mais si un photographe préparait un reportage, je le priais d'attendre que j'aie pris une douche après mon entraînement. En général, les photographes acceptaient sans peine car ils comprenaient et appréciaient cette coquetterie. Après une douche, avec un peu de maquillage et des vêtements seyants, je souriais bien mieux.

Je ne suis pourtant pas comme Andrea Temesravi : elle est si parfaitement coiffée et maquillée qu'on dirait qu'à la sortie du court elle va aller, directement, à un grand bal. Je veux garder une allure naturelle et je préfère la sobriété. Je ne me vois pas en train de prendre une voix de petite fille, et de minauder en laissant le regard de mon vis-à-vis plonger dans l'échancrure de mon corsage largement ouvert : je ne suis pas Marilyn Monroe.

Mes actrices préférées sont plutôt Greta Garbo et Katherine Hepburn, l'une pour sa souveraine beauté et la façon dont elle sait faire respecter sa vie privée, l'autre pour sa force et son calme. Il paraît que Katherine Hepburn a été une bonne joueuse de golf et de tennis. C'est peut-être cela qui lui a donné cette silhouette si jeune. En tout cas, je voudrais bien avoir autant de courage et de paix intérieure qu'elle quand j'aurai son âge et même, pourquoi pas, dès la semaine prochaine.

J'admire Katherine Hepburn depuis que je l'ai vue dans African Queen. J'étais encore une enfant, mais je rêvais déjà de lui ressembler un jour. Je voulais la rencontrer, et j'y suis arrivée : une première fois, pendant un tournoi à New Jersey, je lui avais envoyé, au théâtre de Broadway où elle jouait, une invitation. Elle n'avait fait répondre que ses occupations l'en empêcheraient, et qu'elle le regrettait. Je n'ai pas perdu espoir; et après l'U.S. Open de 1984, elle nous a invitées dans son appartement de New York, Judy Nelson et moi. Elle était telle que je le pensais : équilibrée, intelligente, attentive aux autres. Elle nous posa des questions sur le tennis, les tournois et la façon dont nous les vivions. Elle connaissait toute ma carrière. J'étais très impressionnée de voir dans la vie celle que j'admirais tellement au cinéma.

African Queen... Autrefois, les acteurs savaient vous faire battre le cœur avec un pudique baiser. Rappelez-vous Bogart et Hepburn, Spencer Tracy et Hepburn,

Fred Astaire et Ginger Rogers. Aujourd'hui, on déshabille tout le monde au cinéma, et les metteurs en scène n'en reviennent pas quand une actrice refuse de jouer nue. C'est dommage; il n'y a plus de mystère, plus de charme.

En 1981, si on m'avait offert un rôle au cinéma, j'aurais refusé, et pourtant mon physique commençait à me plaire. J'étais loin de l'enfant que mon père surnommait « Prut ». J'étais loin aussi de l'époque où on me prenait pour un garçon, où on me demandait si j'étais bien sûre d'être une fille.

Je décidai qu'il était grand temps de m'habiller comme la femme que j'étais devenue. Cela m'a beaucoup aidée à me sentir bien. Et quand je me sens bien, j'embellis, et je joue mieux. Je sais que j'ai plus de force et que je suis plus rapide que la plupart des femmes, mais pas beaucoup plus grande, et je n'avais pas l'impression d'être masculine sur un court. Je m'entraînais, je me nourrissais mieux, j'étais en bonne santé et je me sentais féminine. Le résultat : j'aimais jouer devant la foule des spectateurs, dans mon nouvel ensemble orange, avec un peu de couleur sur les pommettes. Maquillée, blonde, avec des vêtements qui m'allaient bien, j'aimais bien mon nouveau « look ».

Mais je craignais encore qu'à l'U.S. Open, les journalistes me parlent du fameux article sur Rita Mae et moi. Je m'étais préparée à leur dire : « Si vous voulez parler tennis, d'accord; mais si vous voulez parler d'autre chose, allez voir ailleurs. » Et j'étais prête, comme je l'ai toujours fait, à leur répondre sincèrement, à donner de vraies réponses, pas tellement pour les aider que par conscience professionnelle, parce que je me dois à mon public. Et ce n'est pas sur Rita Mae qu'ils m'ont posé des questions, mais sur une autre partie de mon « image » : Martina la perdante, qui n'avait jamais été capable de remporter l'U.S. Open.

34

L'AUTRE ADVERSAIRE

Au moment où l'U.S. Open allait commencer en 1981, j'étais parfaitement prête à gagner ce seul grand tournoi qui manquait encore à mon palmarès, lacune qui, chaque année, devenait plus douloureuse. C'est là que j'avais subi la plupart de mes gros traumatismes : ma fuite de Tchécoslovaquie en 1975, mes défaites face à Janet Newberry en 1976, à Wendy Turnbull en demi-finale en 1977, à Pam Shriver, toujours en demi-finale en 1978, contre Tracy Austin encore et toujours en demi-finale en 1979, enfin contre Hana Mandlikova au quatrième tour en 1980. Je n'étais même pas arrivée une seule fois en finale, et c'était maintenant mon championnat national.

Et la presse en parlait d'autant plus que je n'étais pas la seule : Bjorn Borg n'avait jamais gagné non plus l'U.S. Open. Cela rendait les choses encore pires, cette coïncidence, parce qu'on finissait par en faire une sorte d'association dans l'échec. C'était devenu naturel : deux grands champions étrangers s'écroulaient tous les ans en septembre. Certains trouvaient très significatif que cela arrive justement à New York, comme si ç'avait été un test de caractère. Notre malchance commune avait com-

272

mencé au West Side Tennis Club sur gazon d'abord, puis sur terre battue synthétique, pour continuer sur les courts en dur du National Tennis Center à Flushing Meadow.

Le public et les journalistes méditaient et s'interrogeaient sur nos particularités et nos différences : Borg détestait les courts en dur et les matches en nocturne; moi, je me plaignais des rafales de vent, de l'humidité, de l'éblouissement du soleil et des avions qui vrombissaient au-dessus de nos têtes. Et j'avais donné, une fois de plus, des verges pour me faire fouetter; pendant des années j'avais dit honnêtement ce que je pensais; pour moi, le cadre et l'atmosphère de l'U.S. Open évoquent le tohu-bohu d'un marché médiéval au XXᵉ siècle : les passionnés hurlant à pleins poumons, les histoires d'amour et de haine qui y naissent sans cesse, l'abondance de tout ce qui se mange et de tout ce qui se boit, le bruit, la foule, et au milieu de tout cela, une paire de baladins qui jouent à la balle. Il n'y a pas deux endroits comme cela au monde, si typiquement new-yorkais. Et j'aime New York! J'y ai même maintenant un appartement. Et j'aime l'U.S. Open, qui personnifie si bien ma nouvelle patrie. Mais voilà : tant que je n'ai pas gagné, mes déclarations sur le caractère truculent de l'U.S. Open ont fait de moi « Martina qui-ne-PEUT-pas-gagner-à-New York »!

1981 en viendrait peut-être à bout. Les premiers ragots sur ma collaboration avec Nancy s'étaient vite éteints, et j'avais l'esprit libre. Je m'étais entraînée avec Renée Richards, mon amie depuis longtemps. Elle m'avait fait travailler ma technique, ce que personne n'avait encore fait depuis mon arrivée aux États-Unis.

Billie Jean, mon ancienne partenaire de double, et Roy Emerson, mon entraîneur de team tennis, m'avaient bien donné quelques tuyaux, je m'étais certes entraînée avec des amis comme Phil Rogers, à Charlottesville, et d'autres moniteurs pro, cependant j'avais besoin de

273

quelqu'un qui connaisse bien le circuit féminin et puisse travailler régulièrement avec moi.

Renée et Nancy, ensemble sur les gradins, donnaient naissance au Team Navratilova, tandis que je fonçais pendant les premiers tours, perdant un jeu contre Nerida Gregory, cinq contre Ann White, trois contre Joanne Russell et un contre Kathy Jordan. Puis je suis arrivée à la victoire en quarts de finale devant Anne Smith, 7-5, 6-4, de sorte que je devais affronter Chris en demi-finale le vendredi, veille de la finale.

Je n'avais joué contre Chris à l'Open qu'en 1975, jour où j'avais demandé l'asile politique aux États-Unis. C'était la première fois que j'allais rejouer contre elle depuis le 6-0, 6-0 d'Amelia Island, et j'attendais depuis longtemps ce moment. C'était tout à fait comme un match de basket-ball à Harlem décrit par Nancy : un joueur te bouscule et manque te faire tomber pour faire un panier, le public trépigne, hurle « revanche, revanche », et tu ferais n'importe quoi pour placer un but à ton tour.

Moi aussi, je désirais à toute force prendre ma revanche à Flushing Meadow. Je remporte le premier set 7-5, et Chris le second 6-4. Au troisième set, je perds un jeu sur mon service, et nous en sommes à 2-3, quand nous sommes obligés d'arrêter quelques minutes : les gardes sortent deux énergumènes qui faisaient du tapage dans les tribunes. A-t-elle été déconcentrée ? En tout cas je la remonte, je fais le break à 5-3 ; elle reprend un jeu, mais je gagne le match au dixième jeu, par 6-4 dans le troisième set.

Je saute en l'air de joie. Je vais enfin jouer en finale de l'U.S. Open.

J'aurais peut-être dû économiser mon énergie au lieu de jouer les cabris. Tracy Austin avait remporté une victoire facile et rapide sur Barbara Potter, 6-1, 6-3, tandis que mon match avec Chris s'était éternisé.

En fait, le samedi, je me sentais reposée et fraîche,

aussi gaie que ma chemise orange et jaune, prête à briser la dernière barrière du « Ne-Peut-Pas-Gagner-à-New York ».

Tracy Austin avait été en 1977, à quatorze ans, la plus jeune joueuse de Wimbledon; elle avait gagné l'U.S. Open à seize ans en 1979, et elle m'avait battue dans le tournoi Avon de 1980. Elle n'avait que dix-huit ans, mais avait souffert au début de l'année d'une sciatique sérieuse qui l'avait souvent empêchée de jouer. Elle venait de changer d'entraîneur, et elle luttait contre la légende qui prétendait qu'elle avait débuté trop jeune. Chacune son étiquette.

Je la connaissais très peu; elle ne passait guère de temps avec les autres joueuses. Je n'avais donc pas de mal à jouer contre elle un jeu impersonnel. Elle jouait un tennis classique au fond du court, et j'ai fait ce qu'il fallait : monter au filet sur son service, et la battre très vite. J'ai remporté le set 6-1.

Au second set, le vent s'était levé, et j'avais du mal à passer mon premier service. Tracy reprend espoir, elle s'accroche, se défend, joue la ligne de fond. Nous sommes à 4-4 et 15 partout dans le neuvième jeu, quand elle envoie un coup droit vers la ligne de côté : sa balle, très basse, accroche la corde du filet et... roule par-dessus, lui donnant un point important. Je crois encore que je vais remporter le set, mais je ne force pas assez, et nous allons jusqu'au tie-break, qu'elle remporte en sept points.

Au troisième set, Tracy m'a surprise par une balle sur la ligne, du côté de mon coup droit : je n'ai pas couru assez vite, j'étais déjà trop fatiguée. Elle a changé sa tactique : je ne l'ai jamais vue essayer tant de passing-shots et de coups droits d'attaque. A la fin, je n'avais plus du tout l'énergie dont j'aurais eu besoin, mais j'arrive tout de même, menée 5-6, à gagner mon service, en sauvant trois balles de match.

Je n'oublierai jamais le tie-breack, que j'aurais voulu expédier en quelques magistrales volées rebondissant

275

jusque sur le mur des tribunes, et terminer par une balle féroce, qui m'aurait laissée épuisée, mais gagnante. Je jouais avec mes tripes, comme un batteur de base-ball de l'East Bronx qui aurait tenté, sur une seule balle, de faire deux fois le tour des bases. Mais techniquement, ça n'allait pas du tout : toutes mes balles sortaient.

En fait, depuis le début du match, je plaçais mal mon coude : j'avais tendance à trop le décoller et plus je frappais fort, plus j'aggravais les conséquences de cette mauvaise position. Cinq minutes après ma défaite, Renée me l'a expliqué. Et pour comble, je fais une double faute sur la balle de match.

Si Renée avait déjà été mon entraîneur, je suis sûre que ce fiasco aurait été évité. Quoi qu'il en soit, j'ai envie de pleurer, je me mords la lèvre, je suis aussi mal en point que lorsque j'ai été battue en 1976 par Newberry. Les photographes me cernent et je voudrais disparaître dans un trou, me sauver du court.

Alors l'annonceur m'appelle pour le trophée de la finaliste, et tout d'un coup, quelque chose de merveilleux arrive : les spectateurs se mettent à applaudir et à m'ovationner. J'ai fondu en larmes, mais c'étaient des larmes de reconnaissance. Je savais qu'ils encourageaient Martina, mais aussi la citoyenne américaine. Je ne pense pas qu'ils applaudissaient parce que j'avais perdu. J'aurais été aussi, cette année-là, une gagnante populaire, bien qu'on m'ait dit que ma défaite m'avait valu la sympathie du public; et j'aurais bien voulu gagner.

Je restais là, émue, retenant mes larmes, pendant que les applaudissements crépitaient encore et encore. Finalement, je me suis emparée du micro et j'ai dit : « Il m'a fallu neuf ans pour avoir la balle d'argent. J'espère que je n'attendrai pas neuf ans de plus pour gagner la coupe. » Et ils ont recommencé à applaudir. On se serait cru à l'opéra quand, après le baisser du rideau, les spectateurs rappellent la soprano, et lui jettent des roses en criant « bravo ». Et c'était moi qu'on ovationnait. Je n'étais plus Martina la rouspéteuse, Martina la Tchécos-lovaque, Martina la perdante, Martina la transfuge bisexuelle. Et dans les acclamations, il y avait une acceptation, du respect, et peut-être de l'amour.

Je sais combien le public de New York peut être capricieux : il trouve maintenant Chris chaleureuse, après lui avoir reproché d'être trop froide. Il aurait préféré qu'elle gagne la demi-finale. Mais je l'avais battue, et il avait applaudi mon courage et ma détermination. Et il continuait à m'applaudir, après ma défaite. Je pouvais en être fière. Quelque chose les avait touchés en moi, et les New-Yorkais laissaient libre cours à leur émotion : ils me ressemblaient. C'est ce jour-là que je me suis sentie un peu new-yorkaise pour la première fois. Ils m'avaient acceptée.

J'ai dit plus tard à Jane Gross du « New York Times » : « C'est extraordinaire d'avoir un tel public pour soi. Et j'aurais tellement voulu gagner cette année. Mais j'ai trop forcé, j'étais trop contractée. J'ai raté des volées qui auraient pu me donner la victoire. »

Ma défaite et mon émotion m'avaient totalement épuisée. Pam et moi, nous avons perdu la demi-finale des doubles contre Rosie et Wendy, et je suis allée me réfugier chez la mère de Nancy. J'ai eu du mal à surmonter mon échec. J'avais souvent perdu, et je m'étais même dit que je prenais l'habitude de perdre. Mais après tous les efforts que j'avais faits pour me mettre en forme pour l'U.S. Open, je croyais que j'allais gagner. Et j'ai été très déçue.

Ce qui me faisait le plus mal, c'était de penser que j'aurais encore, l'année suivante, cette étiquette de « Martina-qui-ne-PEUT-pas-gagner-à-New York ». J'avais gagné tous les grands tournois, sauf celui-là. Et on s'interroge vite sur un champion qui ne gagne pas *tous* les tournois : il est fragile, alors ? On ne peut pas compter sur lui, c'est quelqu'un qui perd ses moyens, qui se démonte, qui craque. C'est injuste. Le plus grand champion a le droit de perdre. Ce qui est grave, c'est quand un très bon joueur ne gagne jamais, joue superbement et... laisse la victoire lui échapper, comme si, inconsciemment, il ne voulait pas gagner. En fait, plus un sportif remporte de victoires, plus son pourcentage de succès est élevé, et plus les gens attachent d'importance à ses défaillances. On ne prête qu'aux riches.

C'est facile de dire que c'est nerveusement que j'ai perdu l'U.S. Open en 1981. Il pouvait y avoir des causes techniques à cette défaite. Quand je rate une balle, ce n'est pas obligatoirement parce que je flanche.

Mais c'est difficile de se débarrasser d'une étiquette une fois qu'on vous l'a collée sur le dos. Quand j'ai été battue par Kathy Rinaldi aux Internationaux de France en 1983, j'avais joué, tout au long du tournoi, le meilleur tennis que j'aie jamais joué. Mais j'ai mal joué contre elle, et j'ai perdu, très normalement.

A chacun de mes matches en 83 et 84 contre Chris, elle a répété que si elle s'accrochait suffisamment, si elle ne me laissait pas prendre de l'avance, je finirais par flancher. Je comprends très bien que Chris ait dit cela : Elle aime la rivalité, et elle essayait de se persuader qu'elle avait ses chances. Mais on en a déduit que j'étais si émotive que je flancherais obligatoirement, à un moment ou à un autre.

Mais ma défaite devant Tracy est une de celles que j'ai le plus mal supportées : je me sentais parfaitement prête, moralement et physiquement. Normalement, je reprends vite le dessus, mais cette fois j'ai eu beaucoup de mal. Je restais persuadée que je gagnerais l'année d'après, mais je n'arrivais pas à croire qu'une fois de plus, j'avais perdu l'U.S. Open.

35

RENÉE

Ma défaite contre Tracy m'amena Renée Richards.
Nous avions commencé à travailler officieusement
ensemble pendant le tournoi. Immédiatement après, elle
devint officiellement mon entraîneur. Elle a eu une
grande influence sur ma carrière.

La première fois que je l'ai rencontrée, c'était en
1977; elle essayait d'obtenir une licence pour jouer dans
le circuit féminin.

Ce fut une terrible controverse en même temps
qu'un cas épineux et nouveau; un homme ayant subi une
opération chirurgicale pour changer de sexe voulait
soutenir la compétition au niveau le plus élevé des sports
féminins.

Pendant sa première vie, Renée était le Dr Richard
Raskind, ophtalmologiste à New York, et je n'en avais
jamais entendu parler. Mais nous apprîmes bientôt que
Richard Raskind avait été un joueur très bien classé dans
l'Est, capitaine de l'équipe masculine à Yale et champion
d'élite dans la marine pendant son service militaire. En
1974 il était treizième au classement national des trente-
cinq ans masculins, et ophtalmologiste bien établi. Malgré tout, il se sentait de plus en plus mal à l'aise dans son
rôle et sa peau d'homme.

Depuis lors, Renée a écrit une autobiographie intitulée Second Service, absolument fascinante. La vie de Richard Raskind était apparemment une réussite, mais il se décida après bien des souffrances morales à subir une intervention chirurgicale pour changer de sexe, et il adopta un nouveau nom ainsi qu'une nouvelle identité en Californie. Son livre donne des frissons dans le dos lorsqu'on voit à quels problèmes médicaux, à quels traumatismes psychologiques elle fut exposée. J'étais épouvantée en lisant qu'elle avait même essayé de faire réduire sa pomme d'Adam; le bistouri avait coupé carrément la trachée et elle avait presque suffoqué sur la table d'opération. Pour subir tout ce qu'elle a subi, il faut violemment, profondément, ardemment désirer devenir femme.

Une fois installée en Californie, Renée n'a pu rester à l'écart du tennis. Finalement sa véritable identité fut découverte. Tout le battage publicitaire fait sur son cas l'a rendue célèbre dans le monde entier et a entraîné un certain nombre de procès contre elle, à l'époque.

Le public, la presse, les officiels du tennis et certains joueurs étaient très troublés par son cas. Je me disais, moi, que si les experts déclaraient qu'elle était une femme, on devait la laisser jouer dans les tournois féminins. Par ailleurs, je l'avais vue s'entraîner une fois, et j'avais compris qu'elle n'allait pas dominer le tennis féminin, et que son jeu, en tout cas, n'était certainement pas à la hauteur du mien. De plus, il était difficile de croire qu'elle allait faire école, et que des hommes se feraient opérer comme elle, juste pour devenir la vingt-troisième joueuse de tennis du monde, ou quelque chose comme ça. L'allure et le jeu de Renée Richards étaient ceux d'un bon joueur de quarante ans; ses atouts, c'était sa taille et son intelligence.

Je fus présentée à Renée par la joueuse de tennis Betty Ann Stuart, une de nos amies communes, qui savait que j'étais d'accord pour qu'on laisse jouer Renée dans les tournois féminins. Nous avons sympathisé immédiatement, probablement parce que nous nous sentions toutes les deux, pour des raisons différentes, des outsiders.

Renée se souvient de son arrivée dans le circuit en 1977 « avec les paparazzi qui la pourchassaient partout »; elle se rappelle que je la battis au premier tour à São Paulo, 7-6, 7-6 puis vins près d'elle dans le minuscule vestiaire pour lui dire : « Continuez, Renée, ça marchera. »

Pour dire la vérité, je me rappelle seulement le match, mais pas mes encouragements. Si je l'ai fait, c'était de la même façon que Chris Evert lorsqu'elle me consolait, ou comme Evonne Goolagong qui réconfortait Chris en larmes dans sa salle de bain après une mauvaise journée. La plupart des joueuses du circuit sont très solidaires. Pour moi, si Renée Richards était légalement reconnue comme étant une femme, elle avait le droit de jouer dans le tournoi et je devais essayer de lui faciliter la vie.

J'étais heureuse d'avoir son appui sur le circuit : elle était plus âgée que moi, très intelligente, et réellement cultivée; elle parlait plusieurs langues et connaissait des tas de choses dont nous n'avions jamais entendu parler. Quand nous déjeunions en tête à tête, ou allions ensemble faire du shopping, elle me rappelait que le monde, hors des courts, était inépuisable. Et nous étions assez amies pour qu'elle me parle de son fils, et des problèmes que lui causait le changement de sexe de son père.

Renée savait mieux enseigner le tennis que la plupart de ceux que j'avais rencontrés. En vraie stratège, elle battait de jeunes joueuse agiles grâce à son cerveau. Elle réfléchissait au match avant qu'il ne commence; c'était pour moi une révélation. Pourtant je n'ai jamais pensé, quand Renée jouait dans le circuit, qu'elle pourrait devenir un jour mon entraîneur.

Lorsque je fus battue par Tracy en 1981, je constatai

autour de moi que la plupart des joueurs et des joueuses avaient un entraîneur. Ion Tiriac se penchait au-dessus de la clôture pour encourager Guillermo Vilas, Bjorn Borg ne se déplaçait jamais sans Lennart Bergelin, Tracy était toujours accompagnée d'un entraîneur, et Pam Shriver avait Don Candy. En général, je ne parlais tennis à personne. Je m'en faisais une règle, mais ce n'était certainement pas de bonne politique pour ma carrière.

Pendant l'Open 1981, j'avais du mal à trouver un court pour m'entraîner. Renée m'assura qu'elle allait s'en occuper. Elle avait été éliminée au premier tour, si bien que nous avons pu jouer un peu ensemble. L'idée de recevoir de l'aide me séduisait. Depuis longtemps, je m'assumais entièrement pendant les tournois et j'en étais lasse. J'avais vu comment, en quelques semaines, Nancy m'avait remise en forme, et je voulais me faire aider au maximum. J'ai alors demandé à Renée de travailler régulièrement avec moi. Et elle a très vite amélioré mon jeu.

C'est Renée qui, la première, me donna l'idée de préparer la stratégie de chaque match. Que faisaient normalement les autres joueuses? Quels étaient mes points forts? Leurs faiblesses? Où étaient mes meilleurs pourcentages? Elle connaissait bien les autres joueuses, et me fit remarquer certaines de leurs particularités que je n'avais jamais découvertes.

Elle ajouta un revers lifté à mon revers slicé, me fit travailler ma volée de coup droit en m'empêchant de me balancer comme pour une balle qu'on frappe après son rebond.

Elle rectifia la mauvaise position de mon coude. Elle m'apprit à sauter pour mon service, pour augmenter sa puissance, et à me placer un peu plus près de la ligne de côté, comme le fait MacEnroe.

Nous avons travaillé ensemble quelques semaines. Elle avait tellement amélioré mon jeu que j'ai remporté haut la main mon premier tournoi à Bloomington, Minn., en gagnant dix sets d'affilé, dont une finale 6-0, 6-2 contre Tracy. Je gagnai aussi à Tampa et Melbourne, mais fus battue par Tracy en finale à Stuttgart et par Chris en finale à Sidney. Puis je battis Chris à la finale de l'Open d'Australie, gagnant ainsi ce championnat pour la première fois.

Enfin arriva le dernier tournoi de la saison 1981, les championnats Toyota à New Jersey. Je devais rencontrer Tracy en finale, l'enjeu étant le classement à la première place pour l'année. J'ai pensé que j'allais l'emporter après un premier set 6-2, mais elle remonta, me battit 6-4, 6-2 et remporta le titre. A nouveau la foule m'ovationna. Mais je ne voulais pas pleurer, cette fois. J'étais furieuse, je n'étais pas triste comme je l'avais été à New York.

Quelques mois plus tard, on recommença à dauber sur ma « fragilité », sur ma promptitude à me démonter.

J'avais gagné cinq tournois d'affilée lorsque j'affrontai Sylvia Hanika en finale aux Championnats Avon à Madison Square Garden. Je la battis, 6-1 au premier set et la menai 3-1 au second lorsqu'une fois de plus, je me mis à mal jouer, et la laissai retourner la situation et me battre 6-3, 6-4. J'étais déçue, mais j'avais compris que la seule personne qui pouvait me battre vraiment, c'était moi. Les temps allaient changer.

L'entraînement avec Renée me fit beaucoup de bien. Nous avions conclu un bon accord financier et tout allait à merveille. Or Nancy, mon « entraîneur pour la motivation », était là aussi, ce qui gêna sans aucun doute Renée dès le début. Quand elles étaient l'une près de l'autre, toutes les têtes se tournaient vers la joueuse de tennis transsexuelle et la basketteuse d'élite en train d'encourager le transfuge tchécoslovaque. Nous avions chacune notre étiquette personnelle, et l'étiquette collective, c'était le « Team Navratilova ».

Ce qui est comique, c'est que l'on nous considérait comme une heureuse famille. En réalité, Renée était gênée quand Nancy, à côté d'elle, applaudissait et criait, alors qu'elle essayait de se concentrer sur le côté technique et intellectuel du jeu. Nancy la basketteuse pensait, elle, que c'était en jouant sur le facteur émotionnel qu'elle contribuait le mieux à mes victoires. Quand je lançais un coup d'œil vers elles, pour quêter un encouragement, je me rendais compte qu'elles s'ignoraient soigneusement. Quelle équipe!

C'est peut-être sur des âmes sensibles comme celle de Roland Jaeger le père d'Andréa, que ce qu'il était convenu d'appeler le Team Navratilova avait l'impact le plus puissant. Si je regardais Nancy, elle serrait le poing pour me faire comprendre que je devais être dure et si je croisais le regard de Renée, elle portait le doigt à la tempe pour m'indiquer que je devais travailler avec ma tête. Rien n'était oublié!

J'en reviens à Roland : c'est un ancien boxeur, qui a toute la subtilité d'un direct au foie pour comprendre le tennis. Il était convaincu que nous soumettions sa fille à une pression qui avait quelque chose de surnaturel. Il regardait Nancy d'un air buté qui ne manquait pas de méchanceté.

Notre étoile nous dirigeait vers Paris pour une série de deux tournois. Je n'y étais jamais retournée en cinq ans, depuis que j'avais été battue par Chris en trois sets à la finale de 1976. Renée me fit comprendre que j'étais capable de vaincre n'importe qui sur n'importe quelle surface, même sur la terre battue de Roland Garros. Je fis en effet un excellent tournoi, et battis Candy Reynolds, Lisa Bonder, Kathy Rinaldi, Zina Garrison et Hana Mandlikova, pour arriver en finale contre Andréa, qui avait battu Chris en demi-finale.

Ce jour-là, la vague de chaleur qui déferlait sur Paris fit monter la température à trente-cinq degrés. Andréa me mène, 5-4, au premier set et elle a le service, mais je me reprends et je remporte le tie-break, 8-6. Le second set est plus facile : 6-1. A la fin, en nous serrant la main, je la remercie de m'avoir fait jouer un aussi bon match pour sa première finale du Grand Chelem.

Puis, quand j'arrive à la tribune pour la conférence de presse, un journaliste de la télévision me dit de faire attention : Roland Jaeger incite sa fille à se plaindre que Nancy et Renée m'aient conseillée pendant le match. Je suis prévenue et prête à me défendre quand Andréa déclare : « C'est difficile de jouer contre trois personnes. J'ai perdu ma concentration. J'ai essayé de m'en sortir pendant tout le premier set et j'ai réussi. Mais c'était exaspérant. Elle l'ont déjà fait dans d'autres matches. Ce n'est pas admissible. Elle a bien joué et j'ai perdu. Mais ça n'aurait pas dû se passer comme cela. Je suis prête à perdre love-love ou à gagner love-love, mais c'est par moi-même que je gagne ou que je perds. »

En principe un entraîneur ne doit pas intervenir pendant un match si son intervention gêne l'adversaire. Celui-ci doit alors réclamer auprès de l'arbitre qui donne un avertissement et demande que l'entraîneur cesse ses agissements. Mais Andréa n'a pas fait la moindre réclamation pendant le match. C'est son père qui, après le match, lui a dit de se plaindre.

Je répondis aux questions des journalistes en disant : « Je suis profondément choquée. Je peux affirmer que je n'ai regardée Renée que pour me donner du courage. Je viens de remporter la finale de l'un des plus grands tournois du monde, et je vous en remercie, Andréa. Je n'avais pas besoin de regarder mon entraîneur pour savoir quoi faire. Avant de jouer, j'avais étudié le match vingt fois avec Renée. J'aurais pu réciter en dormant ce que je devais faire. »

Renée fit une conférence de presse en français, pour expliquer à quel point cette plainte était ridicule. Elle déclara : « Je suis restée, comme d'habitude, impassible. Je n'ai fait aucun signe à Martina. Je ne suis pas intervenue une seule fois. Nancy, c'est vrai, hurlait à pleins poumons : Vas-y, Martina... »

C'est la seule chose que Renée ait dite sur Nancy : il était clair qu'elle ne considérait en aucun cas les hurlements de Nancy comme une intervention.

Après une victoire à Eastbourne, (un match préparatoire à Wimbledon) Renée arriva de New York pour m'annoncer qu'un ophtalmologiste de New York venait de mourir et que son cabinet était à vendre pour cinquante mille dollars. Elle avait suivi un cours de perfectionnement à Harvard pendant l'hiver et souhaitait vivement reprendre son ancienne profession. Dans le fond c'était une bonne idée. Mais elle voulait m'emprunter les cinquante mille dollars et mon comptable déclara que prêter de l'argent à ses amis n'était jamais judicieux et toujours risqué.

Renée me dit que cette somme lui revenait comme une partie de la prime que j'allais recevoir pour les tournois gagnés grâce à elle au cours de la compétition Playtex. Je n'étais pas d'accord : « C'est une prime, ce n'est pas un prix. C'est à moi de décider combien je te donnerai. » Il y eut quelques grincement de dents.

La situation empira à Wimbledon : quelques amis de Nancy ont organisé une soirée en son honneur, et Renée n'a pas été invitée. Elle était terriblement vexée. C'était ridicule. Je savais que cette soirée était prévue, mais j'avais tellement d'autres choses en tête que je n'avais pas cherché à savoir qui était au courant. En fait, Nancy elle-même ne l'était pas et, comme elle déteste les surprises, elle a failli ne pas rester à la soirée.

Toujours est-il que Renée faisait la tête; bien qu'elle ait continué à m'entraîner pour chaque match, elle était visiblement contrariée. Je battis Chris, 6-1, 3-6, 6-2 en finale. Après ma victoire des amis ont fait irruption dans la salle de bain de la maison que j'avais louée près des courts et m'ont aspergée de champagne glacé dans la baignoire. Renée n'était pas avec eux.

A mon retour à New York, tant pis pour mon comptable, je lui ai prêté l'argent dont elle avait besoin, et nous nous sommes séparées d'un commun accord. Elle n'aurait plus le temps d'être mon entraîneur. Mais nous restions amies. Et j'aurais été la première à lui conseiller de choisir sa carrière médicale.

A l'U.S. Open, la disparition de Renée fut montée en épingle. J'avais pris comme entraîneur Peter Marmureanau, ancien jouer de l'équipe de Coupe Davis de Roumanie, qui ne connaissait malheureusement pas très bien le jeu féminin. Il me donnait des conseils, par exemple : « Lance la balle plus haut. » C'était utile, mais ça n'avait rien à voir avec la stratégie que pratiquait Renée.

Peu de gens le savent, mais pendant l'Open 1982 Renée, qui a assisté à tous les matches, m'a donné des conseils, par amitié. Cependant ni elle ni Peter n'ont pu influencer les résultats de l'U.S. Open 1982. Ils avaient été décidés, si je puis dire, des semaines auparavant, et à des milliers de kilomètres de là.

36

LA MALADIE QUI VALAIT UN MILLION DE DOLLARS

J'entends toujours la réflexion : « Elle va perdre à cause de ses nerfs. » Mes nerfs n'étaient cependant pas en cause en 1982. J'avais une grave maladie qui s'était déclarée au plus mauvais moment. Mes amis parlent maintenant du « virus du chat » comme s'il s'agissait d'une aventure curieuse et insolite. Elle mérite d'être narrée.

En 1982 je ne pensais qu'à l'Open, le seul tournoi majeur que je n'avais toujours pas gagné. Après avoir battu Tracy l'année précédente j'étais pleine d'entrain, je me sentais prête à remporter le titre. J'avais gagné à Roland Garros, à Wimbledon et j'avais aidé les États-Unis à remporter la Coupe de la Fédération à San Francisco pendant l'été. Cette coupe m'avait donné une chance que peu de joueuses ont eue : celle de défendre tour à tour deux nations gagnantes. Après avoir contribué à la victoire de la Tchécoslovaquie en 1975, je représentais en 1982 mon nouveau pays. Sans compter que c'était fascinant d'être aux côtés de Chris, Pam et Andréa, et d'agiter des drapeaux avec elle pendant la parade en voitures découvertes à travers tout San Francisco, avant le début de la compétition. J'avais très bien joué, et nous avions gagné la coupe.

Mon séjour à San Francisco me donnait par ailleurs la possibilité de rencontrer Rita Mae et de régler certains détails sur la vente de la maison à Charlottesville. Nous étions copropriétaires et, comme nos avocats aggravaient la situation plutôt que de l'arranger, je lui téléphonai : «Pendant que je suis là nous pourrions discuter et décider qui aura quoi.» Elle était d'accord et j'allai la retrouver chez elle.

Nous avons parlé pendant quelques heures pour tout régler. Comme toujours, quelques chats se promenaient dans la maison. Rita Mae les aime beaucoup. Elle parle même de l'un d'eux, «Baby Jesus», dans son roman sur le tennis, dont le principal personnage est, paraît-il, une argentine gauchère et impétueuse. Avant mon arrivée, elle avait préparé une légère collation et les chats venaient de temps à autre poser leur patte sur les noix de cajou. Les chats avaient droit de cité et je ne m'en préoccupais pas.

Peu de temps après, pendant que je m'entraînais à San Francisco pour le circuit d'Australie, je me suis sentie horriblement mal, incapable de bouger. Comme j'avais joué quelques matches harassants pour la Coupe de la Fédération, j'ai d'abord cru à un claquage musculaire, car j'étais passé de la terre battue au gazon et au ciment en quelques mois de printemps. Pourtant, cela ne m'avait encore jamais posé de problèmes. J'ai les muscles solides.

J'appelle Nancy pour lui dire que je suis épuisée, vidée. Elle essaie d'abord, bien sûr, de me stimuler : «Nom d'un chien, que se passe-t-il? C'est bientôt l'Open et on dirait que tu t'en moques.» Elle comprit quelques jours plus tard que c'était sérieux lorsque je la rappelai pour lui dire en pleurant que je ne pouvais même pas aller prendre l'avion pour l'Australie. Cela ne me ressemblait pas. J'adorais voyager, et j'étais une passionnée de tennis. Jamais je n'avais eu aussi peu envie de partir et de jouer.

Je me rendis au bureau de mon comptable, Marty Weiss, à Los Angeles, pour lui annoncer que je voulais déclarer forfait. Mais il me répondit que les sponsors avaient déjà engagé les fonds, et que ce serait un désastre pour tout le monde.

Sept joueuses étaient déjà là-bas; je ne voulais pas leur faire faux-bond et je finis par embarquer dans un avion pour Hawaï où je me reposai une demi-journée dans une chambre d'hôtel avant de continuer pour l'Australie.

A mon arrivée, le mal avait empiré. Je commence à m'entraîner avec Andréa Leand et au bout d'un quart d'heure, je cesse, au bord de l'évanouissement. Nous devions jouer trois jours à Sydney et deux à Perth; je résistai pendant les deux jours à Sydney, où je battis Sue Barker le premier jour et laissai Andréa Jaeger remporter les deux derniers sets en salle après avoir gagné le premier 6-1. Après ce premier set, je pouvais encore courir, mais impossible de changer de direction ou de m'arrêter pile. Au match suivant, je déclarai forfait.

Il fallait que je sois examinée par un médecin, à cause de l'assurance, pour vérifier que je ne trichais pas. Personne ne parla de me faire une analyse de sang; on me questionna seulement sur mes réflexes. J'avais des ganglions qui avaient triplé de volume depuis le cou jusqu'à l'aisselle et au thorax. Mais les médecins n'ont pas semblé s'en apercevoir. J'ai cependant réussi à les convaincre que j'étais réellement malade et l'assurance a dû rembourser les sponsors. J'aurais seulement voulu aller dormir, mais l'U.S. Open était imminent.

La semaine précédant l'Open, j'allai à New York chez la mère de Nancy. Je dormais la moitié de la journée. Dès que je sortais du lit et commençais à m'entraîner, mon énergie s'évaporait, et je devais renoncer, me reposer. Tandis que Nancy parlait stickball ou basket, je gémissais. Si je ne dormais pas, je voulais rester allongée et lire. Il était grand temps de voir un médecin.

Nous avions la chance d'avoir deux excellents docteurs à l'U.S. Open. L'un, orthopédiste, Irving Glick, avait travaillé avec des basketteurs de la St. John's University ainsi qu'avec beaucoup de tennismen. L'autre, spécialiste de médecine interne Gary Wadler, s'intéressait à de nombreux domaines médicaux et a écrit récemment avec sa femme un livre sur l'herpès, intitulé : « Comment faire face. » Ce sont deux médecins sympathiques, avec qui on peut parler.

On repère facilement Gary Wadler dans la foule de l'Open. Il porte une veste rouge tomate bien mûre. J'espère que c'est seulement pour qu'on trouve toujours le docteur très vite.

C'est à lui, d'abord, que j'expliquai mes symptômes. Contrairement aux médecins australiens, il prit mon cas au sérieux. Mes ganglions étaient très gonflés, de l'aisselle au sein, surtout sur le côté gauche. J'en avais aussi dans le dos, durs et granuleux.

Le Dr Wadler m'informa que s'ils ne diminuaient pas rapidement, il faudrait faire une biopsie. Je ne savais pas ce que ce mot signifiait, puis j'ai appris que l'on me ferait un prélèvement pour vérifier s'il ne s'agissait pas d'un cancer.

Il me fit immédiatement une prise de sang et envoya le prélèvement à New York en me disant qu'il pourrait s'agir d'une maladie virale ou d'une grave affection sanguine, peut-être même d'une forme de leucémie.

Mes problèmes se compliquèrent la veille de l'Open car j'étais, en plus, attaquée par un virus banal, celui du rhume. Le bruit se répandit dans Flushing Meadow et, pour une fois, la rumeur était vraie. Le Dr Wadler constatant la taille de mes ganglions semblait inquiet; il savait que je n'étais pas bien depuis deux mois; il me prévint donc qu'il ne s'agissait pas d'un cas anodin.

Son premier diagnostic était la toxoplasmose, une affection causée par un parasite, qui a pour effet d'affaiblir les muscles et qui est beaucoup plus courante qu'on ne croit. La plupart de ceux qui en sont atteints ne s'en aperçoivent même pas. Les symptômes sont : hypertrophie des ganglions au niveau du cou et des aisselles – ce qui pousse beaucoup de gens à croire qu'ils souffrent de mononucléose – fatigue, douleurs musculaires, température, céphalées et maux de gorge. Mais le Dr Wadler m'expliqua qu'il devait aussi envisager d'autres possibilités.

J'avais peur, malgré ma quasi-certitude que c'était une toxoplasmose. Je savais que le cancer frappe parfois des gens très jeunes. Je me suis toujours battue quand je pouvais faire quelque chose : pour gagner un match, ou dans mes problèmes personnels, ou pour lutter contre une certaine forme d'injustice, et là, je ne pouvais rien faire. Mais si j'étais effrayée, je suis restée calme. Était-ce le fatalisme tchécoslovaque? Je me suis dit que la vie continuait quand même, et que le soleil brillerait encore demain.

Le Dr Wadler avait envoyé des prélèvements de sang au centre épidémiologique à Atlanta. Le rapport reçu indiquait que j'avais le taux de toxoplasmes le plus élevé qu'il ait jamais vu. Le Dr Wadler me dit que près de deux millions d'Américains, soit un sur mille par an, souffrent de toxoplasmose. On l'attrape soit par la consommation de viandre crue ou saignante, soit par contact avec les chats. C'est une maladie du chat, causée par un parasite transmissible à l'homme, et non par un virus.

« Vous avez été en contact avec des animaux récemment? » me demanda-t-il.

Je pensai d'abord à mes chiens puis je me rappelai le chat de Rita Mae pirouettant sur les amuse-gueules. Je le lui racontai. Le chat pouvait être responsable, mais ce n'était pas certain. J'avais mangé un hamburger saignant quelques jours avant d'aller chez Rita Maer. Selon le Dr Wadler, la cause serait difficile à déterminer, mais j'avais bel et bien une toxoplasmose.

« Il est probable qu'une personne sur trois est atteinte de toxoplasmose une fois dans sa vie, sans le savoir. Les gens pensent généralement qu'il s'agit d'un virus, et attendent que cela se passe. Mais une joueuse de tennis de votre niveau, avec un taux pareil de toxoplasmes, ne peut pas continuer ses activités normalement. Il est déjà étonnant que vous ne soyez pas à l'hôpital. C'est probablement parce que vous êtes dans une excellente condition physique par ailleurs que vous tenez encore debout. Et cela va vous aider à lutter contre la maladie. »

Je me mis à pleurer. Mes chances de gagner l'Open semblaient bien compromises. Et j'avais tant attendu déjà !

« Je vous conseille d'abandonner le tournoi pour aller vous reposer quelques semaines », me dit-il. « A mon avis, vous ne pourrez pas recommencer à jouer de si tôt. »

Mais je voulais l'Open. Pas seulement pour l'argent. Les trois premiers tournois Playtex de cette année-là m'avaient rapporté cinq cent mille dollars, et gagner l'Open me permettrait de gagner la prime Playtex pour la série des quatre tournois, soit cinq cent mille autres. Mais je voulais l'Open pour lui-même, pour gagner mon championnat national.

– Vous savez que je veux jouer. Que se passera-t-il si je le fais ? demandai-je au médecin.

– La première possibilité, c'est que vous pouvez vous fatiguer et contraindre certaines parties de votre organisme à des efforts démesurés. Vous pourriez facilement vous blesser au genou, à l'épaule ou à la cheville en tombant. Autre possibilité : vous pourrez jouer un quart d'heure ou une demi-heure, mais si vous avez un match difficile, vous serez incapable de vous relever pour le troisième set.

Je le crus. Je le remerciai de ses conseils et promis de revenir le voir tous les jours. Je ne serai pas loin de son cabinet à l'Open. J'étais décidée, j'irai sur les courts pour essayer de gagner tous les matches en deux set.

J'avais été trop loin, je m'étais donnée trop de mal pour reculer maintenant.

37

LES GENOUX
EN COTON

J'étais sûre que 1982 était l'année où Chris et moi allions enfin nous affronter en finale de l'Open. Nous allions inévitablement revendiquer l'une et l'autre le titre de meilleure joueuse du monde.

Les journaux allaient bien sûr s'emparer de cet affrontement. Nulle part dans le monde les conférences de presse ne sont aussi importantes et fréquentes qu'aux États-Unis. Dans beaucoup de pays, il s'agit d'une simple formalité permettant de donner quelques bons mots aux journalistes. En revanche, aux États-Unis, les reporters sportifs posent des questions précises et bien pesées et suivant les réponses de près. Certains veulent du sang, du sensationnel, d'autres posent des questions techniques, certains vont plus loin.

A l'une de mes premières conférences de presse, j'ai déclaré que je voulais être la meilleure joueuse de tous les temps, et les journaux en ont fait toute une affaire. J'avais ajouté : « Mais j'ai encore beaucoup de chemin à parcourir », et ça, ils l'ont passé sous silence.

Chris, évidemment, a contre-attaqué :

« Martina a eu une seule bonne année, moi j'en ai eu sept. »

En fait, j'avais été quatre fois classée au premier rang, mais je voyais bien son but en disant cela. Je pensais tout de même que mon score de l'année précédente dépassait ses meilleurs résultats.

Si nous nous battions par voie de presse, entre nous, rien n'était changé; c'était toujours : « Salut, comment vas-tu ? »

Nancy ne comprenait pas cela. Elle n'était pas aussi décontractée que moi. Bloquée dans une attitude psychologique qui n'avait pas changé depuis la cour de récréation, elle ignorait ostensiblement Chris, jusque dans les vestiaires, et lui demandait : « C'est à moi que tu parles ? » quand Chris la saluait. Elle était persuadée qu'il fallait haïr son adversaire. Pas moi.

Je passai les quatre premiers tours du tournoi, en essayant de résister à ma maladie. Et c'était Chris qui attirait l'attention : elle était manifestement malade. C'était un drame : pourrait-elle au moins sortir de sa chambre d'hôtel pour jouer contre Kate Latham ? Pour ma part, je n'ai jamais douté que, au moins, elle essaierait. Pâles et les traits tirés, elle traversa les vestiaires, et gagna. Elle tint même la conférence de presse après le match, et expliqua qu'elle avait mangé dans un restaurant italien une tarte au fromage qui l'avait intoxiquée. Tous les journaux publièrent les articles compatissants sur ses crampes d'estomac, qui ne l'empêchèrent tout de même pas de battre Kate et Zina Garrison. Tout le monde s'apitoyait.

Chris a toujours su séduire l'Amérique. Elle sait très bien dire ce qu'il faut au bon moment. Elle sait sourire aux journalistes hommes sans déplaire aux femmes. Si on lui demande : « Chris, qu'avez-vous fait la nuit dernière pour vous préparer au match ? », elle lève les sourcils, fait un clin d'œil et répond : « Je ne vous le dirai pas. » Et tout le monde rit. Je vous laisse imaginer les réactions si j'en faisais autant...

Pendant plusieurs jours, les journaux ne parlèrent

que de Chris et de sa tarte au fromage, et je me demandais : « Qu'est-ce que je fais ? » Je n'aime pas parler de mes maladies. J'avais eu parfois des douleurs atroces aux épaules sans en souffler mot. Nous avons tous, sans exception, nos douleurs et nos malaises, alors pourquoi gémir ? Je ne voulais pas dire que j'étais malade : on aurait pensé que je me préparais une bonne excuse. J'avais une chance de gagner, j'en étais convaincue, et de jouer tout le tournoi.

Les seuls qui étaient parfaitement au courant étaient le Dr Wadler et Nancy. Le docteur m'avait prévenue de ne pas jouer les doubles si je voulais absolument jouer en simple. Or je n'allais pas, à mon avis, m'épuiser tellement en double, et je ne voulais pas changer mon programme ni laisser tomber Pam, à qui, d'ailleurs, je n'ai rien dit.

Le jeu de double crée une relation curieuse dans laquelle on est à la fois amies, coéquipières et néanmoins rivales. Pam avait été ma partenaire de double après Billie Jean et elle comptait parmi les cinq meilleures joueuses depuis qu'elle s'était hissée en finale à l'U.S. Open à l'âge de seize ans, en 1978.

C'est une partenaire de double idéale pour moi, pas seulement à cause de sa taille. Attentionnée, perspicace, chaleureuse, et drôle, très drôle. Nous parlons pendant tout le match, dès le moment où nous mettons le pied sur le court. Une fois nous regardions nos adversaires arriver ; l'une d'elle était très connue pour ses coiffures sophistiquées, l'autre avait un physique ingrat.

« Tiens, voici la Belle et la Bête », me dit Pam.

Nous avons donné à beaucoup de nos adversaires des surnoms que nous sommes seules à connaître. Si une idée nous traverse l'esprit, nous l'exprimons, que ce soit avant, pendant ou après un match :

« Je me demande ce que je vais porter dimanche à la soirée » (Pan).

« J'aime bien ta robe de l'autre jour. » (Smash)

Autrement dit, nous parlons rarement tennis, sauf pour un commentaire sur un joli coup de nos adversaires, du genre :

« Garce ! Tu en as de la chance ! »

Ou bien :

« La prochaine fois, je lui fais avaler sa balle ! », ou bien pour prévenir notre partenaire : « Je vais lober », « Je vais jouer croisé ».

Nous nous excusons mutuellement après un jeu perdu : « C'est dommage, j'ai raté. » « Non, non, c'était de ma faute. »

Beaucoup de grands joueurs refusent les doubles. Mais Pam et moi pensons, comme MacEnroe, que les doubles permettent de maintenir un bon niveau, et stimulent l'esprit d'équipe. Si je ne suis pas en forme, j'aime avoir une coéquipière qui me dit : « Allez, secoue-toi, allons-y », en donnant un coup sur sa raquette.

Il arrive que l'une de nous ait le moral à zéro après avoir perdu un simple, on ait la tête ailleurs après avoir gagné un match important en simple. Pam sait me réconforter et me pousser après un échec. Et après quelques années de jeu ensemble, nous nous entendons à merveille. Chacune de nous comprend les états d'âme de l'autre, et même les devine.

Mais en 1982, je ne pouvais rien partager avec Pam, et il fallait que j'aie l'air en forme et sûre de moi. Et ça n'était pas à cause des matches en double : nous étions inscrites sur le même tableau pour les quarts de finale du simple, ce qui voulait dire que nous jouerions tôt ou tard l'une contre l'autre.

C'est par une journée chaude et ensoleillée que nous nous sommes affrontées sur le court central. Le matin, je m'étais entraînée avec Virginia Wade, sans problèmes. Je me souviens que quelqu'un avait demandé : « Vous avez toujours un entraînement aussi intensif ? » et j'avais pensé en moi-même : « Si seulement il savait. » Je me sentais plutôt bien en allant au stade, mais je n'oubliais pas que le Dr Wadler m'avait prévenue que la fatigue apparaîtrait si je jouais un long match. Il me fallait gagner en deux sets.

Tout alla bien au premier que je gagnai, 6-1, mais au second j'avais les jambes flageolantes. La technique du jeu n'avait pas changé. Pam envoyait les mêmes coups droits sur mon revers, mais je trébuchais et ma balle ne passait pas le filet. Je ne pouvais plus courir, je ne pouvais plus taper mes balles aussi fort. Je suis tout de même arrivée à 5-4; dans le dixième jeu, je menais 30-15 sur mon service, quand j'ai raté une volée de coup droit; et j'ai perdu le second set au tie-break. Le troisième a été ridicule. Je me sentais affreusement malade, j'étais folle de rage et je me répétais : « Si seulement ils savaient! » Plus le temps passait, plus je jouais mal. Je n'avais plus aucune force. Mes coups d'approche étaient tellement hésitants que c'était Pam qui montait au filet et renvoyait sans arrêt des volées gagnantes. Courir m'épuisait tellement que je n'avais parfois même plus la force de renvoyer la balle quand j'arrivais dessus. J'en suis arrivée, comme en Australie, à être prise de vertige chaque fois que je me baissais. C'était désespérant.

Pam se rendait compte que je ne montais pas bien au filet, et elle jouait des balles courtes, instinctivement. Elle n'a certainement pas pensé : « Martina n'est pas dans son assiette, je vais jouer des balles courtes. » Une joueuse expérimentée ne raisonne pas, elle enregistre et réagit spontanément.

Je m'apitoyais sur mon sort, je n'arrivais pas à croire qu'après tout le travail que j'avais fourni pour préparer le tournoi, j'étais là, malade. Et je ne pouvais rien faire, les médecins ne pouvaient rien me donner. J'étais seule, et tout juste bonne à ramasser à la petite cuillère.

Je n'aurais jamais envisagé d'abandonner à la fin du second set ou, pire, pendant le troisième : ç'aurait été une insulte pour Pam et un déshonneur pour moi. La seule raison pour déclarer forfait aurait été un accident, une foulure à la cheville, par exemple. Et puis, on croit toujours au miracle. Mais ce jour-là, il ne pouvait pas y avoir de miracle pour moi.

Mon imagination s'est mise en route, je voyais déjà les titres des journaux : « Martina craque une fois de plus », et je redoutais un assaut de questions. J'en étais là quand Pam fit le dernier point qui m'écrasait 6-2. Le match était fini, Pam se précipitait au filet et passait ses longs bras autour de mes épaules. J'étais en larmes et son affection m'a réconfortée. Ce n'était pas le moment de lui dire que j'étais malade.

Je m'assis, me mis à sangloter et me recouvris la tête d'une serviette ; les photographes se bousculaient et les caméras de la télévision étaient braquées sur moi. J'avais les jambes tellement faibles qu'en me levant j'ai eu l'impression d'être prise dans une tornade. Tout tournait autour de moi. Des journalistes de la télévision voulaient m'interviewer ; au lieu de leur répondre, je passai rapidement près d'eux et me remis une serviette sur la tête. La foule applaudissait, je répondais par des signes de la main. Rien de comparable cependant à 1981 où j'avais eu une certaine consolation dans ma défaite. J'étais malade et je le devenais encore plus à l'idée de devoir attendre encore un an.

Des photographes parvinrent jusqu'à moi pendant que j'essayais de me réfugier sous la tribune (l'un d'eux a prétendu par la suite que j'avais déchiré sa pellicule.) C'était ridicule, comme le procès qu'il m'a fait, qui a traîné un temps fou. Je voulais fuir. Je n'avais encore esquivé une conférence de presse qu'une seule fois, lorsque j'avais été battue par Janet Newberry en 1976 ; là, j'étais à nouveau tentée de me dérober.

Chez les hommes, il n'est pas rare de voir les joueurs esquiver les interviews lorsqu'ils perdent. Il faut voir Vitas Gerulaitis ou Jimmy Connors se sauver, en se moquant bien des cinq cents dollars d'amende que leur fuite va leur valoir. Je crois, pour ma part, que répondre aux questions des journalistes fait partie de notre métier. Mais ce jour-là, je ne m'en sentais pas le courage.

A l'Open, la salle des conférences de presse se trouve sous la tribune. Les officiels me firent savoir que je devais attendre quelques minutes jusqu'à ce que l'interview de Rodney Harmon soit terminée. Rodney ne manque pas d'éloquence et, tout à sa joie d'être parvenu en quarts de finale, il continua un peu plus longtemps que prévu, me laissant le temps de m'effondrer dans le vestiaire des officiels. Je pleurais comme une fontaine.

« Ça ne m'est jamais facile de perdre. Jamais », disais-je.

Nancy tenait les housses de mes raquettes : « Allons, Martina, allons, ressaisis-toi. »

J'avais l'impression que les murs s'écroulaient sur moi. Mary Carillo, une ancienne joueuse qui travaille maintenant pour la télévision, et quelques journalistes, étaient entrés dans le vestiaire. J'émergeais de sous la serviette pour rencontrer les regards stupéfaits des officiels présents. La porte s'ouvrait de temps à autre, et j'entendais Rodney parler. J'étais heureuse pour lui, bien sûr, mais je me disais : « Arrête, que je puisse sortir de cet enfer. »

Je ne pouvais penser qu'à la fin du second set : le service qui aurait pu me faire gagner le match, et mes volées de coup droit ratées. « Je n'ai pas pu me rattraper après; rien ne marchait plus ! »

Nancy et Mary posaient leurs mains sur mes épaules, comme pour me redonner des forces.

– Dis-leur que tu es malade, me dit Nancy.

– Je ne peux pas.

– Si tu ne leur dis pas, moi je vais le faire.

– Nancy c'est impossible. J'aurais l'air de chercher des excuses.

– Tu n'as pas flanché. Tu es malade. Il faut que tout le monde le sache.

C'était important pour moi qu'on ne puisse pas me

suspecter d'avoir flanché. Et je savais à quel point, psychologiquement, j'avais été prête pour la victoire. Quand finalement ce fut mon tour de parler, je décidai que j'allais tout dire. Plus de cent journalistes s'écrasaient dans la petite pièce, des douzaines de micros étaient installés sur le podium.

– Qu'est-ce que ça vous fait d'avoir perdu les cinq cent mille dollars de la prime Playtex? me demanda l'un d'eux.

« L'argent est la dernière chose à laquelle je pense, vous pouvez me croire. Je peux acheter des montagnes de soutiens-gorge sans le prix Playtex.»

Les quelques rires que ma réponse déclencha me stimulèrent.

On me pose bien sûr la question habituelle : «Vous êtes déçue?»

Je réponds : «Pam m'a dit qu'elle était navrée de m'avoir battue. Elle était au bord des larmes, et moi aussi. Elle a mieux joué que moi, elle m'a bien battue.»

On me demande si cette défaite à l'Open revêt pour moi une importance particulière.

– Il faut absolument que je gagne l'Open; c'est une véritable épine; on va encore me reprocher de ne pas pouvoir remporter ce tournoi.

Une voix s'élève pour me demander si je me sens bien physiquement. Aussitôt, les conseils de Nancy me reviennent à l'esprit. Je prends ma respiration avant de dire : «Je sais qu'on risque de croire que j'ai une maladie-prétexte, une maladie diplomatique, mais tant pis. J'avoue que je souffre de toxoplasmose, et que je suis épuisée.» Pour détendre l'atmosphère, je leur demande leur avis sur le responsable du désastre : le chat, ou le hamburger saignant? Ils penchent presque tous pour le chat. J'imagine déjà les titres du lendemain : «Le virus du chat», et tant pis si ce n'est pas un virus, le titre est bon.

Je lis sur leur visage que certains ne me croient pas. Je leur répète que j'étais trop affaiblie pour jouer trois sets, que déjà pendant le second j'avais les jambes en coton. Et j'ajoute :

« Je ne veux pas minimiser la victoire de Pam, mais il fallait que je dise la vérité. »

Après la conférence de presse, quelques journalistes allèrent faire une vérification auprès du Dr Walder qui leur expliqua ma maladie et ajouta : « Elle va rester faible encore un mois. J'ai les pièces à conviction », ajouta-t-il en agitant les rapports du laboratoire.

Le lendemain les réactions de la presse étaient variées : certains compatissaient, tandis que d'autres faisaient de l'esprit. Par exemple : qu'est-ce que la toxoplasmose? C'est jouer avec un chat et avoir un mal de chien.

D'après les journaux Pam n'avait pas été très heureuse d'apprendre ma maladie en se rendant à son interview. Après avoir fait quelques commentaires, que pouvait-elle ajouter devant le public? Il ne fallait pas qu'elle en soit trop affectée, elle avait encore à affronter les caméras et à garder son sang-froid. Tout ce que je sais, c'est que Pam a été très gentille après le match; elle s'est même demandée si je ne devrais pas renoncer aux doubles. Il n'y a jamais eu d'ombres à notre amitié.

Le soir, j'allai chez Nancy. La déprime! même le lendemain je n'avais goût à rien. Le Dr Wadler ne voulait pas que je joue en double; à son avis tous mes efforts auraient pour effet de m'affaiblir et de me désespérer davantage. Si je ne déclarais pas forfait, on se demanderait si j'étais vraiment malade. D'un autre côté, je me sentais engagée envers Pam et, après tout, un double n'est jamais aussi fatigant qu'un simple.

J'avais encore vingt-quatre heures de réflexion. Des fans téléphonaient chez Nancy et laissaient des messages d'encouragement. Je ne voulais voir personne. Nancy trouvait qu'il fallait que je me remue un peu. Nous partons faire une petite partie de ballon. Le médecin n'aurait peut-être pas été très content. Et naturellement, fatiguée comme je le suis, je m'esquinte le petit doigt de la main gauche en essayant de dribbler.

Et puis, virus du chat et petit doigt foulé ou pas, je m'entête à vouloir jouer le double; je ne veux pas laisser tomber Pam.

Le lendemain, nous nous retrouvons donc sur le court : un désastre! Je ne vois même pas les balles, je joue mal, et nous perdons.

Après ce match dans le brouillard, je comprends que je dois écouter mon médecin. Je demande au Dr Wadler si, quelques semaines plus tard, je pourrai jouer dans le premier tournoi de la série Playtex suivante, à Philadelphie.

« Vous ne gagnerez rien, quoi qu'il arrive, en y allant. Vous risquez en outre d'être attaquée au sujet de votre maladie, surtout si, par hasard, vous gagnez; car alors, on croira que votre toxoplasmose était une feinte. Pourquoi courir tous ces risques? Pour l'argent? »

Je suivis ces sages conseils. Je renonçai à jouer à Philadelphie. Une fois remise, je gagnai sans difficulté les trois derniers de la série, ce qui me rapporta cinq cent mille dollars, au lieu du million de dollars pour la série complète. Et finalement, si je fais mes comptes, les chats m'ont fait perdre cinq cent mille dollars en 1982 et cinq cent mille dollars en 1983 : le « virus du chat » m'a coûté un million de dollars. Mais le Dr Wadler m'avait convaincue que les vacances que j'ai prises valaient ce prix-là.

Ce qui m'a consolée, c'est que c'est pendant cet Open 1982 que j'ai trouvé ma maison de Virginie Beach. Un agent immobilier de New York savait que j'en cherchais une. Il me montra des photos. Quelle belle maison! Une construction moderne, au bord de l'eau, avec un nom séduisant : « Shibui » (sérénité en japonais). Je l'achetai.

303

Et j'y ai fait des séjours délicieux pendant près de deux ans.

Pour en revenir à ma toxoplasmose, elle n'a pas cédé facilement. J'allais voir le Dr Wadler une fois par mois jusqu'à la fin de l'année et j'ai même subi quelques tests à l'hôpital de North Shore University à Long Island parce que mes ganglions ne revenaient pas à leur état normal. Il était un peu inquiet et parlait à nouveau d'une biopsie. Finalement je me rétablis et tout fut oublié.

Comment avais-je attrapé la maladie? Le chat de Rita Mae a été examiné, et jugé « non coupable »; on peut donc accuser le hamburger. Et on s'étonne encore que je ne mange plus de viande rouge!

38

LA LONGUE ATTENTE

Puisque je devais attendre à nouveau un an pour l'U.S. Open, je me jurai d'employer cette année à bon escient. Je serai en 1983, en meilleure forme qu'en 1982. Un athlète dispose de plusieurs moyens pour se perfectionner. L'entraînement, la mise en condition et le régime alimentaire doivent être surveillés. Ce ne sont pas des lubies, comme on le pense encore trop souvent dans le milieu du tennis. C'est pourquoi je souffre des plaisanteries qui me présentent comme une espèce d'athlète « bionique », comme si j'étais de naissance plus grande et plus costaude que les autres. Dans une foule, je ne mange pas des petits pains sur la tête des autres femmes. Mes avant-bras sont très développés, c'est vrai, mais ce n'est pas par miracle. Si une sportive veut développer ses avant-bras, je peux lui indiquer les appareils et les exercices adéquats. J'ai développé mes muscles « à l'ancienne », en travaillant. Je les ai bien gagnés.

Je pensais que mon jeu pouvait encore s'améliorer. Malgré notre séparation après Wimbledon, je savais que Renée Richards pouvait m'aider. Elle m'appela pendant l'Open 1982 et nous avons décidé de retravailler ensemble. Elle conserverait son cabinet d'ophtalmologiste à

New York, mais assisterait à un certain nombre de séances et de tournois pendant l'année.

Après m'être débrouillée aussi longtemps par moi-même, j'appréciais l'appui d'un bon entraîneur. Nous avons tous besoin d'être soutenus, de savoir qu'une personne veille sur nous. C'est humain. La solitude dans la lutte est trop dure. Je ne suis pas différente de Pam Shriver; lorsqu'elle battit Hana Mandlikova en quarts de finale du tournoi Virginia Slims à New York en 1984, sa première réaction a été de faire des signes de la main à son entraîneur, Don Candy.

Pam avait déclaré à Mary Carrillo à la télévision : « Je dois beaucoup à Don, il est toujours là, et si je gagne je veux qu'il participe à ma victoire. » Wendy Turnbull doit être la seule joueuse du circuit qui n'ait pas d'entraîneur. Ce dernier a de multiples fonctions : il peut planifier les heures d'entraînement, trouver des courts dans une ville étrangère, échanger des balles avec la joueuse, l'emmener au restaurant, lui soutenir le moral. Il lui évite bien des soucis.

Un bon entraînement vous fait toujours progresser. Si j'avais déjà travaillé avec Mike Estep ou Renée, je n'aurais jamais perdu à l'U.S. Open 1981. Ils auraient l'un ou l'autre remarqué ma tendance à décoller le coude avant même que j'arrive en finale devant Tracy. Ce genre de défaut saute immédiatement aux yeux d'un bon entraîneur. Pendant les matches, Renée prenait des notes, elle ne maintenait pas tellement le contact visuel. Elle me faisait seulement signe quand il fallait me calmer.

La stratégie doit s'étudier avant et non pendant un match. Je me rendis compte à quel point Renée était méticuleuse lorsque nous reprîmes le travail ensemble en automne 1982. Elle prenait une demi-heure pour me préparer à un match et une autre pour examiner le dernier que j'avais joué. Je trouvais même parfois que c'était trop. Pendant que je regardais un jeu de ballon à la télévision, Renée m'expliquait comment jouer contre une adversaire avec laquelle j'avais déjà disputé une demi-douzaine de matches. Auparavant, je jouais d'instinct, toujours convaincue que j'allais battre mon adversaire.

C'est ridicule que Roland Jaeger ait voulu me comparer à une marionnette au bout d'un fil pendant Wimbledon 1982. Si Don Candy essayait de mener Pam ainsi, elle l'enverrait promener, et je ferais d'ailleurs la même chose avec mon entraîneur. Le seul que j'aie vu diriger le déplacement de son joueur est Ion Tiriac qui frappait son front massif de différentes façons pour indiquer à Guillermo Vilas : reste ici, place-toi là pour le service.

Un bon entraîneur peut, bien entendu, donner discrètement un conseil pendant un match : « Joue sur son revers, insiste. » Il est possible de convenir de signes, mais, généralement, la tactique s'élabore avant le match. J'avais aussi besoin de Renée pour me préparer psychologiquement; et pendant l'automne 1982, elle m'a fait faire beaucoup de progrès.

Avec Renée comme manager et Nancy comme « conseillère en motivation », mes séances d'entraînement étaient toujours une double aventure. Renée avait voulu que je m'entraîne avec des hommes pour qu'ils me poussent au-delà des possibilités des femmes. Elle avait exigé que j'essaie de retourner les services de Ricky Meyer, joueur non classé du circuit. C'était tout autre chose que les services de Chris ou d'Hana. Renée, sur la ligne de côté, m'indiquait comment m'élancer sur ce premier service dur. Pendant ce temps, Nancy criait : « C'est lamentable, Martina. C'est vraiment lamentable. Si tu ne peux pas faire mieux, abandonne ! »

Je marmonnais : « Tu ne pourrais pas la fermer », ou bien je pleurais, ou jetais ma raquette et sortais du court. Ou, au contraire, je jouais deux fois plus énergiquement. Renée consultait ses notes et secouait la tête.

Nancy finissait par avoir une action destructice à force de me maintenir sous pression et de gêner Renée, je le savais; j'étais contrariée, car elle demeurait ma meilleure amie. Nous avions beaucoup en commun et, hors du court, tout allait parfaitement bien. Renée aurait préféré que Nancy ne vienne pas aux séances d'entraînement; j'étais cependant incapable de lui demander de cesser de venir et j'espérais vivement que Renée ne me demanderait pas de le faire.

Par ailleurs, Renée n'appréciait pas que je consacre du temps et de l'attention à une autre conseillère qu'elle. Elle était quelque peu jalouse. Je consultais à cette époque un diététicien, Robert Haas, dont j'avais fait la connaissance après que le Dr Wadler m'eût débarrassée de la toxoplasmose. J'ai lu dans des journaux que Robert m'avait guérie de la toxoplasmose, c'est faut. J'ai d'abord été soignée, après quoi j'ai consulté Robert pour mon régime.

Nancy et Sandra Haynie m'avaient appris à mieux me nourrir bien avant que je ne rencontre Robert. Son nom m'avait été donné par l'une des joueuses du circuit, Sabina Simmonds qui, grâce au régime pauvre en graisses et riche en hydrates de carbone qu'il lui avait conseillé, avait perdu du poids et avait beaucoup amélioré sa forme. Après l'U.S. Open 1982 nous sommes allées le voir, Nancy et moi, et nous avons commencé à suivre le régime qu'il avait mis au point : pas de graisses, d'huile, de beurre, de viande rouge, de sucre, beaucoup de légumes et d'hydrates de carbone.

Autrement dit je devais supprimer le bœuf, la crème fraîche, les viandes en sauce, le pain blanc largement beurré et les plats tchécoslovaques lourds dont je me régalais. Il fallait les remplacer par des pâtes, des céréales, du pain complet, du lait écrémé, certains fromages et des vitamines.

J'ai eu beaucoup de mal à supprimer le beurre. J'avais beau savoir qu'il avait pour effet de me ralentir et qu'il laissait trop de déchets dans mon organisme, j'en mettais une noisette dans les pâtes. Si Nancy me surprenait, une dispute éclatait et nous nous faisions la tête pendant tout le repas. Elle était capable de détecter un gramme de beurre dans un énorme plat de pâtes et de me culpabiliser pendant une semaine.

Rapidement je remarquai la différence. Sans résidus d'huile ou de graisse dans mon organisme, je me sentais légère, j'avais des forces nouvelles. Je n'étais plus d'humeur changeante, et même les jours précédant mes règles je me sentais sereine et forte. D'ailleurs elles diminuèrent considérablement sous l'effet de mon entraînement et de mon régime strict.

Robert ayant déclaré que son régime « devenait une religion, un mode de vie », beaucoup ont pensé que je suivais avec dévotion ses conseils. C'est exagéré, même si j'admirais ses compétences. Pendant un certain temps, il m'a fait des analyses de sang; et lors de mes tournois, il transportait des vitamines dans sa sacoche.

Les barres énergétiques, sortes de gâteaux que je mange parfois sur le court, ont souvent suscité la curiosité. Robert ne m'en a jamais indiqué la composition, il m'a seulement garanti qu'elles sont exemptes de matière grasse, de chocolat, de glucose et ne peuvent pas augmenter mon taux de cholestérol. Je les emporte sur les courts et dans les vestiaires où l'on ne trouve en général que des produits alimentaires fabriqués en grande série. Je ne peux dire qu'une chose sur la composition des barres et sur les vitamines qu'il me donne : jusqu'à preuve du contraire, elles me réussissent et je lui fais confiance.

Le régime sensé que Robert m'a conseillé figure dans son livre « Manger pour gagner » qui a déjà été vendu à plus de deux cent cinquante mille exemplaires. Je me souviens que, le soir même de la sortie du dernier tirage, on n'en trouvait plus un seul exemplaire en librairie.

Robert a été récemment critiqué parce qu'il se fait appeler « Dr Haas ». Il a pourtant passé un doctorat mais, si j'ai bien compris, son diplôme n'a pas été homologué.

Les experts médicaux lui reprochent aussi de parler du ginseng dans son livre, sous prétexte qu'il peut être toxique à forte dose.

Néanmoins, même les experts reconnaissent qu'il est parfaitement logique de conseiller de manger beaucoup d'hydrates de carbone et de boire beaucoup d'eau. Je ne crains absolument pas que ce régime me détraque. D'ailleurs, je triche un peu, je ne le suis pas à la lettre.

Robert plaisantait quand il a déclaré que je serais « la première joueuse de tennis bionique ». Je ne suis pas différente du reste de l'humanité. Et je ne suis pas non plus un robot, bien qu'un ordinateur ait participé, si je puis dire, à mon entraînement.

Robert avait pris l'habitude d'arriver à mes matches muni d'un des derniers modèles d'ordinateur de Computerland. Il y mettait en mémoire tous les coups exécutés au cours de la partie. La seule joueuse sur laquelle je voulais réellement avoir des données était Chris, puisqu'elle me précédait au classement. Elle avait déclaré que l'informatique pouvait diminuer le plaisir du jeu, ce qui n'était pas faux; mais l'ordinateur nous a révélé certaines de ses tendances.

Renée, elle, me fit comprendre qu'il fallait que j'essaie au maximum de laisser Chris se demander jusqu'à la dernière seconde quel serait mon prochain coup, et que je devais donc varier mon jeu. Si je lui envoyais régulièrement des balles en fond de court, elle ripostait sans peine par un de ses magnifiques passing-shots. Pendant l'entraînement, Renée me faisait alterner les balles liftées, les amorties, et les lobs, pour désorienter Chris. Je m'étais toujours entêtée à jouer des balles longues contre Chris, pour la battre à son propre jeu. Renée me persuada de la forcer à courir par de bons passing-shots croisés. Et ses conseils, et plus tard ceux de

Mike Estep, m'ont été aussi utiles que les données que nous a fournies l'ordinateur, que finalement nous avons abandonné.

J'ai commencé à passer de plus en plus de temps sur les appareils de musculation, à faire du lever de poids, de la course... J'ai travaillé avec Lynn Conkwright, expert en culture physique sportive, qui me fixa un programme de musculation : un jour les triceps, le biceps et les jambes; un autre jour les abdominaux, les épaules et le dos. J'installai les appareils nécessaires dans une pièce spécialement renforcée de ma maison de Virginia Beach et, chaque fois que j'étais chez moi, j'y travaillais quatre ou cinq fois par semaine.

J'ai bénéficié aussi de l'assistance de Rick Elstein, du Syosset Health Club de Long Island, qui avait mis au point un programme d'entraînement des réflexes spécialement destiné au tennis, le « tennis kinetics », qui comporte en particulier des exercices destinés à améliorer la coordination main-œil, et le jeu de jambes. Il m'apprit des exercices pour améliorer mon équilibre, ma vitesse de réaction, et développer certains muscles particulièrement sollicités par le tennis, et par le hockey.

Je crois que Renée jugeait que ces nouveaux programmes n'étaient pas nécessaires. Pourtant Rick m'a beaucoup appris. Robert Haas prétendait qu'avec une pareille mise en condition, je pourrais encore gagner Wimbledon à quarante ans. On en riait, mais ce n'est pas tellement insensé si l'on pense à Billie Jean King qui est arrivée en demi-finale à Wimbledon deux ans de suite, à trente-neuf et quarante ans en 1982 et 1983. Sauf en cas de blessure ou d'absence de motivation, je me vois très bien y parvenir aussi.

Mais en décembre 1982, je dus m'incliner devant Chris à l'Open d'Australie. Mauvaise surprise! René me prépara alors pour l'affronter aux championnats Toyota à la fin de décembre : le dernier tournoi important de la saison.

Comme tous ceux qui aiment manger, je goûtais les joies de mon nouveau régime : je n'étais pas restreinte sur les quantités. Le jour de la finale contre Chris, je pris comme petit déjeuner un croissant, des flacons d'avoine et une gaufre. Au déjeuner, je mangeai des pâtes, du pain, un melon, une pomme, en buvant du jus d'orange. Et j'aurais pu reprendre des pâtes.

Ce soir-là, j'ai pensé que je pourrais rester éternellement sur le court avec Chris. J'en avais assez que les journalistes discutent pour savoir laquelle était $n° 1$. Même avec mon échec à l'Open, je considérais que j'avais obtenu le premier rang pour l'année. J'avais justement la possibilité de le prouver.

Je ne jouai pas très bien au premier set, où je fis quelques tentatives qui n'étaient pas dans le plan de jeu de Renée, mais au second set, je revins au plan prévu et battis Chris, 4-6, 6-1, 6-2.

Chris a fait preuve, une fois de plus, d'un bel esprit sportif : «Elle est le numéro 1, je m'incline», a-t-elle déclaré. Elle pensait sûrement : pour cette année.

Avec Renée comme entraîneur et Nancy comme stimulant, je commençais à penser que je pouvais gagner n'importe où. Mais je n'allais plus travailler longtemps avec Renée. Elle avait une telle clientèle qu'elle était prise toute la semaine en salle d'opération et à son cabinet; de sorte qu'elle ne s'occupait de moi qu'entre deux rendez-vous.

Notre collaboration cessa définitivement aux Internationaux de France 1983. Je n'avais perdu que sept jeux au cours de mes trois premiers matches. Renée débarqua de l'avion à dix heures du matin le jour de mon quatrième match, contre Kathy Horvath.

Sans m'avoir vue jouer, elle me conseilla de rester au fond au début, d'attendre que Kathy fasse des fautes, et de ne commencer à attaquer que plus tard. Mais pourquoi? J'étais au sommet de ma carrière, j'avais bien commencé le tournoi, et je venais de m'entraîner contre

Andréa Leand. Mon revers était meilleur encore que mon coup droit, j'étais en grande forme et le pire qui pouvait m'arriver c'était de rater quelques volées. Pourquoi me contenter de remettre la balle en jeu? Pourquoi ralentir le rythme que j'avais atteint avec les matches précédents? Je perdis le premier set 6-4, mais remportai le second 6-0. Pendant le troisième, je remarquai que Nancy avait quitté sa place près de Renée; elle était assise près de l'entrée et hurlait « Vas-y, Martina, attaque! » ou haussait les épaules pour me dire d'accentuer ma rotation sur mes revers; rien d'inhabituel, donc, mais je me demandais pourquoi diable elle n'était plus avec Renée, et je n'arrivais pas à retrouver l'élan qui m'avait portée pendant les trois premiers tours. Je perdis le troisième set 6-3, et fus donc éliminée du tournoi. Mes chances de remporter le Grand Chelem venaient de s'envoler.

Je me disais que je n'aurais pas dû perdre, et l'antagonisme entre Nancy et Renée, après le match, m'a beaucoup ennuyée : Renée accusa immédiatement Nancy d'essayer de saper son rôle d'entraîneur en me faisant des signes pendant les matches. Elle affirmait m'avoir bien conseillée, et reprochait à Nancy d'avoir fait cavalier seul au troisième set. Nancy répliqua qu'elle était tout simplement allée aux toilettes, et n'avait pas voulu, pour venir, déranger une seconde fois les spectateurs.

Je ne savais qui croire. Mais ce que je savais, c'est que j'avais très bien joué les matches précédents, avant l'arrivée de Renée et les conseils qu'elle m'avait donnés. Pour la première fois, elle avait fait une erreur de jugement. J'aurais pu passer outre, mais Renée repartit immédiatement pour New York, en me laissant un mot.

Elle ne pouvait plus, écrivait-elle, supporter le « Team Navratilova »; c'était elle seule que je devais écouter. A son sens, le perfectionnement de mes réflexes par Rick Elstein ou les études de Robert Haas à l'ordinateur étaient parfaitement vains, et même détruisaient son travail. « Je sais que tu es très tendue en ce moment, et que le moment n'est pas très bien choisi pour te dire tout cela, mais si je dois continuer à t'entraîner, c'est toute seule. » A quelques semaines de Wimbledon, Renée me lançait un ultimatum. Qui choisir ? De toute façon, j'étais perdante; c'était blanc bonnet et bonnet blanc. Et en fait je ne voyais pas comment, dans ces conditions, éviter la rupture avec Renée. Mais je l'ai dit et je le répète : Renée était pour moi une amie, et grâce à elle, j'ai fait beaucoup de progrès.

J'avais perdu le samedi; dès le dimanche matin je pris le Concorde pour arriver l'après-midi aux États-Unis, juste à temps pour aller sur la plage. Je devais pourtant assister le mardi à la réception organisée par la Fédération Internationale de Tennis; mais je voulais fuir cette ville, ce pays, ce continent même, après ma défaite. Le plage de New-Jersey me rasséréra; un vol de nuit le lundi me ramena à Paris, j'assistai à la réception comme prévu, et quand je retournai aux États-Unis le mercredi, j'avais un nouvel entraîneur.

39

MON NOUVEL ENTRAÎNEUR

Ma grande chance au French Open fut de rencontrer Mike Estep à la réception de la Fédération. Quand nous jouions avec les Boston Lobsters dans le World Team Tennis, Mike était un de ces hommes solides que l'on apprécie d'autant plus qu'on les connaît mieux, pas une vedette, mais un joueur intelligent. Il a épousé par la suite Barbara Hunter, une des premières femmes qui ait fait des émissions sportives à la télévision, qu'il a rencontrée en Russie, où elle « couvrait » un tournoi. Ils forment un des couples les plus brillants du monde du tennis, mais leur vie ne se limite pas à ce milieu fermé.

Mike avait presque trente-quatre ans quand je l'ai retrouvé à Paris en 1983. Il avait manqué deux saisons à cause d'un tennis elbow et d'une affection des cordes vocales qui lui avait fait subir seize interventions chirurgicales. Il avait mené un dur combat en 1982 pour être classé quatre-vingt-quinzième joueur mondial au classement par ordinateur, mais savait qu'il ne pourrait pas continuer éternellement. Il ne s'en préoccupait pas outre mesure, il a de bonnes références : ancien athlète d'élite de la Rice University, il est membre actif de l'Association du Tennis Professionnel, et avait, pendant les deux ans où il avait arrêté la compétition, donné des leçons.

Nous avons constaté que nous étions l'un et l'autre à un tournant de notre vie. Mike était persuadé que je pouvais devenir la plus grande joueuse de l'histoire du tennis, en améliorant ma stratégie, maintenant que j'étais en excellente forme physique, et que je savais dominer mon émotivité. Selon lui, je n'exploitais pas encore à fond mes possibilités.

De but en blanc je demandai à Mike de m'aider pour Wimbledon, après quoi nous envisagerions l'avenir. Il était d'accord. Selon Barbara, c'était une curieuse coïncidence; ils avaient toujours pensé qu'il pourrait m'aider mais ils n'auraient jamais osé m'en parler tant que Renée occupait la place.

La première fois que nous allâmes ensemble sur un court, Mike voulut d'emblée me faire jouer une demi-heure. Il n'est pas très grand, un mètre soixante-douze pour soixante-quinze kilos, mais c'était l'un des joueurs les plus rapides du circuit; il venait d'avoir sa meilleure saison depuis des années, c'était un athlète d'élite, capable de retourner n'importe laquelle de mes balles. Le contraste avec Renée m'impressionnait; elle savait parfaitement enseigner mais elle ne pouvait m'égaler sur le court.

Au bout de trois minutes, à bout de souffle, j'arrivai en titubant au filet pour lui dire d'une voix haletante : « Arrêtons un peu. Combien de temps ça va durer? »

Mike se contenta de me regarder avec un sourire narquois, puis il changea sa tactique : au lieu de me faire courir, il assénait les balles vers moi, comme pour me faire comprendre qu'il pouvait à son gré me tuer rapidement ou à petit feu.

Très vite, je me suis rendu compte que chaque séance d'entraînement avec lui me faisait faire des progrès. Je passai tel l'éclair à travers Eastbourne, où je ne perdis que dix-sept jeux en six matches, et en sortis en pleine forme pour Wimbledon... qui a été plus animé encore que d'habitude.

Quelques membres de la presse ont remarqué, au début du tournoi, que Nancy n'était pas là. Ils ont aussitôt raconté que nous étions fâchées. Et ils ne croyaient pas si bien dire; ils étaient simplement un peu en avance. Nancy était restée à New York pour affaires, mais dès son arrivée à Wimbledon, nous nous sommes chamaillées.

J'admettais de moins en moins l'influence qu'elle exerçait sur ma vie professionnelle. Je l'avais salariée avec plaisir, car, grâce à sa compétence et à son ardeur, elle savait me mettre en condition et s'occuper d'autres aspects de mon travail, mais, par ses ingérences, elle m'occasionnait souvent des problèmes avec l'International Management Group, mon agent depuis des années. Peut-être avait-elle raison sur certains détails, cependant elle essayait de semer la zizanie entre cette société et moi. Je n'étais pas disposée à me laisser faire.

Nos disputes devinrent très vite un secret de Polichinelle; tout le monde en parlait, et il m'arrivait de plus en plus souvent de sangloter dans le giron de mes amis, en disant « Je n'en peux plus. Il faut que je fasse quelque chose. » Mais, toujours effrayée par le changement, je tergiversais, et m'efforçais surtout de ne pas laisser nos disputes me distraire du tournoi.

Au bout de quelques semaines d'entraînement avec Mike, mon service et mon revers étaient devenus redoutables. Je n'avais jamais aussi bien servi, et le monde du tennis s'interrogeait : « Est-ce que ça va durer? » Avec Mike Estep, oui; je progressais à pas de géant.

Chris s'attendait à jouer contre moi mais, affaiblie par une forte grippe, elle se fit battre par Kathy Jordan. Tracy avait déclaré forfait sur blessure à l'épaule, de sorte que la voie était libre; Billie Jean parvint en demi-finale où Andrea Jaeger lui rappela qu'elle avait quarante ans, et je battis Yvonne Vermaak d'Afrique du Sud en demi-finale.

La veille de la finale contre Andrea, une dispute

terrible éclate entre Nancy et moi. Elle sentait ε .eu couver, elle aussi. Amère et sûre d'elle, elle me prévient que, sans elle, je vais être perdue. Elle me reproche mon insouciance, mon attitude, mon caractère versatile. Elle pose ses mains sur moi, et je la repousse. Jusqu'à deux heures du matin nous avons continué à nous disputer. Quand je partis jouer la finale, j'étais physiquement et moralement épuisée.

Le public ne s'en aperçut pas. Le match contre Andrea sur le court central était comme un vent léger, après la tempête que j'avais traversée. J'étais plus au calme devant un stade archiplein et les téléspectateurs du monde entier que je ne l'étais chez moi. Je comprenais les acteurs sur la scène. Être sur le court central, faire la révérence devant les membres de la famille royale, et jouer la finale de Wimbledon, c'était facile. Mais les disputes à la maison, je ne supportais pas ça.

Le moment le plus dur de mon match contre Andrea fut celui où je sentis ma jupe se détacher pendant que je courais vers le filet. Je me suis dit qu'il fallait absolument que je fasse le point : je n'avais pas l'intention de jouer avec la jupe sur les talons. C'est rapide, une volée de coup droit. Eh bien, ce jour-là, j'ai trouvé le temps long cramponnée à ma ceinture comme si ma vie en dépendait. Quand j'ai pu la rattacher, je me rappelai que j'avais fait une promesse – une menace ? – à Trey Waltke, quand il était apparu, tel Gatsby le Magnifique, vêtu d'un pantalon blanc et d'une chemise immaculée : « Je vous parie que je suis capable de jouer en bikini. » J'avais bien failli le gagner, mon pari !

Je pris le temps d'observer un hélicoptère qui décrivait des cercles au-dessus du stade, en traînant une banderole indiquant : « Utilisez le code postal. » On pouvait donc payer pour faire voler un hélicoptère en plein milieu d'un match avec un tel message ? Du coup, cela me remémora toutes les lettres que j'avais à écrire et j'essayai de me rappeler les codes postaux des destinataires.

318

Pendant que mon esprit vagabonde, Andrea gagne quelques jeux au second set; finalement je termine le match en cinquante-cinq minutes, en gagnant pour la quatrième fois Wimbledon, 6-0, 6-3. Cette fois Roland Jaeger n'accuse pas mon entraîneur d'outrepasser ses droits.

Quelqu'un me demanda : « Ne pensez-vous pas que vous êtes trop forte pour jouer contre des femmes ? » « Je l'espère. En tout cas, je fais tout ce que je peux pour cela. »

Je ne gagnerai jamais trop à Wimbledon. Ce sera toujours le tournoi de mes rêves d'enfants. J'aime chaque minute de la cérémonie, les uniformes violet et vert des ramasseurs et ramasseuses de balles, le gazon si vert, les costumes et les robes de gala. Pour moi, Wimbledon c'est le summum, c'est tout le tennis!

Cependant, en 1983, j'avais un objectif plus important, la dernière barricade. Jusqu'à ce que je remporte l'U.S. Open, je ne pouvais pas prétendre être l'une des plus grandes joueuses de tennis de l'histoire. Les champions doivent toujours gagner.

De retour aux États-Unis, la situation avec Nancy s'améliora un peu au bout de quelques semaines. Je repris le travail à Virginia Beach avec Mike, et il dormit sur le canapé du salon pendant la visite que me firent ma mère et ma sœur.

Elles se plaisaient énormément à Virginia Beach; elles pouvaient se faire dorer sur la plage, dans leurs minuscules maillots de bain européens. Elles allaient aussi faire du shopping et dès leur retour, s'affairaient dans la cuisine, où elles préparaient assez de soupe et de poulet pour nourrir toute l'armée qui était cantonnée à la maison.

Nancy s'occupait de ses projets pour le basket, la maison était pleine de gens immenses, et nous avions entrepris des travaux. On se cognait dans les ouvriers, les entrepreneurs et les gens qui nettoyaient. J'avais très peu de temps à consacrer à ma mère et à ma sœur. Après leur départ, j'ai réalisé que je n'avais même pas demandé à Jana si ses études lui plaisaient ni échangé quelques balles avec elle. Un rythme frénétique m'emportait. A peine avais-je eu le temps de remarquer que ma petite sœur était devenue une jeune femme charmante; j'étais tellement prise de tous côtés que je ne trouvai pas le temps de parler vraiment avec elle.

Malgré toute cette confusion, ce tohu-bohu, Mike travaillait avec moi sur le court situé derrière la maison. C'était un endroit idéal : mon propre court, dans ma maison, au bord de l'eau, sans allées et venues d'étrangers; personne n'écoutait Mike et Nancy me dire ce que je devais faire; et le petit Texan obstiné me faisait me déplacer en tous sens. C'était vraiment comique. Pour certains, j'étais une sorte de monstre colossal dominant le circuit féminin, alors que Mike, classé que quatre-vingt-sixième rang par l'ordinateur sa meilleure année, retournait toutes mes balles, sans exception. Je smashais une balle dans un coin, Mike l'attrapait et me la renvoyait sans effort. J'ai eu du mal à accepter sa supériorité : je me mettais en colère, je m'en voulais, et je jetais ma raquette par terre. Et Nancy me lançait : « Charmant, Martina, tout à fait charmant. » Ma mère se faisait du mauvais sang et me disait en tchèque : « Ne te rends pas malade. » Et Mike riait sous sa casquette de base-ball : « Eh! Si je te bats 6-4, imagine ce que je ferais aux femmes! »

Mike n'avait aucune méchanceté, et n'était pas macho pour un sou. La carrière de sa femme à la télévision l'avait aidé à rejeter les vieilles idées de la suprématie masculine. Il voyait la différence entre hommes et femmes sur les courts de façon réaliste. Il ne critiquait jamais les joueuses, était heureux au contraire de les voir gagner de l'argent, et les respectait. Mais avec moi il ne mâchait pas ses mots : j'étais la meilleure joueuse du circuit, et je ne devais jamais perdre un match, ou très rarement.

320

« Je n'aime pas », disait-il, « qu'on parle de tennis masculin et de tennis féminin. Pourquoi ne pas parler tout simplement de tennis ? Quand on analyse un style de jeu, on s'aperçoit qu'il comporte des composantes X et des composantes Y. Regarde MacEnroe, vous pratiquez tous les deux le service-volée, vous êtes tous les deux gauchers. Qu'est-ce qui différencie son jeu du tien ? » Et je me rappelais John me disant qu'il aimait me regarder jouer parce que nos styles se ressemblaient. Mike me disait aussi de ne pas sous-estimer l'avantage d'être gauchère : mes coups droits croisés arrivaient sur le revers de mes adversaires droitières. Il me demandait de varier mes services : à gauche, faire soixante pour cent de services slicés et vingt-cinq pour cent de services plats; et à droite, donner un coup de poignet pour faire dévier la balle le plus loin possible de mon adversaire.

Mike pensait que c'était un trop long conditionnement par le circuit féminin qui m'avait amenée à me cantonner sur la ligne de fond.

« Le joueur de fond de court se contente d'encaisser les coups, et c'est ce qu'on apprend aux femmes : à encaisser, à réagir, pas à agir. » J'imagine qu'il voulait dire dans la vie comme sur les courts.

Après avoir travaillé pendant deux heures en plein soleil, nous allions nous asseoir dans la maison climatisée et parlions tranquillement tennis. Mike contestait beaucoup des habitudes que j'avais acquises en près de dix ans sur le circuit féminin. Pendant des années, on m'avait répété de réfréner ma tendance naturelle à me précipiter au filet, et on m'avait donné comme exemples des joueuses classiques, comme Chris.

« Le meilleur jeu », disait encore Mike, « c'est le coup qu'il faut faire, pas le coup hasardeux. Une montée au filet, c'est souvent ce qu'il faut faire, mais ça se prépare. Je ne reprocherai jamais de monter au filet, si la balle que tu viens de lancer te permet de le faire; mais n'oublie jamais de te poser la question : puis-je monter sur cette balle ? »

« Et si, au filet, je me fais passer par Chris ou Andréa ? »

« Il faut que tu te sentes sûre que ça n'arrivera pas. Mais il y aura toujours le risque qu'elles te passent. Si elles peuvent le faire trop souvent de la même façon, tu augmentes leurs chances. Alors tu changes tes coups pour un moment. »

Ce que j'aimais bien chez Mike, c'est qu'il me prenait telle que j'étais, même s'il pensait que je pouvais mieux jouer.

« Je n'ai pas l'intention de changer tes prises, ou de te faire modifier tes gestes. Non, ce que je veux t'apprendre, c'est la stratégie. C'est cela qui est important. Je crois que c'est Pancho Gonzalès qui a dit : Rod Laver ne nous battra que quand il aura étudier ses pourcentages de réussite. Toi, tu peux améliorer les tiens. »

Il y a deux méthodes de travail au tennis, travailler ses points faibles, ou travailler ses points forts. Mike appliquait la seconde. Il pensait que j'avais la meilleure volée du tennis féminin, mais que je pouvais encore l'améliorer. Il me conseilla de diminuer l'amplitude de ma préparation pour mes revers. « Plus court sera ton geste, plus tu prendras la balle vite, et moins tu feras de fautes. »

Mike disait aux gens qu'il n'avait jamais eu d'élève qui apprenne aussi vite que moi. Une fois, il me dit que j'aurais à prendre en coup droit une balle au-dessus de ma tête au lieu de la prendre en revers, quitte à me déplacer légèrement sur ma droite. Et dès la première balle de ce genre qu'il m'envoya, je fis exactement ce qu'il m'avait dit. Je ne voudrais pas avoir l'air de me vanter de ma rapidité à apprendre, mais il suffisait qu'il me dise une fois quelque chose pour que je le fasse. Ce simple conseil me fit abandonner la volée haute de revers, un des coups les plus utilisés sur le circuit. Et je ne l'ai jamais regretté.

Une autre fois, il me fit faire un exercice très simple : il m'envoyait alternativement des petites balles coupées et des lobs et voulait voir combien de temps je mettrais à faire une faute. La première, j'ai tenté sur la sixième balle une demi-volée. Mike m'a demandé si je manquais de patience, ou si j'étais déjà à bout de souffle. Il ne voulait plus de demi-volées. La seconde fois, je ne fis de faute qu'à la dix-huitième balle. Et la troisième fois, à la trentième.

Nous jouions un set et je lui disais : « Tu vois, les filles n'auraient pas rattrappé cette balle-là. » Et Mike me regardait avec son sourire narquois : « Crois-tu ? »

On me rapporta certaines de ses paroles : « J'essaie de lui apprendre à jouer comme je jouerais, moi, contre ses adversaires. Jouer au tennis, c'est un peu jouer aux échecs. Et on dirait que certaines joueuses ne savent pas utiliser certaines pièces. Il y en a beaucoup qui sont incapables de jouer un coup droit au-dessus de leur tête, ou un coup droit lifté. Martina, elle, sait parfaitement manœuvrer toutes les pièces sur l'échiquier.

Si je me décourageais, Mike me disait : « Tu n'essayes pas seulement de devenir le numéro 1. Tes objectifs vont plus loin que cela. »

Son attitude était parfaite à mon égard. Nous étions de vieux copains, nous avions passé beaucoup de temps ensemble dans les avions, les bars des hôtels ou à des soirées chez lui. Je ne l'intriguais pas plus qu'il ne m'inspirait de crainte. Nous parlions très ouvertement. Un jour que je m'entraînais en écoutant Elton John et en chantant en même temps que lui, Mike me rappela à l'ordre : j'étais à bout de souffle : « Tu ferais mieux de te concentrer. » Je ne me suis pas vexée. Il avait raison.

Il travaillait devantage la stratégie que la technique, et sur le court il m'apprenait à *agir*, alors que Renée m'apprenait à *réagir*. Quand nous établissions le plan d'un match contre Chris, par exemple, il me disait : « Attaque sur son service » tandis que Renée m'aurait dit : « Retourne une balle longue sur son service, puis suis ta balle. »

Mike détruisait les schémas qui me venaient du circuit féminin. Les femmes pratiquaient un jeu sans risque. Nous avions si peur de perdre un point. Mike disait : « Saisis la moindre chance pour attaquer. » Et j'aimais cela, car ce jeu d'attaque me permettait de montrer mes qualités athlétiques. Foncer, avoir du plaisir, rendre le jeu excitant. C'était l'essentiel.

Mike était un ou deux crans au-dessus de Renée, en matière d'agressivité. C'est cela, le tennis masculin : la pression sur l'adversaire y est beaucoup plus intense, la tension beaucoup plus grande. Sur deux bons joueurs à égalité, c'est le plus agressif qui gagnera neuf fois sur dix. S'il est bon voleyeur, l'autre fera des fautes. Il est toujours plus facile de faire un coup gagnant depuis la ligne de service que de remporter le point du fond du court. Certes, les hommes sont plus grands, et leur portée est plus longue que la mienne, mais il n'y a aucune raison pour que je ne puisse pas jouer leur jeu au mieux de mes capacités physiques.

Mike avait compris un de mes traits de caractère : je ne suis pas patiente. Je n'attends pas que les autres fassent des fautes. Je veux forcer les choses. Comme je l'ait dit un jour à Jane Leavy, si je veux photographier une fleur éclose, je ne vais pas attendre qu'elle s'épanouisse, je vais plutôt essayer d'attirer le soleil sur elle.

Mike renforça mon impétuosité en me disant que je pouvais être une athlète agressive sans me comporter comme un joueur qui lance sa mise sur le tapis. Ça, c'est jouer contre le hasard, mais ce n'est pas utiliser ses armes contre un adversaire. Il avait compris que, trop souvent, j'essayais de gagner mes points en artiste, en créatrice. Il me fit comprendre que l'essentiel, ce n'était pas de fignoler un joli coup, mais de faire le point, et que cela me donnait bien assez d'occasions de montrer ce que je savais faire.

En outre, Mike me séduisait par sa modestie. Il n'essayait jamais de se mettre en vedette. Il y avait eu tant de plaisanteries de mauvais goût sur le Team Navratilova que je ne les supportais plus. Mais Mike ne recherchait pas la publicité pour lui. Il voulait que je joue pour moi-même, que je me sente sûre de moi, pleine de ressources. Et après un été d'entraînement avec lui, j'y suis arrivée.

40

BON DÉBARRAS!

Je me sentais tellement bien pendant l'Open 1983 que j'avais oublié les échecs cuisants que j'y avais subis. C'était comme si j'avais balayé tous les problèmes du passé. Il faisait chaud, mais il n'y avait pas de rafales de vent comme auparavant. Les avions avaient été détournés vers une autre direction pour toute la durée du tournoi; j'ai pensé que c'était de bon augure. Je n'avais pas d'affection du sang qui ferait trembler mes genoux, et j'avais l'impression que dans ce stade bruyant et gigantesque, chacun était mon ami et me souriait gentiment.

Peut-être les spectateurs remarquèrent-ils ma nouvelle allégresse : j'avais toujours le sourire aux lèvres. Même lorsque les reporters exhumèrent le passé, pendant la conférence de presse, j'avais souri. Tout se déroulait lentement. Je pouvais admirer les roses.

Après que j'eus battu Emilse Rapponi dans un des premiers tours, un reporter me demanda perfidement si je considérais que l'Open me portait malheur. « Non », répondis-je, « pas du tout! D'ailleurs, j'aime beaucoup trop la ville pour penser qu'elle me porte la guigne ».

A quelqu'un qui me demanda si j'étais tendue, je

répondis : « Je n'ai jamais encore gagné ce tournoi, je démarre avec tous mes complexes ».

Lorsqu'on me demanda si c'était stimulant d'avoir des matches faciles, je déclarai : C'est l'U.S. Open, et tout est stimulant, même l'entraînement. Par rapport à d'autres tournois, les matches du premier et du second tour sont passionnants. Je suis toujours plus nerveuse que d'habitude, avant mon premier match dans un grand tournoi, parce que je veux bien démarrer. Mais c'est une nervosité qui me stimule, pas une nervosité qui me déprime. »

Nous avions tout fait pour éviter les tensions du passé. J'avais loué une maison à Little Neck, quelques kilomètres à l'est de Flushing Meadows, pour protéger ma vie privée. Les deux semaines se sont déroulées comme dans un rêve : des matches rapides, des visages aimables, la paix et la tranquillité à la maison. Nous avons même dissuadé des amis de venir parce que je voulais me relaxer.

A la maison j'étais seule avec Nancy et Pam Derderian, une ancienne basketteuse de Temple, que Nancy avait engagée pour s'occuper de certains détails. Pendant les deux semaines nous nous sommes amusées à dire le numéro magique, comme au baseball, où il faut un certain nombre de jeux pour remporter le fanion. Chaque jour elles me disaient : « Tina le numéro magique est quatre maintenant », ou un autre chiffre.

Comme Nancy voulait que je sois de bonne humeur pendant l'Open, elle m'interdisait de regarder les reportages le soir. Elle redoutait que j'entende une controverse susceptible de me troubler. « Tina, sors maintenant, les reportages vont commencer », me disait-elle. Je partais, tandis qu'elle enregistrait dans son esprit les divers commentaires.

Le seul incident qui se produisit pendant ces deux semaines fut le vol de la Porsche 944 de quarante mille dollars du sponsor, juste devant ma maison. Elle a été

327

retrouvée un peu plus loin le lendemain, avec, à bord, les jeunes qui l'avaient volée, pas très fûtés de rouler dans les environs avec une voiture pareille.

J'arrivai en finale après avoir gagné six matches sans perdre un seul set. En quart de finale, j'avais littéralement écrasé Sylvia Hanicka, en faisant les onze premiers points par des smashes et des aces. En demi-finale, j'avais affronté Pam pour la revanche de la « Coupe Toxoplasmose » de l'année précédente : en début de match, Pam, d'abord menée, remonta à 2 partout, et j'entendais des spectateurs dire : « Martina n'a pas changé », mais j'ai souri et j'ai répondu à voix haute : « Faux ». J'ai rapidement pris une telle avance qu'une grande gueule, dans le public, s'est mis à envoyer des injures à Pam. J'avais très envie de lui faire un pied de nez, mais je me suis dit qu'il valait mieux me concentrer sur le jeu. J'ai battu Pam 6-2, 6-1. Pendant la conférence de presse, Pam, les sourcils en accent circonflexe comme d'habitude, a déclaré aux journalistes : « Si elle vient dire qu'elle est malade, je la tue. »

Quelqu'un lui demanda si, à son avis, je pouvais faire mieux : « J'espère que non », répondit-elle.

Pam ajouta que le match contre Chris serait un « test important » pour moi, puis déclara : « Si, à vingt-six ans, vous avez gagné autant de tournois qu'elle sans avoir remporté l'Open, ça ne peut pas être facile ! »

Un journaliste lui demanda si elle pensait que je pouvais être battue, elle lui répondit : « oui » en ajoutant aussitôt : « Mais je ne voudrais pas parier ma maison sur quelqu'un d'autre que sur Martina. »

Le même jour, on posa la même question à Chris qui répondit : « Je parierais mes trois maisons, mais je ne parierais pas ma vie. »

Chris ajouta : « Je suis sûre que je peux la battre, je ne sais pas combien d'autres le pourraient. Même si elle est surmenée et épuisée, vu ses capacités physiques, il n'y a que trois ou quatre joueuses capables de la vaincre. »

Nous allions nous rencontrer, Chris et moi, pour la trente-neuvième fois en finale, et nous étions à égalité avec dix-neuf victoires. Depuis notre première rencontre en 1973, elle avait remporté plus de victoires que moi dans les grands matches : trente contre vingt-quatre; mais j'avais gagné dix-neuf des vingt-neuf derniers, dont trois finales à Wimbledon.

Néanmoins, j'essayais d'éviter les comparaisons, je ne voulais pas provoquer de tension entre Chris et moi; mais les autres s'en chargeaient. Arthur Ashe déclara : « Elle n'est pas encore aussi bonne que Billie Jean ou Margaret Court. Son palmarès n'est pas comparable à celui de Chrissie. » Pourtant, au moment de la finale, je n'avais perdu qu'un match sur les soixante-six derniers que j'avais disputés, et sur cent cinquante-neuf matches j'en avais gagné cent cinquante-cinq. Je pensais que c'était les meilleures séries jamais réalisées par une femme. Mais les gens détestent les femmes trop sûres d'elles, et j'ai gardé mes réflexions pour moi.

Le samedi 10 septembre 1983 restera à jamais gravé dans ma mémoire : temps merveilleux, public enthousiaste. J'étais allée très tôt m'entraîner avec Mike. Mon amie Jane Leavy, du « Washington Post », vint nous voir jouer. Elle avait répété tout au long du tournoi que la seule finale intéressante serait une finale qui m'opposerait à Chris, déjà gagnante six fois, et je lui criai : « Ton vœu se réalise », puis ajoutai : « et le mien aussi ». Je savais qu'il était trop tard pour que Jane publie cette déclaration avant le match.

Après l'entraînement, je suis allée m'asseoir près du vestiaire avec Mike. L'endroit était beaucoup plus calme depuis deux jours : la plupart des joueuses éliminées avaient plié bagages pour une destination moins coûteuse que New York. Les vestiaires ne sont pas très engageants, c'est tout juste si les cabines sont marquées au nom des joueuses. Mais, même dans ce cadre anonyme, j'évoquais les noms des anciennes championnes de l'Open : Maureen Connolly, Margaret Court, Billie Jean, Chris, Tracy. C'était un peu ridicule d'être arrivée à vingt-six ans sans ajouter mon nom à cette liste. Il était temps que cela change.

« J'ai attendu deux ans, mais ça suffit », dis-je à voix haute.

En fait, j'avais les jambes en coton. J'avais travaillé dur pour y arriver, mais plus le moment approchait, plus j'avais peur. Je me disais : « Je veux cette victoire, je mourrai si je ne gagne pas ».

Mike, lui, était d'un calme olympien. Avec sa voix rauque de texan, il essayait de me rassurer : « Détends-toi. En esprit, tu as déjà gagné. Il ne te reste plus qu'à le prouver aux autres. » Cette idée ne me quittait pas, pendant que je suivais les allées paisibles menant au stade déchaîné, chaud, ensoleillé, où 20 819 spectateurs attendaient de voir si j'étais capable, enfin, de gagner l'U.S. Open.

Dès le début, les choses se sont passées comme Mike l'avait prédit. J'attaquais, je forçais Chris à courir sur mes coups. De temps en temps, elle arrivait à placer un passing-shot dans l'angle, et la foule hurlait, pensant qu'elle avait trouvé son rythme. Mais je savais qu'il ne fallait pas que je lui laisse le temps de trouver le bon angle, d'ajuster ses coups sur la bande étroite qui lui restait accessible.

Je gagne le premier set 6-1, en vingt-cinq minutes, par une volée de coup droit croisée. Et je fais rebondir deux fois ma raquette par terre : une pour le set gagnée, une pour le prochain.

Je remporte très vite le premier jeu grâce à un puissant coup droit le long de la ligne, puis nous gagnons toutes les deux notre service. C'est alors que je vois passer un hélicoptère qui me rappelle celui de Wimbledon. Cette fois, les petites bouffées inscrivent dans le ciel : « Bonne chance à Chrissie – Thé Lipton. » Je ne suis pas idiote ; je sais bien que Chris a un contrat publicitaire avec le thé Lipton je ne m'attends pas à voir « Bonne chance à Martina ». Et Chris n'a pas besoin que la chance lui tombe du ciel. Elle a son lob, certains de ses retours sont magnifiques; et en prime, je lui offre une double faute : nous sommes donc à 2-2. Puis elle gagne quatre points de suite sur son service, et le score passe à 3-2. Mais c'est mon tour de servir et je lui rends sa politesse : un jeu blanc pour moi, puis le septième jeu : 4-3 pour moi. La foule encourage Chris, je suis devenue la favorite, et à New York les spectateurs encouragent toujours la joueuse qui semble avoir le moins de chance de gagner.

C'est le moment crucial du match : nous en sommes à avantage pour moi dans le huitième jeu, elle gagne le point suivant par une balle très courte, ce qui nous ramène à égalité. Je sais que si elle remporte le jeu, j'aurai beaucoup de mal à gagner le set. Je reprends l'avantage. Dans l'échange suivant, elle m'oblige à courir par une très belle balle longue; j'arrive sur sa balle en bonne position pour un coup droit, et retourne un coup gagnant en plein sur la ligne latérale; elle ne s'y attendait pas, et je gagne le point et le jeu. C'est une grande joueuse, elle ne se laisse pas démonter, mais maintenant nous sommes à 5-3, et il me suffit d'un jeu pour gagner.

Il ne faut pas croire les joueurs lorsqu'ils disent qu'ils ne savent pas ce qui se passe dans les tribunes. Je le sais toujours, et je ne suis pas la seule. J'ai entendu les applaudissements des spectateurs quand ils ont vu le compte-minutes placé dans l'angle du court passer de cinquante-neuf minutes à une heure. C'est la première fois qu'un de mes matches dure aussi longtemps à l'Open. Entendre les spectateurs applaudir à ce moment-là, c'est une victoire morale pour Chris, et pour moi c'est un compliment. Une partie du public est maintenant pour moi, qui n'ai jamais encore gagné le tournoi. J'entends les cris « On t'aime, Chris » quand

331

Chris sert, mais j'entends aussi des « Fonce, Martina ». Je sais que je le mérite, je sais que ça me fait plaisir, et je ne vais pas me boucher les oreilles!

Au jeu suivant, je prends deux points en écrasant une volée juste derrière le filet, puis en retournant un lob par un passing shot dans l'angle – deux des plus beaux points d'affilée de ma vie. Je mène 30-0. Je me sens sûre de moi, en pleine forme. Chris, qui est au service, remonte. Nous arrivons à quarante partout, mais je prends l'avantage avec un long lob de revers.

A la quatrième balle de match, Chris m'a passée par un revers, comme elle l'a déjà fait des millions de fois. J'ai regardé la balle s'envoler vers le fond du court, j'ai attendu sa chute, et elle retombe... out! J'ai gagné l'U.S. Open. J'ai gagné mon championnat national!

Je saute de joie, mais très vite je me souviens que l'autre championne est là, de l'autre côté du filet, et qu'elle a toujours été, avec moi, gentille et réconfortante. Je dois lui témoigner mon estime, mon respect. Je me précipite au filet, où Chris Evert Lloyd, la joueuse favorite de ma grand'mère, me passe le bras autour du cou et me tapote la tête à petits coups de raquette. Puis, bras dessus bras dessous, nous sortons du court.

Cette victoire 6-1, 6-3 en soixante-trois minutes était mon plus long match du tournoi. Je n'avais perdu que dix-neuf jeux, j'en avais remporté quatre-vingt-quatre au total pour arriver à la victoire.

Après avoir remercié l'arbitre, je me précipitai à l'angle des tribunes où le redoutable « Team Navratilova » se cachait : ils étaient tous là, Mike et Barbara Estep, Nancy, Pam, Lynn Conkwright et les autres.

Certains s'étaient demandés comment nous nous congratulerions, Nancy et moi, si je gagnais. Allions-nous nous lancer dans une étreinte interminable, comme le font certains joueurs? Quelques semaines auparavant, Nancy nous avait vues en rêve célébrer ma victoire par le salut des basketteurs. Le rêve devenait réalité.

Je sautais, le poing levé, en criant : « Ça y est, j'en suis venue à bout. » J'en avais fini avec ma réputation de ne pas pouvoir gagner à New York.

Des idées idiotes me passaient par la tête : une fois revenue à mon banc, pour m'éponger la figure et remettre mes cheveux en place, je me suis tout d'un coup demandé si ma jupe ne s'était pas détachée, comme à Wimbledon. Je me disais aussi que maintenant je pourrais m'asseoir dans la loge des champions chaque fois que je le voudrais.

Je savais que j'allais être interviewée par la C.B.S et que le stade et le pays entier m'entendraient. Je me suis demandé si je n'allais pas entonner le début de « New York, New York » : « Start spreading the news, I'm leaving to-day... »[1]

A des moments pareils, n'importe quelle idée folle vous passe par la tête. Et il m'était déjà arrivé de fredonner « Turn out the lights, the party is over... »[2] à la fin d'un tournoi. Mais j'ai renoncé à infliger mes fausses notes à une telle audience.

Quand les caméras arrivèrent, j'avais les larmes aux yeux, et je me disais : « Ils n'ont plus qu'à jouer l'hymne national pour que j'éclate en sanglots ». J'étais fière d'avoir gagné le championnat des États-Unis.

Je n'oubliai ni de dire que Chris était une très grande joueuse, ni de remercier Mike Estep et Nancy, ni, Dieu merci, de rappeler que Renée Richards avait, elle aussi, activement contribué à cette belle victoire. Ce n'est pas facile de trouver les mots justes à un moment pareil, mais au moins je n'ai oublié personne. Bien sûr, je n'avais pas beaucoup aimé la façon dont nos relations de travail s'étaient terminées, mais Renée m'avait aidée, elle restait mon amie, et elle m'a d'ailleurs envoyé un télégramme de félicitations : « Bien joué ! » « Bien joué » à elle aussi.

1. Répandez la nouvelle, c'est aujourd'hui que je vous quitte...
2. Éteignez les lumières, la fête est terminée...

Après l'interview pour la télévision, on m'a poussée dans la salle de presse, et la première personne que j'ai vue était Frank Deford du « Sports Illustrated ». Je l'avais taquiné pendant longtemps parce qu'il ne m'avait jamais consacré la couverture. Il savait que je le prenais mal : après tout, j'avais gagné quatre fois Wimbledon. Je n'ai pas raté l'occasion de lui demander bien fort : « Alors, c'est pour cette fois, la couverture ? » Frank, qui est un grand journaliste et un type très sympathique, marmonna que je devrais peut-être bien la partager avec Ivan Lendl, qui jouait le lendemain la finale hommes. J'étais prête à parier ma Porsche sur la victoire de Lendl, mais il s'est fait battre par Connors, et j'ai eu la couverture pour moi toute seule : « Martina Navratilova gagne enfin l'U.S. Open. »

Lorsque les questions commencèrent, un reporter fit remarquer qu'avec le prix de cent vingt mille dollars pour l'Open, et la prime de cinq cent mille dollars de Playtex, j'avais gagné six millions quatre vingt-neuf mille sept cent cinquante-six dollars depuis le début de l'année, et que jamais aucun joueur ni aucune joueuse n'avait gagné autant en un an. Je répliquai : « New York est une ville chère, et les frais diminuent le bénéfice, en quelque sorte. » Puis j'expliquai que j'avais une autre façon de compter : « Wimbledon vaut trois jours de fiesta. L'U.S. Open, ça vaut bien une semaine. »

Les questions fusaient :

– Combien de temps pensez-vous dominer le tennis féminin ?

« Vous pourrez peut-être un jour me comparer à " M.A.S.H. " »

Mais quand quelqu'un demanda si ce n'était pas injuste que je gagne mes matches en laissant si peu de jeux à mes adversaires, je vis rouge : « Elles peuvent faire tout ce que je fais : les exercices de musculation, les quatre cents mètres sur piste, les séances de basketball... Rien ne les en empêche. Je sais que la nature m'a comblée, mais je ne suis pas la seule. Je suis plutôt petite, et ce que j'ai de plus grand, ce sont mes pieds. Vous trouvez ça juste ? »

J'espérais m'être débarrassée de ma sale réputation, mais, au ton de l'interview, je compris que rien n'était encore gagné. Si je perdais, j'étais fragile, je craquais pour un rien; si je gagnais, c'était injuste car j'étais une sur-femme. Bref, j'avais toujours tort auprès des esprits chagrins. Tant pis.

Cela ne m'empêcherait pas de célébrer cette victoire « injuste » dans un restaurant italien de Little Neck, avec une trentaine d'amis en liesse assis autour d'une longue table. Nous avons débouché des bouteilles de champagne, ils m'ont porté des toasts, je me suis jetée sur tous les délices défendus par mon régime, et pour commencer sur le beurre d'ail. J'espère que Nancy regardait ailleurs.

A notre arrivée à la maison, toutes les tensions du tournoi semblaient disparues. Nous avons bu encore un peu de champagne, rien qu'une goutte, parce que j'avais encore un double le lendemain, et nous nous sommes installées devant la télévision Cette fois, Nancy m'a laissée regarder les reportages.

41

CHANGEMENTS

Ma vie ne s'arrêta pas parce que j'avais gagné l'Open. Quelques mois plus tard, je réalisai que mes relations avec Nancy avaient changé; je voulais avoir plus de liberté, plus d'heures de solitude où je choisirais mes émissions à la télévision, où je pourrais lire, ou ne rien faire. Je voulais décider seule désormais et les ingérences incessantes de Nancy me pesaient. Lorsque j'avais fait sa connaissance, je négligeais ma carrière. Nancy a eu une excellente influence sur moi : c'était une gagnante, et nous étions des athlètes de même niveau. J'étais loin d'être aussi bonne basketteuse qu'elle, mais nous pouvions quand même parfaitement nous entraîner ensemble; elle, ne pouvait pas jouer avec moi au tennis, mais nous faisions de la gymnastique ensemble.

Le fait que nous faisions chacune une carrière sportive avait consolidé dès le début notre amitié. Or, après la dissolution de la ligue féminine, Nancy avait besoin de trouver un exutoire et elle avait essayé de diriger entièrement mon activité professionnelle, et ma vie même. Pendant un certain temps, je l'avais laissée faire. Je l'ai déjà dit, j'ai du mal à prendre une décision sans tergiverser quand il s'agit de mes relations avec les autres. Et il faut reconnaître aussi qu'elle m'a donné à une époque la protection dont j'avais besoin pour me consacrer entièrement au tennis. Mais elle est allée trop loin, elle a éloigné mes amis, qui ont commencé à l'appeler « le cerbère » ou « l'éminence grise ».

Nancy me disait que je devais haïr Chris si je voulais devenir la première joueuse du monde. Elle me demandait aussi de ne pas parler tennis avec les autres joueuses, de leur cacher tout ce qui concernait mon entraînement et mon régime. Je n'ai pas suivi ses conseils, et rien ne m'empêchera jamais de rester amie avec mes adversaires.

D'ailleurs, après notre séparation, Nancy, qui prétendait détester Chris, est allée lui proposer sa collaboration, que Chris a refusée : elle n'en avait pas besoin. Mais j'ai trouvé que Nancy retournait bien vite sa veste.

En général, Nancy me surprotégeait : c'était comme si elle m'avait mis des œillères, et m'avait empêchée de m'intéresser à rien d'autre que le tennis. Elle partait peut-être d'une bonne intention, mais trop c'est trop. Quand Nancy lisait, c'était toujours des livres sur le sport. Je suis arrivée une seule fois à lui faire lire autre chose, un roman, et il ne lui a plu que parce que l'un des personnages lui ressemblait. Le sport était toute sa vie, et je l'acceptais. Mais j'acceptais mal qu'elle se fâche quand je lisais des livres d'histoire ou des romans.

Au début, j'avais besoin d'être traitée sans ménagement pour retrouver ma forme; mais, au bout d'un certain temps, je savais exactement quel régime et quel entraînement me convenaient. Si ses méthodes donnaient parfois de bons résultats, elles pouvaient aussi me démolir. Il m'arrivait de lui dire : « Arrête ». Je m'étais endurcie et n'avais plus besoin d'être poussée. Pendant longtemps, j'ai été persuadée qu'elle agissait par amitié, parce qu'elle se souciait de moi, mais, la dernière année, j'en avais assez qu'elle me dirige physiquement et psychologiquement. Je commençai à lui résister.

Je me suis d'abord sentie coupable parce que Nancy

avait mis en jeu sa réputation pour moi. Je crois qu'elle a quelquefois regretté d'être arrivée dans ma vie juste après l'épisode Rita Mae. Mais après tout, elle était au courant lorsqu'elle m'avait invitée à venir à Dallas. Elle devait savoir ce qu'elle faisait. Mais elle a probablement plus que moi subi les conséquences de ma « mauvaise image ».

Moi, je faisais des tournois, je pouvais montrer au public ce que j'étais réellement, mais elle, c'était hors du terrain de basket-ball qu'elle se battait, et la vie était plus dure pour elle sans ce soutien. Elle a essayé de travailler à la télévision, mais n'a rien trouvé d'intéressant, et je suis sûre qu'elle s'est demandé si ce n'était pas à cause de ma réputation.

Et puis, aussi, Nancy avait envie de reprendre sa carrière de basketteuse. Au bout d'un moment, elle en a eu assez de n'être que Nancy Liebermann aide-entraîneuse-amie de Martina Navratilova. Elle voulait redevenir une joueuse connue, revoir son nom dans les journaux et recommencer à se battre pour elle-même. A une époque, il a été question d'une nouvelle ligue de basket-ball, et j'espérais vivement qu'elle en ferait partie. Nous pourrions être moins souvent ensemble. Je n'avais vraiment plus besoin d'elle pendant les tournois, – et par ailleurs nous en étions arrivées à nous disputer pour tout, pour des riens. De plus en plus, elle m'agaçait; je ne supportais plus qu'elle me dérange sans arrêt, et j'avais envie qu'elle mène sa vie et qu'elle s'occupe de ses affaires ailleurs. Je voulais pouvoir dormir, manger, lire, vivre sans l'avoir tout le temps sur le dos. Je le lui ai dit, et de moins en moins aimablement. Ça ne pouvait plus durer : je crois qu'à la fin, je pleurais presque tous les jours.

L'événement décisif se produisit en 1984 : Nancy voulait que je laisse tomber certains tournois pour préparer la compétition annuelle des Superstars en Floride. J'avais été contente de m'y illustrer dans le passé, mais désormais, toute à mon idée de devenir n° 1 du tennis, je me fichais complètement des Superstars. Nancy, qui n'avait plus de ligue de basket-ball, y voyait la possibilité de jouer dans une compétition. Elle voulait s'entraîner pour les sept sports des Superstars et m'incitait à m'y préparer avec elle pendant deux semaines à Palm Springs.

Je renonçai à un tournoi à Washington. Cependant, je ne pouvais pas me dégager de mon obligation de jouer à Oakland. J'allais atteindre le record de Chris de cinquante-six victoires d'affilée et j'étais arrivée à cinquante fin 1983. Je voulais être au mieux de ma forme pour les tournois suivants; néanmoins je n'étais pas parfaitement préparée quand je partis pour Oakland. Je gagnai mes quatre premiers matches, mais dus m'incliner devant Hana, 6-7, 6-3, 4-6, arrêtant ainsi ma série à cinquante-quatre.

Nancy me déclara : « Je te l'avais bien dit, tu n'aurais pas dû jouer. » Obsédée par les Superstars, elle était convaincue que je devais faire des sacrifices pour l'aider. Je lui disais : « Qui s'intéresse aux Superstars ? Cela ne t'aidera pas à décrocher des contrats à la télévision. » Mais elle leur accordait une importance disproportionnée; j'étais hors de moi. Je comprenais que je devais maintenant m'occuper de moi-même, seule. Nancy avait fait beaucoup pour moi, mais il était grand temps que je m'assume.

J'avais beaucoup changé. Je n'avais plus besoin qu'on me pousse à m'entraîner, à me muscler, j'étais capable d'aller faire des tours de piste ou jouer au basket avec plaisir, sans y être forcée. Lors d'un petit tournoi à New Jersey, j'ai eu un match difficile contre Pam Casale. Je jouais mal, mais je voulais gagner, et j'ai finalement gagné. Toute seule, sans avoir besoin de quêter un encouragement dans le regard de Mike ou de Nancy. Le même jour, j'ai fait un match de double avec Pam Shriver, nous nous sommes bien amusées, nous n'avons pas arrêté de faire des plaisanteries sur le court, et je me fichais bien de l'air renfrogné de Nancy.

Pendant un tournoi à Dallas, j'ai habité chez Nancy; elle était en Virginie pour ses affaires. Je me suis rendu compte à quel point c'était agréable de pouvoir me détendre. Pour Nancy, il fallait toujours être sous pression, elle ne pouvait rien faire modérément. Elle allait parfois jusqu'à compromettre sa santé, et tenait rarement compte des conseils qu'on lui donnait, même quand ils venaient de médecins. Elle en fait toujours trop, elle est du genre à courir deux mille mètres quand on ne lui en demande que mille. Moi, autrefois, je n'en faisais pas assez. Il faut savoir trouver le juste milieu.

Pendant ce tournoi, j'ai reçu une fois un ami à dîner. Quand il a vu sur la table du pâté, du pain « français » et de la bière, il m'a regardée en disant : « Il se passe quelque chose! » Comme il avait raison.

J'ai appelé Nancy au téléphone. Je lui ai dit que nous ne nous apportions plus aucune aide, plus rien, qu'elle devait vivre sa propre vie et cesser de diriger la mienne, qu'elle avait été ma meilleure amie, mais que c'était fini; je lui ai même dit qu'elle avait sauvé ma carrière, – et que je lui en resterais toujours reconnaissante –, mais au prix d'une dépendance dont je ne voulais plus, et dont je sortais enfin.

Elle a eu de la peine. Puis, finalement, elle a accepté que nous allions chacune notre chemin. Au début, la séparation s'est faite à l'amiable; par la suite, la situation s'est dégradée : elle a voulu être payée pour des affaires qu'elle avait traitées pour moi à titre amical, sans que je me sois jamais engagée à lui donner autre chose que son salaire normal. En fin de compte, nous avons dissous le bureau de Dallas, et nous avons évité pendant longtemps de nous revoir.

Mais à la fin de l'année, je suis allée la voir disputer un match de basket-ball; et peu à peu les mauvais souvenirs se sont effacés.

42

GRAND CHELEM

J'aimais infiniment ma maison de Virginia Beach. J'ai eu beaucoup de mal à prendre la décision raisonnable de la revendre : je ne pouvais pas y aller assez souvent, et Mike Estep trouvait que la Virginie, c'était bien loin de Dallas – Fort Worth. Au fond, je m'étais toujours sentie chez moi à Dallas, et je décidai de quitter la mer pour le Texas. Pendant que je cherchais une nouvelle maison, j'ai habité une chambre de motel. Je me sentais une riche nomade. Cette vie de bohème avait le charme du provisoire.

Il me restait beaucoup d'objectifs à atteindre. Je voulais démontrer que j'étais capable de rester le numéro 1 du tennis en 1984, et remporter le Grand Chelem des sponsors – gagner quatre grands championnats à la suite – et le Grand Chelem traditionnel : Roland Garros, Wimbledon, l'U.S. Open et l'Open d'Australie gagnés pendant la même année civile. Enfin, atteindre le record de Chris en matches de simple : cinquante-six victoires à la suite.

Mon premier but, c'était le Grand Chelem traditionnel. Je m'entraînais donc pour gagner Roland Garros à la fin de mai. Et puis, une fois de plus, la presse s'est mêlée de ma vie privée : cette fois, on commentait mes relations avec une mère de deux enfants.

J'avais connu Judy Nelson quelques années plus tôt au cours d'un tournoi à Fort-Worth. Elle aime le tennis, et à l'époque elle dirigeait l'équipe de ramasseurs de balles. Nous nous sommes retrouvées par hasard juste après ma rupture avec Nancy. Elle était encore mariée, mais déjà décidée à divorcer. Les journaux ont parlé d'elle comme d'une « reine de beauté ». Judy est jolie, c'est vrai, mais ce n'est pas du tout son genre. Elle avait fait une école de journalisme (elle voulait travailler dans un service d'information à la télévision); puis, une fois mariée, elle s'était retrouvée gérante de restaurant, pour que son mari puisse continuer ses études de médecine. Elle aime la musique, la littérature, mais c'est aussi une sportive. En fait, tout l'intéresse.

Il aurait pu m'arriver mieux, en ce printemps de 1984, que de voir mon nom associé dans les journaux à celui d'une femme mariée; mais Judy m'avait dit que son mariage était déjà un échec, et que je n'y étais pour rien.

Je l'ai invitée à venir à Paris pour les Internationaux de France. On a beau me taxer de naïveté, je trouvais que j'étais assez grande pour choisir mes amis et les inviter où je veux quand j'ai besoin de leur présence. Mes parents, qui étaient aussi à Roland Garros, se sont très bien entendus avec elle, à tel point que mon père l'a invitée en Tchécoslovaquie.

Les Français n'ont pas prêté une grande attention au fait que Judy se joignait à ma famille et à mes amis dans les tribunes de Roland Garros, mais après que j'eus battu Chris 6-3, 6-1 en finale, remportant ainsi ma quatrième victoire d'affilée pour le Grand Chelem, Curry Kirkpatrick nous attaqua dans le « Sports Illustrated ». Il surnommait mes parents « Ozzie et Harriet » et déversait un flot de mensonges sur mes amis.

Il mêlait Aja Zanova, la championne de patinage

artistique qui n'était même pas là, Svatka Hoschl de Chicago, qui me cuisine des boulettes pour me faire plaisir, et Mumsey Nemiroff, experte en art de l'Université de Californie. Comme à son habitude, Kirkpatrick s'arrangeait pour laisser entendre que j'avais avec elles des relations « malsaines », alors que ces trois femmes et leurs maris faisaient partie de ma famille américaine depuis plus de dix ans. Ses articles étaient une accumulation de calomnies. Encore une fois, pourquoi ne s'attaque-t-on jamais d'une façon aussi perfide aux hommes, qu'ils soient homosexuels ou non?

L'article de Curry Kirkpatrick aurait dû me mettre la puce à l'oreille et me faire comprendre ce qui m'attendait à Wimbledon. Avant 1984 je n'avais pas eu de problèmes majeurs avec la presse britannique. Quand je voyais les racontars et les insinuations sur la famille royale, les stars du rock ou les athlètes, je me demandais combien de procès en diffamation de pareils canards essuyaient. Néanmoins, exception faite de quelques stupidités l'année où Rita Mae m'avait accompagnée, ils n'avaient jamais dépassé les bornes avec moi. En 1984, ils les ont franchies largement!

Judy était arrivée à Wimbledon pendant mon match de second tour contre Amy Holton. Les photographes des journaux à scandales l'attendaient, elle avait à peine pris place qu'ils l'ont mitraillée. Pour éviter une scène, elle est allée s'asseoir en arrière des places réservées aux joueurs si bien que je la perdis de vue; Peggy Gossett, responsable de la publicité pendant le circuit, a eu la gentillesse de me faire passer un billet pendant le second set, alors que j'étais devancée, 3-2, pour m'indiquer sa cachette.

Après avoir gagné le match, 6-2, 7-5, je me rendis à la salle de la presse sous les tribunes. Les reporters anglais ne s'intéressaient aucunement à la jeune américaine qui venait de m'offrir un si beau match, ils voulaient seulement savoir qui m'avait envoyé le billet.

Ils jouaient aux devinettes :

– Qui?

– Ça ne vous regarde pas.

– Mike Estep?

– Non, ce n'est pas pendant les matches qu'il m'entraîne.

– C'était un billet privé ou professionnel?

– Je ne vous le dirai pas.

– Vous n'avez rien d'autre à dire?

– Non. De toute façon, votre siège est fait d'avance.

Je n'aurais jamais imaginé qu'ils iraient jusque-là : ils affirmaient tous que le billet me venait de Judy. L'affaire se corsa quelques jours plus tard : Frank Deford écrivit dans le « Sports Illustrated » que Judy m'avait envoyé des baisers pendant le match. Je lui en ai parlé. Mais quand il m'a dit qu'il l'avait vue, malgré tout le respect que j'ai pour lui, je ne l'ai pas cru. Ni Judy, ni aucune de mes amies, ni personne de ma famille, ne ferait une chose pareille!

Ensuite, tout alla de mal en pis.

Les reporters des journaux à scandales frappaient à ma porte très tôt le matin et tard dans la nuit. J'avais beau leur dire que je ne ferais aucune déclaration sur ma vie privée, ils insistaient. Quand nous sortions de la maison, nous ne répondions pas à leurs questions. Ils ont commencé aussi à envahir Fort Worth, où ils contactaient les voisins, les amis enfants de Judy.

J'essayais de distinguer les journalistes spécialistes du tennis, des reporters des feuilles de chou à scandales qui envahissaient les escaliers de l'entrée comme des sauterelles. Selon Chris qui avait eu quelques problèmes avec des journalistes tenaces aux États-Unis et en Angleterre, l'hystérie des médias est incontrôlable, horrible; le All England Club a confirmé que pendant les conférences de presse, nous n'avions pas à répondre à des questions qui ne concernaient pas le tennis.

Comment lutter contre cette presse? Si on prononce

une parole, ils l'appliquent dans des sens auquel on n'aurait jamais pensé. Si on ne dit rien, ils inventent. Ils furent durs pour tout le monde en 1984. Ils ont raconté qu'il y avait quelque chose entre un joueur et une joueuse : ils ne s'étaient jamais parlé, on ne les avait jamais vus ensemble, ils ne s'étaient jamais entraînés ensemble ? C'était bien la preuve qu'ils cachaient quelque chose. Et ce genre de ragots a duré deux semaines !

La situation est devenue si désagréable que j'ai menacé de ne plus remettre les pieds en Angleterre, sauf pour disputer Wimbledon et, bien entendu, jouer à Eastbourne.

Il se trouve que je n'ai pas fait d'autres tournois en Angleterre en 1984, et je laisserai les journaux à scandale en tirer leurs conclusions. Mais je peux dire que 90 % des lettres que je reçois d'Angleterre m'exhortent à revenir : « Ignorez ces idiots », me dit-on. Et j'ai reçu, à Wimbledon, jusqu'à cent cinquante lettres en une seule journée. C'est une des raisons pour lesquelles je n'abandonnerai jamais Wimbledon. J'aime Wimbledon et le public britannique. Et les journaux anglais ne m'empêcheront pas d'y revenir.

Comment ne pas aimer Wimbledon, qui me fait toujours fête ? Le championnat de 1984 était le cinquième que je disputais, et la finale que j'ai jouée contre Chris en a fait le plus beau. Je ne pensais pas qu'elle pourrait jouer mieux que pendant les trois sets que je lui avais difficilement arrachés en mars à un tournoi Virginia Slims. Mais elle l'a fait : elle n'a pas fait une faute pendant les trois premiers jeux, elle plaçait parfaitement ses coups, montait même au filet, et ne m'a pas lâchée jusqu'au tie-break. Ce n'est qu'au second set que j'ai pu lui échapper, et j'ai gagné 7-6, 6-2.

Puis j'ai quitté l'Angleterre pour Fort Worth où j'avais trouvé une maison en cours de construction : je pouvais donc choisir les aménagements intérieurs et les couleurs. J'aimais ses larges baies, le living-room si haut

345

de plafond que je peux y mettre un immense sapin pour Noël, la chambre qui ouvrait directement sur la piscine et le bain Jacuzzi. J'ai transformé une des trois chambres en salle d'entraînement, et j'ai entrepris la décoration. Dans le living-room, j'avais d'abord voulu un piano, et j'avais fait daller le sol de marbre pour faire un coin-musique dans l'un des angles. Mais finalement le coin-musique est devenu une salle à manger, et j'ai fait faire une superbe table de marbre triangulaire. Et à Noël, quelle belle fête! Toutes les traditions tchèques dans une maison ultramoderne en plein Texas!

Ma maison n'est pas très éloignée de celle où vit Judy. La presse a cessé de parler d'elle après Wimbledon. Elle partage la garde de ses deux fils avec son mari. Je les connais donc bien : Eddie a quatorze ans, Bales onze, et ils adorent nager dans ma piscine et jouer au football avec moi. Nous sommes allés tous ensemble, avec les parents de Judy, skier à Aspen, juste avant Noël. L'état-major des tournois Virginia Slims était dans tous ses états : et si je m'étais cassé une jambe? Je ne suis pas tombée une seule fois. Mais à mon retour, je me suis claqué un muscle en jouant au tennis. On court de drôles de risques, sur le court! Ce séjour avec trois enfants (il y avait un copain de Bales avec nous) m'a fait toucher du doigt qu'avoir des enfants, c'est une énorme responsabilité, un engagement de tous les instants. Et quel travail : certains jours, entre les fixations du premier, les gants du second et les chaussures du troisième, j'étais épuisée avant même d'avoir chaussé mes skis.

Judy est une mère merveilleuse. Elle s'occupe tellement de ses enfants qu'elle n'a plus de temps pour elle. Elle remet de jour en jour ce qui la concerne : par exemple, elle n'a pas pu skier beaucoup, car elle souffre d'un genou. Il suffirait d'une petite intervention pour tout arranger, mais elle pense d'abord à ses enfants.

De temps en temps, je regarde Judy et je me dis : « Elle les a portés neuf mois, elle a eu deux bébés qui ont si vite grandi, et elle en a encore pour tellement long-temps avant de se retrouver libre!» Mais avoir des enfants, c'est aussi connaître de grandes joies.

J'aime beaucoup les deux garçons. Ils me le rendent bien. Ils me font penser à Jana, et je me dis que j'ai dû manquer à ma petite sœur. Quand elle avait l'âge de Bales, je vivais déjà aux États-Unis.

J'emmène souvent Eddie et Bales à la piscine, je fais des promenades à cheval dans la campagne, je vois beaucoup la famille de Judy. Je m'entends très bien avec ses parents. Je suis tout à fait réacclimatée à Fort Worth. J'y ai des amis sur lesquels je peux compter, j'y connais beaucoup de gens.

Avec l'argent du Grand Chelem, j'ai entrepris la décoration de mon nouvel appartement à New York, situé dans un immeuble de Donald Trump. New York m'a toujours séduite, c'est une ville pleine de vie, la vie comme le jour, ouverte sur le monde, proche de l'Europe, mais tellement américaine. Et pendant les séjours que j'y fais, j'aime me retrouver seule par moments chez moi, me reposer, écouter de la musique, ou regarder la télévision. J'ai vécu des années difficiles depuis mon départ de Tchécoslovaquie. Ma nouvelle sérénité, je l'ai méritée.

43

L'AVENIR

Est-ce à cause de mes origines, nationales ou familiales, ou de mon caractère ? Je l'ignore, mais je n'avais jamais ressenti le besoin d'analyser mes sentiments. J'étais impulsive, j'agissais d'instinct. J'oubliais de traduire mes émotions en paroles. J'avais toujours eu des amis très proches, j'avais habité avec d'autres, j'avais rarement eu le temps de réfléchir sur moi-même. Je me penche désormais davantage sur ma vie intérieure.

Mais je n'ai pas l'intention d'en parler, de demander à quelqu'un de m'aider à me découvrir. Il y a des gens qui disent que tôt ou tard, c'est nécessaire. Je n'y crois pas. Je me sens tout à fait capable de m'assumer. Je me suis remise du choc que m'a causé l'annonce du suicide de mon père. La mort de ma grand-mère est sans doute ce qui m'est arrivé de pire, mais elle avait eu une vie longue et heureuse, en tout cas, et c'était bien peu de chose par rapport à ce qui frappe tant de gens.

J'ai eu parfois des craintes pour mon avenir, et mes chagrins, moi aussi, mais je les supportes. Je n'ai jamais eu de grands malheurs, la douleur de voir mourir des amis m'a jusqu'à présent épargnée. Je n'ai jamais vu de cadavre. Je n'ai jamais vraiment approché la mort.

Cependant, il m'arrive d'y penser : l'autre jour, je regardais à la télévision un film de Peter Sellers, « Bienvenue Mr Chance », et, tout d'un coup, j'ai pris conscience qu'il n'était plus de ce monde. Il ne tournerait plus de films de la Panthère Rose.

J'imagine que plus on vieillit, plus on pense à ceux qui ont disparu. Je pense souvent à ma grand-mère, je rêve même d'elle, mais je me demande comment je réagirais s'il m'arrivait vraiment quelque chose d'affreux. Je ne peux pas croire que je ne m'en remettrais pas. Ce sont les gens qui ne savent plus voir au-delà du lendemain qui se suicident. Mais j'aime trop la vie pour me suicider.

Je me rappelle l'époque où je détestais la solitude et où j'avais si peur, la nuit, que je dormais avec un revolver sous l'oreiller. Maintenant, je suis souvent seule, que ce soit à l'hôtel ou que ce soit chez moi, à Dallas, dans mon appartement de New York ou celui de Fort Lauderdale. Et j'apprécie la solitude.

Les gens me demandent souvent ce que je ferai quand je devrai renoncer au tennis. C'est une question que je me posais quand les choses allaient mal, mais maintenant je n'y pense plus. Je sais bien que je ne jouerai pas éternellement, mais je n'ai pas encore l'intention d'arrêter.

Si je voulais, je pourrais me faire des sommes folles avec des exhibitions, comme John MacEnroe en fait cinquante ou soixante fois par an. Regardez ce qu'il a gagné, avec Guillermo Vilas. J'en ai fait quelques-unes en 1984, entre les principaux championnats, mais c'était plutôt pour m'amuser.

En fait, ce n'est pas parce que j'ai rouspété à propos du montant du prix de Wimbledon que je suis avide d'argent. J'en avais fait, ce jour-là, une question de principe.

Quand je suis arrivée aux États-Unis, j'ai rencontré un Tchécoslovaque qui s'y était installé en 1948. Il était dentiste, gagnait très bien sa vie, mais ne prenait qu'une semaine de vacances par an, parce que, pendant les vacances, on ne gagne pas d'argent. Et alors? Devenir riche, de plus en plus riche? Qu'est-ce que ça change? On n'emporte pas son argent dans la tombe. On change de jouets, bien sûr : le riche se paye une équipe de football, le pauvre achète un ballon. C'est tout.

Il y a quelques années, j'ai créé la Fondation Navratilova pour la Jeunesse, qui s'occupe d'enfants défavorisés, orphelins, abandonnés, ou enfants de familles pauvres.

En 1984, quand j'ai disputé le tournoi de Mahwah dans le New Jersey, nous avons organisé une vente aux enchères, où nous avons mis à prix un voyage à Wimbledon, la raquette qui m'avait fait gagner le Grand Chelem à Roland Garros, une leçon de tennis avec Mike Estep (ce qui n'a pas de prix) et ma BMW 528 de 1984, que Pam Shriver remporta par une enchère de vingt-deux mille dollars. Le produit entier de la vente est allé à la Fondation et a été dépensé pour les enfants : frais médicaux, nourriture, billets d'entrée à des tournois, raquettes, cadeaux de Noël...

Quand j'arrêterai le tennis professionnel, je pourrai donner beaucoup plus de temps à la Fondation, et me consacrer aussi à d'autres causes : la lutte contre la faim dans le monde, la protection de la nature, de la faune et de la flore, la lutte contre la pollution... Je ne veux pas avoir des millions en banque quand je mourrai. L'argent est fait pour être dépensé, pour être utilisé, et je m'y entends très bien! Mais pas pour des chars ou des avions; on a honte de penser aux sommes fabuleuses englouties dans la fabrication des armements, quand on pense aux millions de gens qui meurent de faim dans le monde.

Je crois qu'il faut faire quelque chose pour changer tout cela. Et je pourrais faire plus mal que d'y passer le reste de ma vie.

Je veux aussi me cultiver davantage. J'aimerais

suivre des cours de littérature anglaise, d'histoire de l'Amérique, et peut-être d'architecture. Mais je ne veux plus jamais passer d'examens. J'ai eu largement mon temps d'angoisse sur les courts jusqu'à présent.

Je ne sais pas où j'habiterai. Fort Worth c'est merveilleux pour le moment, mais j'aime tellement les montagnes. Je m'installerai peut-être en Caroline du Nord ou au Colorado, j'y achèterai des terres et j'aurai des chevaux pour tenir compagnie à Grand-Slam, la jument grise demi-sang de onze ans qu'a donnée Judy pour mon vingt-huitième anniversaire. Je veux en tout cas être près des montagnes.

Ce n'est pas demain que je vais m'arrêter. On me dit que je peux jouer jusqu'à quarante ans. Et pourquoi pas? J'ai encore un certain nombre de choses à prouver. Bien que j'aie gagné tous les grands championnats, j'entends encore le reproche « manque de résistance » que l'on m'a si souvent fait. Avant la finale du tournoi Virginia Slims de 1984 à New York, Chris a encore dit aux journalistes que plus le match serait long, plus elle aurait de chances de gagner. Je ne pouvais pas lui en vouloir, et elle a vraiment joué le meilleur tennis que quiconque ait joué contre moi; mais je l'ai battue 6-3, 7-5, 6-1, et je jouais mieux à la fin qu'au début du match.

Alors, tant qu'il y a des gens pour douter, c'est amusant de leur prouver qu'ils ont tort. Et j'ai eu une occasion de le faire en 1984, avec le Grand Chelem.

La Fédération Internationale de Tennis avait décidé en 1982 qu'un bonus d'un million de dollars devait être attribué en cas de victoire aux quatre tournois consécutifs du Grand Chelem.

Certains puristes ont prétendu que le vrai Grand Chelem exigeait qu'on remporte au cours de la même année civile le titre aux Internationaux de France, à Wimbledon, à l'U.S. Open et à l'Open d'Australie. Deux femmes seulement ont réussi ce score : Maureen Connolly en 1953 et Margaret Smith Court en 1970. Elle l'ont réussi l'une et l'autre lorsque l'Open d'Australie avait encore lieu en janvier, au début de l'année.

En 1977, les Australiens ont fixé ce tournoi en décembre – en fait il a eu lieu deux fois au cours de la même année – de sorte que son importance en a été quelque peu amoindrie. Désormais l'Open d'Australie devenait donc la finale de la saison pour quiconque avait gagné trois des championnats du Grand Chelem.

Lorsque j'ai remporté quatre victoires à la suite (de Wimbledon 1983 aux Internationaux de France 84), j'ai gagné le bonus d'un million de dollars, mais on a dit que je n'avais pas remporté le VRAI Grand Chelem. Cela m'a donné encore plus envie de gagner Wimbledon et l'U.S. Open 84. Après ma victoire contre Chris à Wimbledon, j'avais donc gagné d'affilée cinq tournois du Grand Chelem. Et nous étions à égalité dans nos duels, avec trente victoires chacune. J'ai déclaré que nous devrions nous en tenir là.

Et puis, deux mois plus tard, j'étais en train de défendre mon titre à New York, et j'entendais les spectateurs hurler des encouragements à Chris. Je me répétais que les New-Yorkais encouragent toujours le perdant présumé, et je tentais de ne pas me sentir visée, mais tout de même!

Pendant tout le tournoi, Chris a répété que je ne tiendrais pas le coup que mon moral n'était pas si solide que cela, et elle ne s'est pas vraiment trompée : c'est dans les premiers tours que j'ai été irrégulière, et à la finale elle s'attendait à la même chose.

Nous avons dû attendre pour jouer la fin de la demi-finale entre Ivan Lendl et Pat Cash. C'est vraiment ridicule, deux finalistes de Grand Chelem patientant, ou s'impatientant pendant des heures à cause d'une demi-finale hommes. Cash et Lendl ont joué cinq sets avant que Lendl l'emporte au tie-break. Nous suivions le match à la télévision, Chris et moi, dans le vestiaire des femmes.

Heureusement que nous étions deux amies. Des adversaires qui ne l'auraient pas été se seraient probablement sauté à la gorge. Je me demande ce qui se serait passé si Nancy avait été là pendant cet interminable match (il a duré trois heures et trente neuf minutes!). Laissées à nous-mêmes, nous avons pris plaisir à regarder Cash et Lendl, et j'ai même partagé mes gâteaux avec elle.

Je n'aurais peut-être pas dû! Une fois sur le court, elle a joué un des meilleurs sets de sa carrière, retournant mes services en passing-shots, et elle a gagné le premier set 6-4.

J'ai fini par comprendre pourquoi mon service n'était pas bon : je laissais trop retomber la balle avant de la frapper. J'ai ajusté le tir, mais j'ai eu du mal à lui arracher la victoire : 4-6, 6-4, 6-4; ç'a été un des matches les plus harassants de ma carrière.

A la fin, les spectateurs nous ont acclamées toutes les deux. Je dois dire que je n'ai jamais vu Chris aussi abattue après une défaite. Son jeu avait été parfait, mais j'avais réussi à remporter la victoire. Désormais, j'étais devant elle : trente et une victoire contre trente. Quelques semaines plus tard, au cours d'un tournoi à la Résidence Bonaventure à Fort Lauderdale, j'ai même dépassé son record de cinquante-cinq victoires d'affilée.

J'avais encore un objectif pour 1984 : l'Open d'Australie, quatrième tournoi du Grand Chelem traditionnel. Si je le gagnais, j'aurais réussi une série de six victoires aux tournois du Grand Chelem.

Chris participait aussi aux Internationaux d'Australie, et j'en étais heureuse.

Mais, alors que je m'attendais à arriver en finale contre elle, c'est mon enfance qui s'est dressée devant moi pour me barrer la route : j'ai déjà dit combien ma famille était fière de la victoire de ma grand-mère maternelle contre la mère de Vera Sukova. La fille de

Vera, Helena, ramasseuse de balles autrefois à Prague, était maintenant, à dix-neuf ans, une femme de plus de 1,80 m, qui commençait à comprendre qu'être très grande, c'est un gros avantage au tennis. Sa mère, Vera, avait été une championne sur terre battue. Helena, avec son excellent service, son coup droit redoutable, et son allonge, est particulièrement à son aise sur gazon. Et l'Open d'Autralie se joue sur gazon.

La rencontre a eu lieu à Kooyong. Helena venait de battre Pam Shriver en quart de finale. J'ai gagné le premier set 6-1, non sans mal. J'avais eu de la chance, j'avais gagné de justesse un certain nombre de jeux. Dans le second set, j'ai aussi bien joué, mais c'est Helena qui s'est mise à faire le dernier point des jeux où je la talonnais de près, et elle a remporté le set 6-3.

Au troisième set, je me suis énervée, j'ai perdu deux fois mon service, et très vite j'ai été menée 0-3. Je l'ai remontée jusqu'à 4-4, j'ai pris le neuvième jeu, mais Helena a servi magnifiquement et est remontée 5-5. Dans le onzième jeu, je servais. Helena a fait les trois premiers points. Je suis arrivée à sauver trois balles de match avec des coups droits bien placés, puis deux balles de match encore, mais c'était trop tard. J'ai envoyé un revers « out ». C'était fini. Je m'étais arrêtée à six victoires consécutives de Grand Chelem. Je totalisais soixante quatorze victoires consécutives.

Je ressentais durement mon échec, mais j'ai embrassé Helena et je l'ai félicitée chaudement. Elle avait mieux joué que moi, ce jour-là. Vera aurait été fière d'elle.

Quand je suis rentrée à l'hôtel, il y avait déjà plus de télégrammes, de messages, de cartes et de fleurs que je n'en reçois quand je gagne. Les gens étaient d'une sollicitude! Ils me téléphonaient pour me demander d'une voix étouffée et apitoyée : « Ça va? Tu prends le dessus? Qu'est-ce que tu vas faire? »

Ce que j'allais faire? J'allais retrouver ma maison,

faire du cheval, finir mes courses de Noël (sur catalogue, bien sûr, c'est tellement plus pratique), et partir faire du ski. Enfin!

J'étais très excitée à l'idée de reprendre le ski. Je rêve de retourner, un jour, dans les monts Krkonose. La Coupe de la Fédération aura lieu à Prague en 1986. Quel retour ce serait pour moi : jouer pour mon nouveau pays dans mon pays natal !

Si j'obtiens un visa, je n'attendrai pas si longtemps pour connaître la nouvelle maison de mes parents, revoir mon chien Babeta, qui n'avait que deux ans quand je suis partie. Est-ce qu'il me reconnaîtrait? Après tout, Argos a bien reconnu Ulysse au bout de vingt ans! J'aimerais aussi revoir mon ancienne école, mes amis d'autrefois. Je veux surtout aller sur la tombe de ma grand-mère.

Peut-être que je serai déçue. Après l'Amérique, comment supporterai-je la Tchécoslovaquie? Je sais bien qu'ici aussi, il y a de la misère et des injustices, mais je suis fière d'être américaine; les États-Unis sont vraiment devenus mon pays.

En attendant les monts Krkonose, je reviendrai skier dans les montagnes du Colorado. J'avais décidée, adolescente, de ne rien faire qui puisse compromettre ma carrière au tennis. Mais maintenant, je veux retrouver ce vent qui balaye ma figure, cette griserie de la descente. Il y avait longtemps que des amis m'invitaient. Après l'Open d'Australie, je me suis décidée : « Ça suffit. Cet hiver, je vais skier. » Pourquoi d'attendre d'arrêter le tennis pour commencer à vivre? Dans quelques années, il y a aura peut-être eu une guerre atomique! C'est *maintenant* que je vais le faire.

Les organisateurs des tournois se sont affolés : « Qu'est-ce qui vous prend? Et si vous vous blessez? Que deviendrez-vous? » Ils auraient pu dire : « Que deviendrons-nous? » : c'était pour eux, au fond qu'ils s'inquiétaient.

J'avais besoin de changer d'air, de quitter un

moment tout ce petit monde. Et qu'est-ce que j'aurais pu trouver de plus différent des gazons australiens sous la chaleur d'un été torride, que la neige et le froid d'Aspen, au Colorado?

J'y suis partie. Et j'ai descendu les pentes à mon rythme. Je n'entendais que le crissement de mes skis sur la neige et le sifflement du vent à mes oreilles. Et je me sentais vivante, et libre. Perdre l'Open d'Australie, ce n'était qu'un accident de parcours; une victoire de plus ou de moins à mon palmarès; était-ce vraiment important? Moins que de devenir seule juge de mes décisions, seule responsable de moi, beaucoup moins que d'être moi-même. Et, seule sur mes skis, je n'ai pas eu peur, j'ai senti ma joie monter, et j'ai vu la beauté autour de moi.

Je ne savais pas si j'arriverais à changer le monde, mais je savais que j'allais essayer, et je me suis dit : « C'est aujourd'hui que je commence! »

TABLE DES MATIÈRES

PROLOGUE 9
1. Les Pommiers 11
2. Mon vrai père 15
3. Mes parents 22
4. L'Enfant à deux mains 36
5. Le Train de banlieue 44
6. Ma grand-mère 51
7. L'École 60
8. Adolescence 70
9. Libre de jouer 74
10. Née américaine 81
11. Le Tournoi interrompu 89
12. La Réponse 99
13. Premier voyage à l'étranger 104
14. Junior 110
15. Les États-Unis 118
16. Chris 127
17. Le « gros-espoir » 136
18. Première aventure 144
19. La Californie, cette fois 149
20. La Décision forcée 157
21. Le grand pas 167

22. Une nouvelle vie 177
23. Les Dames du soir 183
24. La Tonne de briques 198
25. Haynie 205
26. Wimbledon 78 214
27. Rita Mae 220
28. Visite de ma famille 228
29. La Virginie 239
30. Nancy 246
31. Découverte de la douleur 253
32. Le Bulletin météorologique 260
33. Nouvelle image 265
34. L'autre adversaire 272
35. Renée 279
36. La Maladie qui valait un million de dollars . 288
37. Les genoux en coton 294
38. La longue attente 305
39. Mon nouvel entraîneur 315
40. Bon débarras! 326
41. Changements 336
42. Grand-Chelem 341
43. L'avenir 348

Cet ouvrage a été réalisé sur
Système Cameron
par la SOCIÉTÉ NOUVELLE FIRMIN-DIDOT
Mesnil-sur-l'Estrée
pour le compte des Éditions Carrere – Michel Lafon
le 31 juillet 1986

Les photos du cahier d'illustration nous ont été fournies
par l'éditeur américain, Alfred A. Knopf
Photos de couverture :
Yan Arthus Bertrand/Van Dystadt
Michel Colombo/Gamma

Direction artistique : Dominique JEHANNE
Direction technique : Claude FAGNET
Attachée de presse : Nathalie LADURANTIE

Imprimé en France
Dépôt légal : mai 1986
N° d'édition : 4720 – N° d'impression : 5170

Avec ma mère dans les montagnes Krkonose, en 1961.
A en juger par mes skis, j'avais 5 ans.
Ma mère a toujours la veste qu'elle portait.

Devant la maison du club à Revnice avec ma mère, en 1961. A l'extrême droite :
Vladimir Lacina, qui est devenu un bon ami et un partenaire.
Ceci était ma première raquette, je l'ai toujours.

Sur un étang à Revnice en 1966. Je pensais que j'étais très "cool" dans mes figures. Ma mère ne voulait pas me laisser jouer sur des patins de hockey.

Sur le court "Un" encore,
cette fois avec ma petite sœur Jana, en 1967.
La raquette avec la balle dessus était ma première,
elle appartenait à ma grand-mère. L'autre raquette
était la première achetée spécialement pour moi.

**Martina Navratilova à l'âge de 9 ans, avec son entraîneur George Parma à Revnice,
Tchécoslovaquie.**

Avec Chris Evert, et la sœur de Chris, Jeanne, à Paris en 1975.
Le gouvernement tchèque voulait que je descende au même hôtel que les
autres joueurs tchèques et fonctionnaires. Mais je préférais rester dans le
même hôtel que Chris, Jimmy Connors et les autres joueurs américains.

Le tournoi de Virginia Slims, à Oakland en Californie en 1977.
C'était la première année que mon jeu était à la hauteur.
Je vivais aux États-Unis depuis deux ans.

Prise de vues en fin de journée au studio de
Harry Langdon à Los Angeles en 1977.

Le tournoi d'Avon, à Dallas en 1980.

Le Open français (à Roland Garros),
cela a dû être un instant important
puisque je tirais la langue !

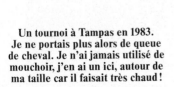

Un tournoi à Tampas en 1983.
Je ne portais plus alors de queue
de cheval. Je n'ai jamais utilisé de
mouchoir, j'en ai un ici, autour de
ma taille car il faisait très chaud !

Le Open de New South Wales Building Society sur leur merveilleuse pelouse, à Sydney (Australie), en 1981.

**Le Open de New South Wales
Building Society à Sydney
(Australie) en 1981.**

**1983, la victoire de U.S. Open pour
la première fois, contre Chris Evert.
J'avais attendu dix ans pour cela.**

A Tampa en Floride. De gauche à droite : Tets (un Shiba), K.D. (Killer Dog, un fox-terrier miniature) et Ruby, une autre importation japonaise.

1982, Fédération Cup Team, Santa Clara (Californie). De gauche à droite : Chris Evert, Andrea Leand qui boit du champagne, et Peter Marmureanu.

Nancy Lieberman et moi à la compétition de Supestarsn Key Viscayne (Floride), en 1982. Nous nous étions durement entraînées pour l'occasion et nous étions en pleine forme.

Eastbourne (Angleterre) en 1982, une semaine avant Wimbledon. De gauche à droite : Renée Richards, Hana Mandlikova et moi quittant le bureau de l'arbitre pour jouer la finale. Renée a enveloppé des oranges dans une nappe pour que je puisse les manger pendant le match. Hana a déjà son faciès de match. Il y eut un vent comme je n'en avais jamais vu auparavant, et j'ai gagné.

Avec mon entraîneur, Mike Estep, au Wimbledon Club en 1983. Ceci fut notre premier grand tournoi ensemble. Mike est idéal pour ma technique, mes tactiques et pour me soutenir pendant le match. (Si j'ai trois balles perdues et si je boude, je regarde Mike qui sourit pour me rappeler de me détendre). Il m'a appris que je n'ai pas à détester mon adversaire pour gagner.

U.S. Open, 1984, avec Pam Shriver.
Pam est une grande joueuse et une grande joueuse de double.

Le tournoi de Virginia Slims, Madison Square Gardens (New York), en 1985. Deux ans auparavant, le résultat de l'examen de mes yeux était satisfaisant, mais en octobre 1984, ma vue commençait à baisser. Je l'ai compris pendant le match en 1985 contre Hana Mandlikova à Princeton (New Jersey), quand je ne pouvais plus voir très bien la balle, pensant que la lumière était mauvaise. Cette photo a été prise deux semaines après que j'aie commencé à porter des lunettes.

Le Open de New South Wales, Sydney (Australie), en 1984.

Judy Nelson m'a donné un cheval pour mon 28e anniversaire. Nous l'avons appelé
Grand Slam.

Puma et Yonex (Yonnie) pendant un tournoi de l'été 1984, Mahwah (New Jersey).

Aspen Highlands, Aspen (Colorado), en 1984.

1985.